今さら他人《ひと》には聞けない疑問650

『ナゼだ?!』改題

エンサイクロネット／編

知恵の森文庫

光文社

●はじめに●

浜の真砂は尽きるとも、世に疑問のタネは尽きまじ——。

「なぜ、ガード下には焼き鳥屋が多いのか？」「なぜ、日本には痴漢と下着泥棒が多いのか」「なぜ、クルマのタイヤは黒いのか？」「なぜ、お子様ランチには旗がついているのか？」「なぜ、シマウマにはシマがあるのか？」

賢明なる読者なら、一度でもそういう疑問に取りつかれると、その答えを知りたくていても立ってもいられなくなる。しかし、この手の疑問の答えは、ときに高尚すぎて、あるいはときに下らなすぎて、学校ではまず教えてくれない。かといって、その道の専門家にたずねるというのも非現実的な話。今さら他人《ひと》には聞けないのである。

というわけで、そんなときこそ本書の出番。六五三の疑問について、そのワケを調べあげたこの本を開けば、必ずやあなたにとりついた疑問の答えが見つかるはず。これであなたはスッキリ、サッパリ。明日からの仕事や勉強、家事がグンとはかどるのはもちろん、思わず誰かに教えたくなるはずである。

エンサイクロネット

●もくじ●

●ありふれた「仕事」をめぐる謎の数々

仕事のナゼだ?!

日本人は、なぜ〝電車で居眠り〟するのか？
「メガネに出歯」。この日本人のイメージが定着したのは？
なぜ、北海道だけがあんなに広い？
日本人は、なぜ「三」が好きか？
なぜ、女性の名前には「子」がつくのか？
神社の木に結んだオミクジのその後は？
なぜ、名古屋城の上には金の鯱がある？
なぜ、漢字は縦書きにする？
なぜ、昔の人の旅荷物はあんなに少なかったのか？
なぜ、日本の幽霊には足がない？
武士は、なぜ「切腹」が名誉なのか？
なぜ、武士は月代を剃っていた？
左利きの武士は刀を反対側に差したのか？
大名は国替えのとき、どうやって引っ越した？
昔の遊女はどうやって避妊した？
侍の財布の中にはどれくらい入っていたか？
戦国時代の武士は、ケガをどう応急処置したか？
忍者は本当に竹筒だけで水にもぐれたか？
なぜ、昔の大家は店子にうるさくいった？
代官には本当に悪代官が多かったか？
「踏み絵」を考えだした人は？
縄文人は釣り糸をどうやってつくった？
最初の遣隋使のとき、誰が通訳した？
キリシタン宣教師は何人くらいいたのか？
『源氏物語』は、平安時代、何人くらいの人が読んでいた？
ペリーとの交渉には何語を使ったのか？
大岡越前があつかった裁判の数は？
東海道の旅を終えたあと、弥次さん喜多さんは、どうした？
なぜ、百人一首の小野小町は後ろを向いている？
なぜ、八男の源義経が「九郎」と呼ばれる？
一寸法師は鬼を退治したあと、どうなった？

●食べ物のナゼだ?! 毎日食べても解けない「食べ物」の不思議

なぜ、握りずしは一カン、二カンと数える？
なぜ、ご飯を「シャリ」という？
なぜ、キュウリをカッパと呼ぶ？
「バッテラ」の名前の由来は？
イクラの軍艦巻きのルーツは？
「鮨」と「鮓」の違いは？
なぜ、昔は「トロ」より「赤身」に人気があったのか？
シナチクの正体は？
なぜ貝なのに「トリガイ」？
ラーメン丼のヘリの模様は何のデザイン？
回転寿司を考えだしたのは誰？
ギョーザはなぜ三日月形？
カップラーメンの〝待ち時間〟は、なぜ三分？
そば屋の「生そば」とは、どういう意味？
なぜ、カップ生麺は生なのに長期保存できる？
なぜ、揚げ玉がはいると「たぬき」うどんになるのか？
なぜ、カニ缶は紙で包んである？

なぜ、干物は長もちする?
子持ちコンブの子は、誰の子か?
なぜ「かまぼこ」は、板の上に乗っている?
生簀料理は、ホントにうまい?
なぜ、うなぎ屋は蒲焼を焼くときに団扇でバタバタあおぐのか?
なぜ、レンコンには穴がある?
なぜ、「R」のつかない月はカキを食べてはいけない?
緑色のレタスやキャベツは、なぜ、緑黄色野菜ではない?
ハムとソーセージの違いは?
ポパイは、なぜ「ホウレンソウ」が好きなのか?
電子炊飯器で保温したご飯は、なぜ臭い?
赤みそと白みその作り方の違いは?
「ソース」は何でできている?
七味唐辛子の入れ物は、なぜヒョウタン形?
白コショウと黒コショウは、どう違う?
しょう油一升を一気飲みすると、どうなる?
コンニャクには、なぜ白と黒がある?
モダン焼きのルーツは?
関西人は、なぜ「薄味」が好き?
ピーナッツの殻は、どうやってむく?
「柿の種」はなぜいびつな形?
牛乳を腐らせてつくったヨーグルトが、なぜ腐る?
「アスパラの缶詰」は、なぜホワイトアスパラしかない?
缶詰にも旬はある?
バウムクーヘンの真ん中にはなぜ穴がある?

なぜ、クロワッサンは三日月形になった?
なぜ、食中毒は秋に多いのか?
松阪牛は、ホントに三重県松阪市で生まれた?
産みたての卵は、なぜまずい?
外国で食べる日本料理は、なぜまずい?
子供は、なぜ甘いモノが大好き?
女性には、なぜ「甘党」が多い?
なぜ、デザートは食事の最後に出てくるのか?
毒死した動物は食べられるか?
日本人は、なぜ「水割り」が好きなのか?
なぜ、ウイスキー瓶は引き取ってくれない?
ビールの王冠のギザギザの数はなぜ、二一個?
ビールには、なぜ賞味期限が表示されていない?
ビールにはどんな水が使われている?
ビールの成分「コーン・スターチ」って、どんなもの?
ブランデーを手のひらで包んで飲む理由は?
ソムリエがぶらさげている灰皿のようなものは?
なぜ、カクテルはあんなにシェイクする?
甘酒はなぜ甘い?
インスタントコーヒーはどうやってつくる?
缶飲料には、なぜスチール缶とアルミ缶がある?
なぜ、日本酒は真冬につくる?
なぜ、福建省はウーロン茶の大産地になった?
なぜ、マックシェイクは、わざと飲みにくくしてある?
なぜ西洋料理のあとは、エスプレッソコーヒーが合う?

スポーツ・芸能界のナゼだ?!

●「スポーツ・芸能界」をめぐる「?」の数々

なぜ、野球は九回で終わる?
なぜ、野球の「七回」は「ラッキー7」なのか?
なぜ、左利きのことを「サウスポー」という?
なぜ、野球のホームベースは五角形?
プロ野球選手の年俸交渉では、なぜ大物は最後になる?
プロ野球選手の年俸は、一括してもらうのか?
二塁から一塁へ盗塁できるか?
プロスポーツ選手には、なぜ〝姉さん女房〟が多いのか?
ヤクルトの応援歌は、なぜ「東京音頭」?
日本のプロスポーツ選手も、〝掛け持ち〟できる?
ワールドカップは、なぜ四年に一度?
サッカーで三点とるとなぜ「ハットトリック」という?
なぜ、ラグビーのトライは五点?
力士の航空運賃は割増か?
力士のオッパイは、なぜ右のほうが大きい?
優勝力士が休場したときは、誰が賜盃を返還する?
大相撲土俵の土は、どんな土?
土俵の四色の房は何を表している?
なぜ、オリンピックは四年に一度?
オリンピックの金メダルは純金製?
マラソンはなぜ、四二・一九五キロなんて、ハンパな距離なのか?
マラソンの途中でウンコをしたくなったら、どうなる?

マラソンコースには誤差はないか?
ゴルフのトーナメントプロは、一回の試合でいくら稼ぐとトントンになる?
ゴルフでミスショットする〝究極の理由〟って何?
なぜ、競馬は「八枠」なのか?
なぜ、日本の競馬場には右回りのコースが多い?
ボクシングとプロレスのリングは、どう違う?
試合でケガをしたプロレスラーは、相手を傷害罪で訴えられる?
「三〇〇〇メートル障害」という奇妙な競技のルーツは?
なぜ、陸上のトラックは左回りなのか?
なぜ、国体では、いつも開催県が優勝する?
男と女では、なぜ体操種目が違う?
なぜ、新体操ではいろいろな道具を使う?
テニスのサービスは思いっきり打ち込むのに、なぜサービス?
なぜ、ボウリングで連続三回ストライクを「ターキー」という?
なぜ、自転車のスプリント競技は最初から全力疾走しないのか?
登山靴は、なぜ重い?
なぜ、ゲートボールは「老人のスポーツ」?
スノーボードのルーツは?
「バンジージャンプ」のルーツは?
演歌には、なぜ「北を歌った曲」が多い?
オペラ歌手は、なぜ歯が抜ける?

宝塚のスターは、なぜ芸名がハデなのか？
子役は何歳まで？
映画の巨大な看板はどうやって描く？
なぜ、映画はビデオでみるより、映画館でみたほうがおもしろいのか？
映画の看板は、なぜ新宿と銀座で違うのか？
映画フィルムは、なぜ三五ミリ幅？
テレビのGコードって、どうやって決める？
なぜ、CMのナレーションは早口なのか？
なぜ、子供はCMが大好きなのか？
日本初のスポーツ新聞は？
なぜ、女性週刊誌にはSEX記事が多い？
子供の本の「○歳児向き」にはどんな根拠がある？
なぜ、「女子校生」はよくて「女子高生」はダメなのか？
なぜ、「SEX」はよくても「セックス」はダメなのか？
月刊誌の新年号は、なぜ一一月に発売される？
なぜ、女性雑誌の名前は「アンアン」とか「JJ」と繰り返すのか？
なぜ、日本では文庫本にもカバーがあるのか？
なぜ、「イヌ本」より「ネコ本」のほうが売れるのか？
「少年ジャンプ」の合言葉は、なぜ「友情・努力・勝利」？
「女性自身」というタイトルは、なぜ生まれた？
なぜ、八重洲ブックセンターには「二宮金次郎の銅像」がある？
「重版」と「増刷」は、どう違うのか？
ラジオの聴取率はどうやって調べる？
放送衛星が墜落したら、どうなる？

●モノのナゼだ?! 身近な「モノ」の疑問 使っていても解けない

プッシュホンの「＊」の正式な呼び名は？
ボールペンを使い切るまで、ボールは何回転する？
腕時計の電池交換は、なぜ自分でできない？
ドアには、なぜ内開きと外開きがある？
「家の鍵」は、ホントに家だけのものか？
「ジグソーパズル」は、なぜみんな形が違う？
彫刻の鼻の穴は、どこまで彫ってあるか？
蚊取り線香はどうやって渦巻型にする？
干した布団は、なぜ叩いてはいけない？
「冷湿布」と「温湿布」は、どう使い分ける？
なぜ、ティッシュペーパーを水洗トイレで使ってはイケナイ？
「猫よけペットボトル」のルーツは？
「テフロン加工」のフライパンは、なぜ、くっつかない？
「化粧せっけん」と「浴用せっけん」は、どう違う？
夫婦茶碗は、なぜ男物のほうが大きい？
生理用品のルーツは？
プッシュホンと電卓は、なぜ数字の配列が逆？
トランプの「スペードのA」は、なぜ大きく描かれている？
「正露丸」は、なぜラッパのマーク？

「カッコウ時計」は、なぜ「ハト時計」になった？
「ドリンク剤」の瓶は、なぜビール瓶と同じ色？
日本のクスリ名は、なぜ「ン」で終わるものが多い？
「トローチ」には、なぜ、穴があいている？
ティッシュペーパーは、なぜ、二枚重ね？
原稿用紙は、なぜ「二〇字×二〇行」？
なぜ、碁石は黒石のほうが白石より大きい？
選挙ポスター掲示板は、その後どうなる？
エスカレーターの下から、光が出ているのは何のため？
なぜ、電話のコードはあんなにねじれる？
公衆電話の最初の「ブー」は何の音？
美容院で切られた髪のその後は？
ダスキンマットは回収された後どうなる？
三味線用の猫皮は、どうやって調達する？
置き薬屋さんが回収した薬はどうなる？
手術用のメスは、どうやって研ぐ？
T型フォードは、なぜ「教会の敵」と呼ばれた？
ピストルの口径の数字の意味は？
なぜ、五線譜は五線になった？
ウォシュレットのノズルの長さが六・一七センチになったのは？
「考える人」は何を考えている？
グリコのマークのモデルは？
「インターネット」はどうして生まれた？
切手のデザインは誰がしている？
鉛筆に使われているのは、どんな木？

鉄線入りのガラスはどうやってつくる？
アーチ形の石橋はどうやってつくる？
なぜ、石垣は地震に強い？
砂時計の砂はどうやって入れる？
防弾ガラスの構造は？
防毒マスクの仕組みは？
花火の色はどうやってつける？
将棋の歩の裏に「と」と書いてあるわけは？
筆の先はどんな方法で細くする？
郵便ポストはなぜ赤い？
なぜ、観光地の絵はがきには人が写っていない？
薬の錠剤はなぜカラフル？
防弾チョッキが弾丸を防ぐ仕組みは？
マンションのカギは、住人が替わったとき、どうなっている？
船出の五色のテープを考え出したのは？
JRの切符の数字は、何を意味する？
クルマの給油口は、なぜ車種によって位置が違う？
ロープウェイのロープはどうやって運ぶ？
なぜ、クルマのタイヤは黒い？
オートバイは車輪が二つあるのに、なぜ「単車」？
ジェット・コースターで、いちばん怖い席は？
なぜ、仁丹は銀色をしている？
クルマのドアロックはしないほうがいい？
紅茶用のティーカップは、なぜ薄い？
サンタクロースの服は、なぜ赤い？

なぜ、女性用のシャツは「左前」なのか？
画家は、なぜ「ベレー帽」が好き？
アメリカ女性は、なぜ「ネグリジェ」が好きか？
なぜ、女性の腰巻きは赤いのか？
女性は、なぜスカートをはくのか？
女性は、なぜ「ハイヒール」を履く？
男は、なぜネクタイをするのか？
男性用シャツのボタン穴は、なぜ縦あき？
なぜ「ボタンダウンシャツ」の襟にはボタンがついている？
ハンカチが正方形になったのは？
婦人服のサイズは、なぜ、奇数なのか？
なぜ、桐タンスは火にも水にも強い？
「グッチ」のバッグが布製なのは？
「アディダス」のマークは、なぜ三本線？
「レイバン」のサングラスは、なぜ逆三角形？
有名ブランドには、なぜ「馬蹄形のデザイン」が多い？
「ラコステ」のマークは、なぜ、ワニなのか？

● 習慣・しきたりのナゼだ?!
常識に物申す「習慣・しきたり」をめぐる疑問の数々

「いってらっしゃい」と手を振るのはなぜ？
なぜ、日本人はヘソの緒を保存する？
なぜ、人の前を通るとき、手刀を切る？
なぜ、鳥居のマークが立ち小便お断りになる？
なぜ、女子大生は卒業式に袴をはく？

なぜ、「母の日」にはカーネーションを贈る？
なぜ、料亭の玄関には「盛り塩」をする？
二月一四日とチョコレートの関係は？
なぜ「お子様ランチ」には旗がついているのか？
お子様ランチは何歳まで注文できる？
なぜ、一日の食事は三回なのか？
「駆けつけ三杯」は、なぜ「三杯」？
名古屋の人は、なぜ「きしめん」が好きなのか？
なぜ、日本人は箸を使うようになった？
なぜ、お祝いのときに赤飯を食べる？
なぜ、夜爪を切ると親の死に目にあえないのか？
なぜ、めでたいときに尾頭つきを食べる？
なぜ、正月になるとお餅を食べるのか？
四つ葉のクローバーは、なぜ幸運のシンボル？
おみくじの「吉」は、いつまで有効なのか？
コックの帽子は、なぜ背が高い？
なぜ、黄色と黒は〝危険の印〟なのか？
なぜ、疑わしいときは「眉にツバ」をつける？
除夜の鐘は、なぜ「一〇八」？
未成年でも三三九度のお神酒は飲んでもいい？
結婚式で、花嫁はなぜ「お色直し」をするのか？
亡くなった人を火葬するのは、なぜ葬儀のあと？
なぜ、「切る」が禁句の結婚式で、ウェディングケーキを切る？
日本家屋には、なぜ床の間がある？
なぜ、門松の竹は斜めに切ってある？

年賀状の由来は？
なぜ、天気予報案内は一七七番になった？
「朝シャン」しはじめたのは誰？
なぜ、公衆電話ボックスには鏡がある？
「定年・五五歳」なんて、誰が決めた？
有名幼稚園の「お受験」では、なぜ紺ブレがダメなのか？
日本でも名前にミドルネームをつけられる？

きまり・法律のナゼだ?!
●考えてみれば面妖きわまる「きまり・法律」の謎……

「新発売」という言葉はいつまで使える？
何歳までの男の子なら、女湯に入れる？
新学期はなぜ四月からはじまる？
パスポートのビザ（査証）欄がいっぱいになったら、どうなる？
大学の授業は、なぜ一科目が四単位なのか？
なぜ、四月一日生まれは、早生まれになる？
小学校の卒業式から中学校の入学式までの間は、小学生？中学生？
ソープランドに、なぜサウナマシンがあるのか？
勲章の勲等はどうやって決まる？
電話ボックスの位置は、どうやって決める？
桜の花の「開花宣言」の基準は？
婚姻届や離婚届に、なぜ証人が必要なのか？
自分の養子と結婚できる？

「失業率」はどうやって計算する？
自分の死体を保存することは可能か？
電車の暖房の温度は、どうやって決めている？
なぜ、関東と関西では、電気の周波数が違う？
なぜ、警察は「一一〇番」で「一一一番」ではないのか？
外国人の取り調べは、何か国語くらい可能？
警察が押収した拳銃のその後は？
なぜ、殺人は一五年で時効になる？
威嚇射撃で撃った弾は、落下するとき危なくないか？
なぜ、警察官が殉職すると二階級特進する？
奈良漬でも酒気帯び運転になるか？
「酒気帯び」か「酒酔い」かは、何で決まる？
酔っぱらって自転車に乗っても、飲酒運転？
酒酔い運転で事故っても、保険はおりる？
自転車の防犯登録ナンバーは、役に立っている？
「交通事故の死者数」が、警察庁と厚生労働省で違うのはなぜ？
電車事故で「二万人の足に影響」なんて、なぜわかる？
海外で交通違反すると、その後どうなる？
高速道路の渋滞表示「渋滞三〇キロ」なんて、どうしてわかる？
道路標識の「横浜まで二〇キロ」とは、横浜のどこまで？
自動車教習所は転校できるか？
東海道新幹線の事故が「上り」に多いのは、どうして？
高速道路が午後三時に開通する理由は？
なぜ、地下鉄は時速七五キロ以上出せない？

●こころ・からだのナゼだ?!
「こころ」と「からだ」の仕組みをめぐる謎の数々

なぜ、女は便秘になりやすいのか？
なぜ、女は失禁しやすいのか？
なぜ、腹上死するのは男ばかりなのか？
ホントに〝潮吹き女〟はいるのか？
なぜ、男と女のヘアは「生え方」が違うのか？
なぜ、妊娠すると乳首が黒くなる？
精液はなぜ白い？
妊婦は、なぜ「酸っぱいもの」が好き？
「ペニスが子宮に当たる」なんて、本当？
なぜ、他人のオチンチンは自分のモノより大きく見えるのか？
処女膜は、なんのためにある？
なぜ、女性は膣と尿道が別なのか？
なぜ、主婦は井戸端会議が好きなのか？
恋する女性は、なぜきれいになる？
なぜ、男の睾丸は外にぶらさがっているのか？
食前に飲む薬を食後に飲むとどうなる？
同じ薬を飲みつづけていると、なぜ効かなくなる？
なぜ、イライラすると「貧乏ゆすり」をするのか？
お酒を飲むと、なぜ、あっという間に時間がたつのか？
なぜ、クルマに乗ったとたん、人格が変わる人がいるのか？
居酒屋では、なぜ「とりあえずビール」なのか？
スーパーでは、なぜ、売れ残りの商品でも客は喜んで買うのか？
子供は、なぜ「ハデな色」が好きなのか？
英雄は、なぜ「色」を好むのか？

なぜ、エレベーターの中で、人は表示ランプをみるのか？
なぜ、「ブスは三日で慣れる」のか？
なぜ、恋人たちはジェット・コースターが好きなのか？
なぜ、黒板をひっかく音は、あんなに気持ちが悪い？
なぜ、同じ道なのに行きより帰りのほうが短く感じるのか？
なぜ、みんなで決めると危険なのか？

●科学のナゼだ?! 解けてみれば、案外カンタンな「科学」の不思議

「混ぜるな危険！」のトイレ洗浄剤を、混ぜるとどうなる？
カセットテープに磁石を近づけるのはなぜ、イケナイのか？
なぜ、雲より高い富士山に雪が降る？
地球外生命がいるなんて、なぜわかる？
ヒトがさらに進化すると、どうなる？
なぜ、太陽が「四角」に見えるのか？
白骨死体の性別は、どうやって見分ける？
頂上に万年雪のある山の高さはどうやって測る？
「速読」は、どこまで可能か？
息子は母親に、娘は父親に似るって、ホント？
ダイヤモンドを金槌で叩くとどうなる？
秋分の日の昼と夜の長さはホントに同じ？
イチゴの種は、どこにある？
水の沸点は、ホントに一〇〇度？
なぜ、赤いバラには刺がある？
コックリさんは、なぜ、勝手に十円玉が動く？

なぜ、マイナス二七三度以下はないのか？
なぜ、白骨死体から「死亡推定年齢」がわかるのか？
クルマを撮影すると、なぜタイヤが逆回転しているように見えるのか？
水平線は、海岸から何キロ先にある？
なぜ、ヨットは風速より速く走れる？
北極星は、なぜいつも同じ位置にある？
透明人間は女湯がのぞけない？
なぜ、砂漠に生えているサボテンの中に水がある？
果樹園のリンゴの木は、なぜ背が低い？
なぜ、冬の松の木にワラを巻く？
植物の葉っぱは、なぜ緑色をしている？
なぜ、街路樹にはポプラの樹が多い？
川岸によく柳が植えられているのは？
ラジオは、宇宙でも聞くことができるか？
ドライフラワーの寿命は、どれくらい？
四〇人学級に誕生日が同じ生徒がいても不思議ではない理由とは？
新幹線の顔がどんどん尖ってきた理由は？
飛行船はどうやって着陸する？
給油ランプがついてから、クルマは何キロ走れる？
スケートリンクの氷は、どうやって張る？
色つき石けんでも、泡が白いわけは？
富士山の「五合目」は、なぜ、標高の半分ではない？
山の高さはどこから測るか？
なぜ、海には突然、水温の冷たい場所がある？
雨が降って「地固まる」なんてことがありうる？
ときどき月が赤く見える理由は？
なぜ、車窓から見る月は後ろから追っかけてくる？
「湯垢」の成分は何？
なぜ、赤い星と青い星がある？
雨粒はどんな形をしている？

● 動物のナゼだ?! 「動物」の生態に対する素朴な疑問の数々

動物園のクマは冬眠するのか？
なぜ、北極グマは氷の上で滑らない？
ゴリラの身長はどうやって測る？
ヤマアラシは本当に山を荒らす？
チーターはなぜ速く走れるか？
ハリネズミの母親は出産するとき、ケガをしないか？
シマウマを乗りこなすことはできるか？
サルスベリの木に、サルは登れるのか？
パンダの肌も、白と黒のブチか？
ナマケモノは、なぜ怠惰なのか？
コアラは、なぜ「ユーカリの葉」が好きなのか？
キツネは、なぜ油揚げが好きなのか？
タヌキは本当にタヌキ寝入りをするか？
なぜ、カウボーイが手綱を巻きつけるだけで、馬は逃げられなくなる？
シマウマには、なぜシマがある？

ゾウの細胞の大きさは、アリの何倍くらい？
ゾウの鼻は、どれくらい小さなものまでつかめる？
なぜ、夜行性動物は日光不足で背骨が曲がらない？
海中にいるクジラは、どうやって水分をとる？
ペットの「輸血」は、どうやる？
なぜ、イヌは酔っぱらいに向かって吠えかける？
イヌはなぜ汗をかかない？
なぜ、イヌは股間の臭いを嗅ぎあうか？
なぜ、イヌは草を食べる？
イヌは、なぜ「雪」が好きなのか？
もっとも人によく噛みつく犬種は？
なぜ、ダックスフントのような形のイヌをつくった？
ネコはなぜ猫背か？
なぜ、ネコは糞に砂をかける？
ネコは、なぜ寒がりなのか？
なぜ、ネコは尻っぽをふくらませる？
なぜ、ネコは色とりどりの子供を産む？
なぜ、ネコは男性より女性になつきやすい？
ネコは、なぜ魚が好きなのか？
ネコにドッグフードをやるとどうなる？
ネコは、なぜ「猫舌」なのか？
ネコとイヌの交配は可能か？
ネコ科のライオンやトラも、のどをゴロゴロ鳴らすか？
ハブに噛まれたマムシは死ぬか？
ヘビはどれくらいの長さのものまで呑み込める？
「スズメの涙」は何グラムくらいか？

スズメは、なぜ電線に止まるのか？
ヘビの胴体と尻尾の境界線はどこ？
なぜ、水鳥は水の中で体が冷えない？
ニワトリの産卵期はいつ？
鳩レースでは優勝タイムはどうやって計る？
鳥のオスはなぜカラフル？
渡り鳥は、なぜ長距離を飛べる？
チドリの歩き方は、なぜ千鳥足？
なぜ、カラスは案山子にだまされない？
ウグイスにも「方言」がある？
七面鳥の顔の色は、なぜ変化する？
鳥にも、右利き左利きはあるか？
なぜ、卵は孵化すると軽くなる？
なぜ、土の中にすむミミズが魚のエサになる？
なぜ、コバンザメはサメに食べられない？
タンチョウヅルの頭はなぜ赤い？
なぜ、深海魚はビタミンD不足にならない？
なぜ、マグロは長距離を泳げる？
「マナ板の上の鯉」は、なぜ往生際がいい？
カツオやマグロは、なぜ熱帯魚のようにハデではない？
魚は色が区別できるか？
タコは、なぜスミを吐く？
なぜ、クモは自分の巣にひっかからない？
海を渡るチョウは、どこかで休憩する？
実験室で飼っている蚊のエサは？
蚊は、なぜ人間の血を吸う？

なぜ「酔っぱらいと子供」は蚊に狙われる？
玉虫の本当の色は何色？
なぜ、ミツバチの巣穴は六角形をしている？
カタツムリは殻ごと成長しているのか？
ハエは、なぜ「ウンコ」に群がるのか？
アリは甘いもの好きだが、人工甘味料はどうか？
アリの貯めこんだ食物は腐らないのか？
アリは木から落ちたら死ぬか？
アリは、ホントに〝働き者〟なのか？

＊本文イラスト　フリッピクセル
（西岡りき）

今さら他人《ひと》には
聞けない
疑問650

真夏でも、婦警が厚着をしているのは、ナゼだ?!

ありふれた「仕事」をめぐる謎の数々

◎国会議員は、なぜ「君づけ」で呼ばれる?

国会議員は、お互いに「○○先生」と呼びあうことが多い。かなりキモチが悪いが、そんな国会議員も国会の本会議や委員会で議長や委員長から名前を呼ばれるときは、「○○君」と呼ばれるのはどうしてか? (ただし、土井たか子元衆議院議長だけは、憲政史上初めて「○○さん」と呼んだが)

国会議員を「君づけ」で呼んだのは、明治二三年、第一回の帝国議会が開催されたときだ。一説によれば、当時のアメリカ議会では議員の名前を呼ぶときに「ミスター」という敬称をつけるのが普通で、それを「君」と和訳したのが始まりだという。当時は、日本もアメリカも女性の参政権が認められていなかったから、国会議員はみな男。だから、「ミスター」=「君」だけでよかったわけだ。

いずれにせよ、当時の「君」は、けっして軽い呼称ではなかった。で、これが一種の慣例となり、戦後、女性議員が誕生してからも、今に至るまで続いているというわけである。

◎裁判官は、なぜ黒い服を着ている?

裁判官は、見るからにエラそうだが、そのエラさを際立たせるのにひと役買っているのが、長いスモックのような裁判官の衣装である。

これは「法服」と呼ばれるもので、裁判官はみな着用が義務づけられているが、この「法服」、色は黒と決められているのはどうしてなのか?

これは、黒はどんな色にも染まることがないから。つまり、黒い法服は、裁判官の公正さを象徴しているのである。

◎婦警さんは、なぜ夏でも厚着なのか?

最近は、茶髪の女性は当たり前。まじめそうな幼稚園の先生にもごろごろいるが、婦警さんの中には、まず見当たらないはずである。なぜなら、たとえば警視庁の場合、

・髪の毛は横分けにして肩より長い場合はしばる

・濃い赤の口紅やパール入りのアイシャドウはダメ

・マニュキュアは禁止

など、女子校顔負けの禁止事項がたくさんあり、茶髪などトンデモナイからである。

婦警さんには同情を禁じえないが、彼女たちのファッションにまつわる苦労はほかにもある。

たとえば、夏。婦警は、涼し気なブルーの制服を着用するが、その下にはたいていアンダーシャツを一枚よけいに着ているという。理由は、アンダーシャツを着ないと、汗で下着の線が透けて見えてしまうから。また、下半身を長いガードルで固めている婦警さんが多いのは、ミニパトの乗り降りの際、スカー

トの裾がめくれることがあるからである。

というわけで、夏の婦警さんは、かわいそうなほど厚着をしている。汗止めや匂い消しの香水などが必需品なのだそうだ。

◎露天商で、いちばんステイタスが高いのは何？

縁日やお祭りで欠かせないのが露天商。食べ物関係では、タコ焼き、焼きそば、お好み焼き、カルメ焼き、焼きとうもろこし、焼きイカ、あんず飴、綿菓子、ハッカパイプなど。遊び関係では、金魚すくい、お面、輪投げ、ヨーヨー釣りなどさまざま。

では、これら数ある露天商のうち、もっともステイタスが高いのは、どの露天商か？


答えは、綿菓子である。テキヤの世界では、職人としての腕がモノをいう商売が尊敬される。綿菓子をうまくまとめられるようになるためには、数年の経験が必要といわれ、数ある露天商の中でも、もっとも技術が必要だからだ。そして、原価はザラメとガス代だけだから、たぶん利益率もいい。

一般に、食べ物関係は、それなりの技術を要するため、総じてステイタスが高い。誰にでもできそうなお面売りなどは、見習いのお仕事といわれている。

◎漁師には、なぜ女性がいないのか？

昔から、漁師の世界は「女人禁制」が鉄則。最近は、人手不足で沿海のコンブ漁などには女性の漁師も登場しているが、遠洋漁業の世界では、いまだに女人禁制が守られている。

では、なぜ、漁師の世界は女人禁制なのか？

ひとつには、漁船に女性が乗ると不漁になるという言い伝えがあるからだ。その理由は、船には《船魂《ふなだま》さま》と呼ばれる女神が祭られており、女性を船に乗せると、この女神が嫉妬するからだとされている。

船に女神を祭るのは、日本だけでなく西洋の船でも行われている。それに「海」はフランス語では「メール」で、女性名詞だ。海はやっぱり、男の職場なのかも。

スチュワーデスの手には、なぜヤケドのあとがある?

スチュワーデスには、手にヤケドのあとがある人が多いという説がある。

理由は、オーブンで温めた熱燗《あつかん》や料理などを素手でつかむためだ。

ファースト・クラスのお客には、「素手でもてないような熱燗」をオーダーするわがまま放題のオヤジもおり、そんなオヤジにお酌までしなければならない。

かくして、スチュワーデスの手にはたいていヤケドのあとがあるというのだが、これはスチュワーデスにとって、一人前の証という。

医者は、自分の専門をどうやって決める?

医者には、内科、小児科、産婦人科、耳鼻咽喉科、皮膚科、外科など、さまざまな専門の科目があるが、これはどうやって決めたのか?

じつは、大学の医学部を卒業した医師の卵たちは、すべての科目について学んでいる。つまり、彼らはどんな科目でもOK。どの科目を選ぶのかは、あくまで本人の自由。医師国家試験に合格して、大学の医局に進む際、自己申告をして専門科目を決めることが多い。

実際は、本人の興味のある科目、親が開業医というケースは、親の診療科目と同じ科目を選んで跡を継げるようにしておくことが多いというが、たとえ内科の医師ではあっても、ケガ人に外科的な応急処置くらいはちゃんとできて当然。

もっとも、最近は医療の進歩がめざましく、あれもこれもと診療科目は広げられないのが実情とか。お医者さんをマジメにやろうとすれば、一生勉強をつづけなければならないのである。

◎競馬の予想屋は、ホントに大穴を的中させているか？

競馬場の入口付近や場外馬券売り場の近くには、かならず「予想屋」がいる。

なかには、自分が大穴を当てた証拠として、万馬券をこれみよがしに見せつける予想屋もいるが、ホントのところはどうなのか？

ある予想屋によると、馬券を偽造するのはたやすいのだという。数字だけを切り抜いて差し替えるという初歩的なものから、磁気の部分だけを残して、表面を差し替えるという巧妙なものまで、もちろん、機械には通用しないが、人間の目ならいくらでもごまかせる偽造馬券が簡単にできるという。

まあ、冷静に考えれば、そんなに予想が当たるのなら、人になんか教えないほうがいいに決まっている？

◎なぜ、ガード下には焼き鳥屋が多い？

渋谷、上野、有楽町のガード下といえば、焼き鳥屋である。

かつて、焼き鳥はそうしたガード下でしか食べられないものだった。今でこそ、焼き鳥は居酒屋の定番メニューだが、昔の小料理屋のメニューに焼き鳥はなかったのだ。

そもそも、焼き鳥は、戦後の焼け跡・ヤミ市生まれの食べ物。戦前から、鳥を焼いて食べることはあったが、今でいう焼き鳥とは違う料理だった。

ヤミ市の屋台から出発した、いわばちょっといかがわしい雰囲気の料理。やがて鉄道が高架となると、そのガード下に場所を移し、サラリーマンたちの憩《いこ》いの場所となったわけだ。

コンビニの弁当は、なぜ奥の棚にあるのか?

コンビニの主力商品といえば弁当だが、この弁当、たいていのコンビニでは、店の奥の棚に置いてあるのはどうしてか？

主力商品なら、もっとも目立つ入口付近に置かれてもよさそうなものだが、これではコンビニは儲からない。なぜなら、弁当という商品は、それに付随してべつの商品を買ってしまうことが非常に多い商品。そんな商品を入口付近に置いては、みすみす売上げを逃してしまうからだ。

弁当がいちばん奥にあれば、レジに持っていく途中に、弁当だけじゃさみしいからと、飲み物やデザートを買ってしまう。さらに、弁当を食べながら雑誌も読みたいとなって、雑誌コーナーへ足を向ける場合もある。

かくして、弁当を買うだけのつもりが、店を出たときには二千円も使っていた、なんてこともあるわけだ。

指名手配の似顔絵は誰が描いている?

古くはグリコ事件の〝キツネ目の男〟が有名だったように、重大事件で容疑者が捕まらないと、その似顔絵が公開されることが多い。

この似顔絵、名のある画家ではないにしても、画学生など〝プロの卵〟が描いていると思っている人も多いはずだが、実際に描いているのは、ほとんどの場合、フツーの警察官。事件の捜査本部が置かれている署員の中で、絵心のある警察官が描いている。

たとえば、高校時代から肖像画を描くのが趣味だったというある警察官によれば、似顔絵描きのコツは、

・似顔絵を描く前に、犯人に関する予備知識を持ってはいけない（先入観で描いてしまうから）

・まず、目撃者の話から輪郭を描く（輪郭が描けないようでは、公開できる似顔絵にはならない）

・大まかに顔の構成を描き、目撃者の証言によって、徐々に犯人の特徴を描き加えていく

こうしてできた似顔絵。最近では、モンタージュ写真よりも犯人像に近いと、犯人逮捕の決め手になることも多い。

◎会社の社長は、誰に辞表を出せばいい？

社員が会社を辞めるときは、直属の上司に辞表を提出する。では、企業のトップである社長が辞めるときは、誰に辞表を手渡せばいいのだろうか。まさか、自分宛に辞表を書き、自分で受理するわけではあるまい。

法律的には、社長が辞めるときの手続きは、次の二つのケースがある。ひとつは、ほかにも代表権をもつ取締役がいる場合で、このときは社長は、別の代表取締役に辞意を伝えればいい。具体的には、代表取締役会長に伝えることになる。

もうひとつのケースは、自分しか代表取締役がいない場合である。この場合は、取締役会を招集して、その席で辞意を表明することになる。このときは口で辞意を伝えるだけで、

紙に書いた辞表を提出することはほとんどない。

◎奈良のシカの数は、どうやって数える?

奈良のシカの数は、毎年、一〇月に行われるシカの角切り行事の前後に発表される。だが、広い奈良公園の中を動きまわっているシカの数を、どうやって数えているのだろうか?

奈良市には「鹿愛護会」という組織があり、毎年七月になると、三〇人前後の有志が集まり、一頭一頭シカを目で確認して数えている。

その数え方は、まず公園を数ブロックに分け、数人編成のチームが担当したブロックを歩きまわり、用紙に「正」の字を書き込みながら、シカの頭数を数えていく。そして、各ブロックごとの数字を計算し、合計を総頭数とする。

といっても、昼間はシカが活発に動きまわるため、うまく数えられない。そこで数える作業は、夜明けと同時にスタートする。

しかも、人の目で確認する作業なので、必ず数え間違いが起きる。それを見越して、翌日も同じ方法でカウントする。二回の平均値が最終結果として報告されている。

◎線路の砂利にドリルを打ち込むのは何のため?

線路の下には、バラストと呼ばれる砂利が二五センチほどの厚さに敷きつめられている。

線路の保線作業で、作業員が砂利にドリルを打ち込んでいるのは、レールと枕木を安定させるため。バラストを震わせて隙間を詰める作業で、「つき固め作業」と呼ばれている。

そもそも、バラストには、レールを安定させ、振動や騒音をやわらげるクッションの役割がある。しかし、電車の重みや振動で、砂利が動き、レールの高さに違いが生じたりするため、ときどきドリルを打ち込んで、レールの高さを調節しているのである。

バラストは、一年もすると、列車の衝撃で角がとれて丸くなり、効果が半減してレールの高さに狂いが生じるようになる。そうなると、クッションの役目は果たせなくなり、バラストはときどき新しいものと取り替えられている。

◎電車はいつどうやって掃除しているのか?

昔は、終電が終わった後、清掃係の人が床や窓、吊り革などを磨いていた。しかし、最近は電車の掃除も機械化がすすんでいる。

ある私鉄の場合は、全車両を三班に分けてローテーションを組み、三日に一度は車両を休ませ、車体洗浄装置(ガソリンスタンドにある洗車機を巨大にしたようなもの)にかけて、マシン清掃をしている。これだと、一〇両編成の約二〇〇メートルにもおよぶ車体の外装が五分で洗い終えられる。

ただし、内装の清掃はまだ手作業で、二週間に一度程度、人間の手で掃除されている。床は洗剤で洗ってから、水洗いし、乾くとワックスをかける。シートは掃除機をかけ、手すりや吊り革、窓の内側などは雑巾でていねいに拭く。外装も、マシンでは落としきれなかった細かい汚れをブラシでこすって落としている。

◎ソープランド嬢のヘアは、なぜ早く伸びる?

鼻毛が伸びるのは、タバコを吸いすぎたとき。では、アンダー・ヘアが伸びるのは、どんなときだろう。

答えは、ソープランドで使用するローションをたっぷりと塗ったとき。事実、ソープランド嬢も一人前になると、アンダー・ヘアが伸びて伸びて伸びて、仕事にも差し支えるのだという。

理由は、あのネバネバのローションには海藻成分が含まれているから。海藻には養毛剤としての効果があり、これを、毎日、何度も頭髪ならぬアンダー・ヘアに塗りたくっていれば、デルタ地帯がフサフサになるのも無理からぬ話だろう。

ベテランのソープ嬢ともなると、アンダー・ヘアの毛切れを予防するために（放っておくと、かなり痛いらしい）、毎日、手入れが必要だという。

◎犯人は、なぜ「現場に戻る」のか？

犯罪捜査では「犯人は現場に戻る」とよくいわれる。

たとえば放火犯は、燃えている現場を野次馬のフリをして見ていることが多いし、殺人などの凶悪犯でも、警察官が現場検証をしているところを野次馬のフリをして見守っていることがおうおうにしてあるという。

なぜ、犯人は、危険をかえりみず、現場に戻ってしまうのか？

これは、心理学でいう「防衛的な露出行動」のひとつと考えられている。

たとえば、太っていることを気にしている人が、初対面の相手にわざと「いやあ、合うサイズの服がなかなかなくって」などと冗談めかしていうことがある。これは、相手から太っていることを指摘

されはしないかという不安を、自分が先にしゃべってしまうことで、少しでもやわらげようとするため。犯人がつい現場に戻ってしまうのも同じ心理というわけだ。

警察のほうはそんな犯人の心理を熟知しているから、犯罪現場では、周囲にも目を光らせている。

◎泥棒の被害は、なぜ「火曜日」に多い？

警察庁の犯罪白書などによると、泥棒の被害が多いのは火曜日、次が金曜日だという。

理由は、火曜日は人々の緊張がもっとも緩むから。週の始めの月曜日は「さあ、これから一週間がはじまるゾ！」という緊張感があるのだが、翌日になると、とたんに気が抜けてしまうのだ。

金曜日がねらわれやすいのも、やはり人々が「やれやれ、明日から休みだ」と、緊張が緩んでしまうから。そのスキをドロボーはしっかり狙うというわけである。

火曜と金曜は戸締りにご用心。

◎なぜ、理容室と美容院ではシャンプーする向きが違う？

どちらも髪の毛を手入れする場所だが、男性が通う理容室と、女性が通う美容院では、シャンプーするときの向きが違う。理容室では、お客を「前かがみ」にしてシャンプーするが、美容院ではお客を「仰向け」にしてシャンプーする。

洗いやすさという点では「前かがみ」だというが、なぜ、美容院では「仰向けシャンプー」が慣例化しているのか？

答えは、女性の化粧が落ちないようにするため。前かがみになって髪を洗うと、髪の生え際を洗う際に、どうしてもシャンプー液が額にかかってしまう。そうなると、女性がせっかく美しくメイクアップしていても、生え際だけファウンデーションがはげ落ちてしまうことがあるからである。

◎通信販売のルーツは?

通信販売という販売法は、今から一二〇年以上も前、明治初期にはすでに登場していた。日本で郵便制度が創設されたのは一八七一年、明治四年のことだが、その四年後には郵便為替制度が設けられた。

そこに目をつけたのが、農学者。農家の人が読む農業専門誌に広告を掲載し、外国産の苗や種、肥料などを全国の農家に郵送販売するという商売をはじめたのだ。つまり、日本で最初に〝通販生活〟をはじめたのは、農家の人たちだった。

ちなみに、現在も、農産種苗は「第四種」として安い郵便料金で郵送することができる。農産種苗にこんな特典が設けられているのは、種苗業界が、郵政事業庁にとって大のお得意様だった時代の名残りといえる。

◎大阪の老舗は、なぜ店内が薄暗い?

江戸時代から、大阪の商人のあいだでは、「家を明るくしておくと、福の神が逃げる」という迷信があった。暖簾《のれん》をかけるのも、この福の神を逃がさないためのオマジナイだという。

実際、大阪の老舗といわれるような店は、薄暗いところが多いが、福の神うんぬんは、どうも後からこじつけたものらしい。というのも、店を薄暗くしておくのは、大阪商人ならではの理由があったからだ。

ひとつは、照明代をケチるため。また、店内を明るくしておくと、つねに掃除しておかなければならない。店員の衣服が汚れていては目立つし、家具や調度もそれなりのものを揃えなければならない。さらに、店内が明るいと、肝心の商品も、アラが目についたり、色あせたりしかねない。

さすが大阪は商売の本場である。

なぜ、クラブでトイレにいくと、ホステスがオシボリをくれるのか？

たとえば、あなたは高級クラブでホステス相手にいい気分で飲んでいると思っていただきたい。で、ふと尿意をもよおしたあなたはトイレに向かった。

どんなに酔っぱらっていても、トイレにいくと、フッと我に返るもの。腕時計をみて、「おや、もうこんな時間か」とあなたは思う。

洗面所で手を洗っていると、前には鏡が。そこには、顔を真っ赤にしたミットモナイ自分が映っている。「よし、もう帰ろう」とあなたは決心する……。

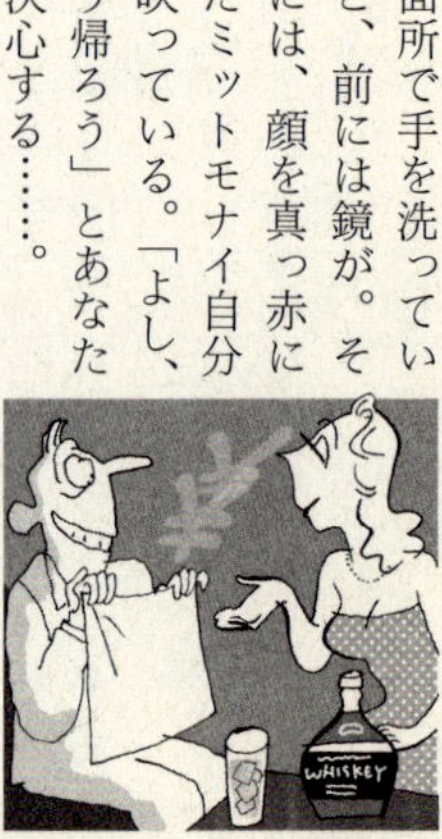

ところが、トイレから出てくると、ホステスが待ってましたとばかりオシボリを差し出す。あなたは、手だけでなく、顔や首スジあたりを拭《ぬぐ》う。ふー、なんとなくさっぱりする。で、思う。「よし、もうちょっと飲むか……」
つまり、ホステスが差し出すオシボリは、あなたからもっと勘定を絞り取ろうとする魔の手だったのだ。
京都・祇園の一流料亭では、客がトイレにたつと芸者がトイレの外までついてくるというが、これも客に里心を起こさせないための作戦といわれている。

◎結婚相談所は、なぜビルの高層階にある?

結婚相談所というより、最近はコンピューターを駆使した「結婚情報サービス会社」といったほうがピンとくる人も多いはず。

ともかく、そんな会社の老舗といわれるA社は、新宿の高層ビルの四一階にオフィスがあった。家賃はけっして安くはないが、それだけの家賃を払うのには、もちろんワケがあった。

この会社に独身サラリーマンやOLが訪れるのは、たいてい仕事が終わった夕方から夜。ここで彼らは担当者からカウンセリングを受け、希望者は入会手続きをとり、高額の入会金を払う。

ポイントは、カウンセリングのとき、彼らが窓からながめる風景である。眼下には、ネオンきらめく大都会の夜景が広がっている。ここで彼らが感じるのは、大都会の孤独と華やかさ。この風景が、「よし、自分も本格的に恋人探しをしよう」と思い切らせるのだという。

実際、夜この会社でカウンセリングを受けた人は、入会する率がぐっと高くなったとか。高層ビルからながめる大都会の夜景は、人をその気にさせる力があるようだ。

◎ベテラン看護婦は、なぜ患者の死期がわかる?

ベテランの看護婦さんは、

・手術のとき、男性の陰毛を平気で剃《そ》れる
・血を見ても、なんとも思わない
・患者の求愛を軽く受け流せる（入院中の男は、看護婦さんがやたらにきれいに見える）
・医者より注射がうまい

ものだが、もうひとつ、患者の死期がわか

る、という特技をもっている。

医師は患者の病状などを診察して、「あと一か月もてばいいほう」などというが、看護婦が患者の死期を予知するのは、別な理由による。

その理由とは、いわゆる死臭。生きているのに死臭とはミョーな話だが、ベテランの看護婦になると、「この患者さん、明日か明後日には死ぬな」ということが、患者の体から発する臭いでわかるのだという。

その臭いは、「甘くすえたような臭い」だとか。医師の判断よりずっと当たるというから、恐ろしい。

なぜ、ヤクザはお詫びのしるしに左手小指をツメるのか?

お詫びのしるしはいろいろあるが、左手の小指を差し出すのがヤクザである。

では、なぜ、左手の小指なのか?


左手の小指は、刀やドスを握るとき、きわめて重要な役割を担っている。ゴルフでは、クラブを握るときは、左手の小指・薬指・中指の三本でしっかり握るとよくいわれるが、左手小指はモノを握るとき、なくてはならない指なのである。

その左手小指をツメるということは、いざ闘わなければならないときに、刀やドスがうまく握れなくなるということ。すなわち、彼らとしては致命的なハンデをあえて背負うことになるわけで、だからこそ、指ツメはお詫びのしるしになるのである。

もっとも、警察関係者によると、いまどきのヤクザは、小指なんかよりお金で解決することのほうが多いらしいが。

なぜ、大学教授になるのには、免許も資格もいらないのか?

義務教育の小中学校はもちろん、高校の教

師になるためには、教員免許が必要。ところが、最高学府といわれる大学の教師になるためには、じつは免許も資格もいらない。もっというなら、学歴だって不要。これは、私立だけでなく国立大学でも同じだが、これはどうしてか？

文部科学省によれば、大学の教官は、教育者であると同時に研究者でもある。研究者としての業績を判断するのは試験ではむずかしく、結局、ある人物を大学の教官として採用するかどうかは、各大学の教授会にゆだねられているからだ。

そのため、新設大学などでは、ちょっとでもテレビで顔が売れた文化人が、研究業績もないのにあっさり教授に採用されたり。ワンマン理事長がいる大学では、なんでこんなというような人物が、理事長のひと声で教授になるということも珍しくない。

◎なぜ、深夜タクシーの上客は「新宿二丁目」に多いのか？

「新宿二丁目」といえば知る人ぞ知る〝ゲイの街〟だが、この街、タクシー運転手の間では、深夜から早朝にかけて〝ロングの客〟、つまり一万円以上の長距離客が多いことで知られている。

理由は、この街にはかなりの遠方からわざわざ足を運んでくる客が多いからである。

なんといっても、この街には、銀座や六本木では絶対に味わえないお楽しみが用意されている。その道の愛好家にとっての新宿二丁目は、不景気だろうがなんだろうが、多額のタクシー代をかけても足を運びたくなる魅力があるというわけだ。

また、この街は、明け方まで営業している店が多いということも、タクシーが集中する理由。

もっとも、タクシードライバーの中には、二丁目で乗せた客に「あなたみたいなの、好みよ」とせまられた人も多いとか。なんであれ、おいしい話にはリスクがあるようで。

◎弁護士事務所は、なぜ会社組織ではないのか?

弁護士のタマゴは、たいていどこかの「法律事務所」に〝就職〟するが、この法律事務所、じつは会社ではない。

複数の弁護士がいて、その〝売上げ〟が億単位という法律事務所も珍しくない。だったら、有限会社なり株式会社なり、会社組織にしておいたほうがなにかと便利というのが世の常識だが、弁護士事務所の場合、法律で会社組織にはできないことになっているからである。

これは、弁護士は利益追求のためではなく、社会正義を実現するために働く、というのが建前だから。

したがって、すべての法律事務所は、いわゆる〝個人事務所〟である。複数の弁護士がいる場合は、事務所の家賃や事務員の人件費などの維持費を分担しあい、収入はあくまで独立採算。もちろんサラリーマンではないから、確定申告をして、税金を納める。

ちなみに、ある中堅弁護士の場合、売上げは約三千万円。そのうち一千万円は、共同事務所の維持費に消えるという。

◎警察の「巡査部長」は、どれくらいエラいのか?

「部長」といえば、サラリーマンなら〝いちおうの出世の到達点〟といわれる。

ところが、この「部長」がやたらに多いの

が、警察の世界。石を投げれば「巡査部長」に当たるありさまなのである。

しかし、この巡査「部長」、民間企業でいえば、主任か係長といったところ。なぜ、実態は係長がせいぜいなのに「部長」と名前がつくのかといえば、「巡査部長」とは「巡査」を束ねる部署の「長」だから。「巡査」は警察組織のピラミッドの中ではもっとも下にあるため、その「長」とはいっても、ほとんどエラくないのだ。

ちなみに、高卒以上で警察官の採用試験に合格した「ノンキャリア組」の場合、巡査でスタートして、高卒で四年、大卒なら一年で「巡査部長」の試験を受ける資格ができる。つまり、うまくすれば二〇代前半で「部長」になれてしまうのだ。

◎「調理師免許」がなくても、なぜ店が開ける？

ラーメン屋でもレストランでも、飲食店を開くためには「調理師免許」が必要だと思っている人が多いが、これは間違い。

たしかに「調理師」を名乗るためには免許が必要だが、この免許がなければ飲食店を開いてはいけないという決まりはない。

飲食店を開く場合、必要になるのは「食品衛生責任者」だが、これは都道府県が開く講習会に二日間参加すれば、誰でも取れてしまう。つまり、この講習会にさえ参加すれば、次の日から飲食店を開くことができるのである。

調理師免許を取るためには、調理師専門学校に通い、料理の実習以外に公衆衛生学や栄養学などを学ばなければならないが、どうしても広く浅く、初歩的

な技術しか学べないという。プロの料理人の中には、調理師免許などまるで役に立たない、と言い切る人もいる。
　というわけで、うまい料理をつくりたいのなら、免許はともかく、修業が大切ということ。飲食店を開くのは簡単でも、料理の腕を上げるのは、イバラの道である。

お茶と海苔は、なぜ同じ店で売られている?

　お茶と海苔。いずれも、日本の食卓には欠かせないが、なぜ、同じ店で売られているのか? お茶は陸地でとれ、海苔は海でとれる。「お茶うけに海苔」という習慣は聞いたことがない。共通点があるようでなさそうなのがお茶と海苔。それが、なぜ、いっしょに売られているのかというと……。

　日本茶業中央会によると、昔は、お茶屋はお茶だけを扱い、海苔屋は海苔だけを扱っていたという。

　海苔を扱うお茶屋（あるいは、お茶を扱う海苔屋）が当たり前になったのは、江戸時代の終わり。ある店が、お茶と海苔は保管するときの注意点が、まったく同じであることに気がついてからだった。

　お茶も海苔も、なにより湿気を非常に嫌う。また、どちらも香りが命で、そのくせ香りがうつりやすい。

　保管のノウハウが同じなら、両方とも扱ったほうが売上げが倍になる。かくして、全国各地のお茶屋さんや海苔屋さんは、いっせいに両方の商品を扱うようになったのである。

タバコの自動販売機の銘柄は、どうやって決める?

「マイルドセブン」を吸っている人はあまり不便は感じないはずだが、「両切りピース」のファンは、つねづね不満に思っていることがあるはずである。

それは、タバコの自動販売機には、こうしたマイナーな銘柄のタバコが少ないということ。いったい、タバコの自動販売機に入れる銘柄は、誰がどういう基準で決めているのだろう。

答えは、JTでも、外国のタバコメーカーでもない。タバコ屋さんが勝手に決めているのだ。

その基準は、シェアの上位銘柄というだけでなく、地域性や客層を考慮して決められる。たとえば、東京・歌舞伎町などの盛り場では、外国タバコをたくさん入れている自動販売機が多い。理由はもちろん、外国タバコは、ホステスさんやそのスジの人々に愛好家が多いから。反対に、過疎といわれるような村では、「わかば」が入っていたりする。

さらに、自動販売機は、不特定多数の客を相手にしているようにみえて、じつは案外〝固定客〟が多く、店側は固定客のために特殊な銘柄を入れておくというケースもある。

マイナーなタバコを吸っている人は、近所の自動販売機のオーナーに直訴してはいかがか。

なぜ、寿司職人の手には米粒がくっつかない?

寿司屋でカウンターに座る楽しみのひとつは、職人の手さばきをみることだろう。

それにしても不思議なのは、何十個の寿司をつづけて握ろうと、職人の握る手には米粒がくっつかないこと。なぜ、手に米粒がつかないのだろうか?

これは「酢」の働きによる。職人は、手が届くところに酢をいれた器を置いて、たえず両手を湿らせている。これは「手酢」と呼ばれるもので、手を殺菌消毒するとともに、てのひらを冷やす効果がある。酢が蒸発するとき、てのひらの熱を奪うのだ。

そのため、普通の人のてのひらの温度は三三度から三四度だが、寿司職人のは三〇度前後に保たれている。したがって、手の熱でシャリの温度が上がることがなく、米粒に粘りが出ないので、くっつかないのだ。

◎なぜ、寿司屋のお茶は熱いのか?

寿司屋のお茶は熱い。冷めてから飲もうと思っていても、冷めたころにはさげられてしまい、また、熱いお茶がきている。

もう少しぬるめのほうが飲みやすいという人もいるだろうが、寿司屋のお茶が熱いのにはワケがある。

いうまでもなく、寿司は生の魚を味わうもの。たしかに、肉料理のようなしつこさはないが、脂ののった大トロなどを食べると、口の中は、かなりアブラっぽくなる。じつは、このアブラっぽさを解消してくれるのが、熱いお茶なのである。

それに、お茶がぬるいと、客はついついお茶を飲みすぎて、肝心の寿司をたくさん食べられなくなる。

◎なぜ、師走になると「第九」コンサートが多くなる?

師走の風物詩として、すっかり定着したのが「第九」コンサート。ベートーベンの第九交響曲『合唱付き』のコンサートである。

最近は、全国各地で「第九を歌う市民の会」などというものも誕生しているほどだが、なぜ、師走になるとかくも「第九」だらけになるのか？

ひとつは、「第九」はベートーベンが作曲した最後の交響曲だから一年の最後に演奏するというもの。

もうひとつは、きわめて現実的な理由で、「第九」コンサートをすれば、演奏家たちの〝餅代〟が出るということである。

「第九」には、オーケストラ以外に百人もの合唱団がつく。オーケストラと合唱団のメンバーが一丸となって、親戚や知人にキップを売りさばけば、なるほどコンサートは大入り満員になるというわけだ。

銀行の窓口は、なぜ午後三時に閉まる？

繁華街の一等地にありながら、午後三時にはシャッターを下ろしてしまう店がある。いわずと知れた銀行である。街の景観からいっても、午後三時にシャッターが閉まってしまうのはいただけないが、これは、明治二三年に定められた旧銀行法によって、窓口業務は九時から三時までと定められたからである。

つまり、午後三時以降は、お金の勘定や事務処理などの仕事のために、窓口を閉めてもよいというのが当時の明治政府の考えで、以後、一世紀以上にわたって、日本の銀行はその指導を守っているというわけである。

もちろん、現在はこんな法律はなく、銀行は独自に窓口の営業時間を決めてもいいことになっているが、横並び意識の強い日本の銀行は、独自に利用者の便を考えることは、スタンドプレーとしか考えないらしい。

なぜ、駅の自動改札機は「子供」と「幼児」を区別できる？

鉄道運賃は、六歳未満の幼児は無料。する

と、駅の自動改札機は、六歳未満と、子供料金の必要な六歳以上をどうやって区別しているのだろうか。

自動改札機は、子供と幼児の違いを身長で判定している。JR東日本などの自動改札機は、小学二年生男児（八歳児）の平均身長一二二・五センチとほぼ同じ高さにセンサーを設置、それより背が低ければ小人切符でも通過。それより身長が高ければ、ブザーが鳴ったり、光が点滅する仕組みになっている。そのため、成長の早い幼稚園児が通ろうとすると、ブザーが鳴ることもある。

逆に、大人が背を低くして自動改札を通ればどうなるか。一二二・五センチ以下まで屈んでいれば、改札機は通過できるが、ただし改札口では駅員の目も光っている。そのような不正が発見されれば、不正乗車として通常運賃の三倍を要求される。

◎浮気調査の値段は、夫と妻ではどっちが高い？

探偵社の主な仕事に浮気調査があるが、この浮気調査、夫の浮気を調査する場合と、妻の浮気を調査する場合では、かなり値段が違うのをご存じだろうか。

夫の場合は二〇万～三〇万円、妻の場合は三〇万～五〇万円というのがその相場。

なぜ、妻の浮気を調査するほうが倍近い費用がかかるのかというと、早い話が妻は簡単にはシッポを出さないからである。

まあ、依頼主が夫、つまり男のほうが探偵社も料金をふっかけやすいということもあるにはあるが、夫は無防備に浮気をし、妻は用意周到に浮気をしているということはたしかなようなのだ。

ちなみに、浮気調査を依頼するのは六割が夫だという。男とは、能天気なようでいて、けっこう猜疑心が強いのかも。

◎国勢調査のないとき、国勢統計課のお役人はどうしてる?

国勢調査は、人口、家族構成、世代、居住形態などを調べる調査。「総務省統計局統計調査部国勢統計課」が担当し、五年ごとに行われている。

すると、国勢統計課の職員は、国勢調査のない年は、何をしているのか?

じつは、五五〇〇万枚の調査票を集計するには、コンピューターをフル稼動させても、三年半もかかる。くわえて、次の調査の準備に大忙しだという。その準備の多くは、〝調査項目の検討〟だという。

国勢統計課には、調査項目の内容について、各省庁や民間から「こんなことを調べてほしい」と、何百もの要望が寄せられる。

そこから、五年後の時勢にあった調査項目を厳選するためにリサーチを重ね、課内で検討会議を開く。その結論にもとづき、各省庁の担当者と折衝会議……と、これらの作業で、職員全員、連日、残業の日々が続いているそうである。

◎なぜ、駐車違反取締り用のチョークはなかなか消えない?

駐車違反取締り用のチョークは、こすったくらいでは消えないし、雨に打たれても残っている。なぜ、消えないのか?

警察で使っているチョークは「マーキングチョーク」と呼ばれるもので、もともとは工業用材木に印をつけるために使われていたもの。その用途が広がって、交通事故などの現場検証に用いられるようになったのが、一九五〇年代のこと。その後、駐車違反の取締りにも使われるようになった。

このマーキングチョークが消えにくいのは、材質がクレヨンと同じで、油性だから。あれは、チョークのようにみえるが、正確には油性のクレヨンに近いものなのだ。

そのため、タイヤなどにマーキングチョークがついた場合は、水洗いではきれいに落ちない。ベンジンか市販の油落としを使う必要がある。

◎ラブホテルの休憩時間、なぜ東京が二時間で大阪は一時間なのか？

東京のラブホテルの場合、休憩時間はほとんどが二時間である。一方、ラブホテル発祥の地といわれる大阪では、休憩時間が一時間というホテルが多い。

一時間では、ちっとも休憩にならないような気もするが、二時間より基本料金が安くなるから、これは大阪人の経済感覚にマッチしているのだろう。さらに、世界一歩くのが早いといわれる大阪人のせっかちさにも合っているそうである。

経営側にとっても、休憩を一時間にすれば回転率がよくなるし、一時間では足らなくて延長する客もいるから、延長料金を考えれば、かえって儲かるという計算も成り立つ。

実際、大阪のラブホテルの平均的な利用時間は二時間と少々だというから、せっかちな大阪人もことセックスとなると、そうは早く終われないということなのだろう。

結果として、大阪のラブホテルは、東京のラブホテルより高くつくところが多いというから、これは大阪商人の勝ちである。

◎なぜ、医者はカルテを外国語で書くのか？

医者が書くカルテは、一般にドイツ語か英語である。外国語コンプレックスのあるわれわれ患者としては、ミョーに尊敬してしまったりするのだが、なぜ日本語で書かないのか？

じつは、外国語でカルテを書くのは単なる習慣で、べつに日本語で書いてもかまわないのだという。にもかかわらず、医者が外国語で書くのは、次のようなメリットがあるからだ。

たとえば、もっともオーソドックスな病名である「風邪」も、カルテに書く場合は、正式な医学用語で書かなければならないが、これを日本語の医学用語で書くとすると「非特異的上気道炎」ということになる。その点、英語なら「ｃｏｍｍｏｎ－ｃｏｌｄ」と、ずっと簡単に書けてしまうのである。

それに、病気によっては、ガンなど患者に病名を知らせないほうがいい場合があり、この場合、日本語でカルテを書くと、患者に盗み見られてしまう恐れがある。だから、お医者さんたちは、カルテは外国語で書き、病名も外国語で話したりするのである。

◎なぜ、虫歯の治療は一回ではすまない？

風邪なら、一度病院にいって薬をもらってくれば、たいてい治る。しかし、そうはいかないのが虫歯。たとえ一本の虫歯でも、数回は歯科医にいかなければならないが、これはどうしてか？

歯科医の側の論理を紹介しておくと、虫歯を何回にもわけて治療するのは、

一、虫歯の根元が炎症を起こしている場合があり、こうなると、虫

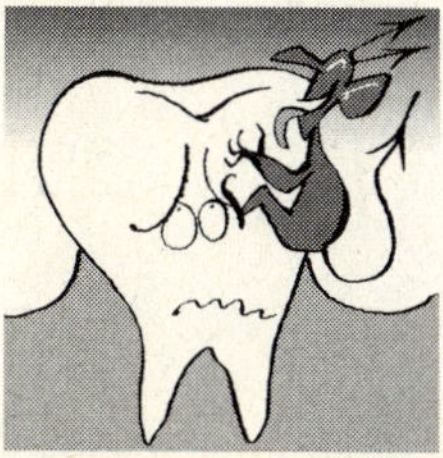

歯を削って、金属などを詰めるというだけでは済まなくなるから。

二、一度に、すべての虫歯を治療してしまうと、噛み合わせが悪くなることがあるから。

つまり、何回かにわけて噛み合わせの様子をみながら治療しなければならない。

ということになる。

なるほどという感じだが、一度に治療してしまうと、それだけ時間もかかり、やってくる患者をさばききれないというのも事実だという。

良心的な歯医者は、相対的に治療回数が少ないというが、そのへんは、かかってみなければわからない？

◎電車はどうやって引っ越しする？

ＪＲどうしの場合だと、電車の引っ越しは、そう難しいことではない。夜間、線路を走らせて移動させれば、それで済む。

問題は、東京の私鉄の車両が地方の私鉄に払い下げられるような場合だ。この場合は移動にひと苦労する。

たとえば、かつて東急を走っていた５０００系電車が、長野県の松本電鉄に引っ越したときは、ＪＲの線路を借り、貨物用の電気機関車に牽引されて運ばれた。

しかし、松本駅まで引っ張ってきたはいいが、ＪＲの駅から松本電鉄をつなぐ線路はない。そこで、終電直後に松本電鉄の線路をいったんＪＲの退避線の線路につなぎ、夜中にそこを走らせて５０００系を移動、始発までに線路を元に戻すという離れワザをやってのけたのだとか。電車の引っ越しもなかなか大変なのだ。

◎なぜ、タクシーはＬＰガスを使う？

一般車の燃料にLPガスを使うことはないが、タクシーはLPガスが一般的だ。タクシーのトランクを開けると、ガスボンベがあって驚かされる。

タクシーがLPガスを使うのは、窒素酸化物の排出濃度が低くて低公害エネルギーであること。そして、リッター当たり五〇円くらいで、ガソリンに比べ半額ほどの値段だからという点にある。

ただし、ガソリンに比べると、燃費は悪く、リッターあたり六キロ程度しか走れない。それでも、距離単価にすると、ガソリンよりはまだ安い。

ではなぜ、一般車にもLPガスが普及しないかというと、これはLPガスのスタンドが少ないため。タクシーの場合は、自社でLPガスが補給できるため、燃料補給に困ることはない。

◎なぜ、一杯飲み屋のちょうちんは赤いのか？

サラリーマンが退社後、寄り道するのは〝赤ちょうちん〟と相場が決まっているが、なぜ、あのちょうちんは赤いのか？

人間の心身は色の影響を受けやすい。たとえば胃液の分泌や食欲も色によって左右されるのだが、胃液の分泌をよくし、食欲を増進させるのが、波長の長い暖色系の色。つまり、赤というわけである。

それが証拠に、ハンバーガーなどのファストフード店の看板にも、たいてい赤やオレンジなどの暖色系の色が使用されている。

ちょうちんや看板だけでなく、テーブルクロスや食堂のカーテンも赤系統の色にすると、料理がおいしそうに見える。

◎自動車教習所では、なぜ実践的なドライブテクニックを教えてくれない?

自動車教習所というところは、なかなか実践的なコトを教えてくれないものである。

教習所では、法定速度をバカ正直に守っていればよかったが、実際の運転でそんなことをしていると、クルマの流れに逆らうことになり、かえって危ない。

車庫入れや縦列駐車にしても、教習所時代のような目印がないから、これまた冷汗をかくことになる。

教習所が建前の運転しか教えてくれない理由——それは、自動車教習所が都道府県の公安委員会の管轄下にあるからである。

公安委員会は、警察ときわめて密接な関係にある。その公安委員会が管轄している以上、自動車教習所は、法定速度以上のスピードで走ったほうが安全などとは、口が裂けてもいえない。

それに、自動車教習所は、検定試験の合格率が九五％以下だと、教え方が悪いということになって、公安委員会から叱られてしまう。

だから、教習所は、いよいよバカ正直な運転しか教えてくれない。試験の際、生徒に応用の利く運転などされては、合格率が下がってしまうからである。

◎政治家は、なぜ「縦縞の背広」が好きなのか?

最近は、テレビの討論番組などに登場する政治家が増えているが、そんなときの彼らの服装をよくみると、縦縞のスーツを着ていることが非常に多い。

これには、彼らは縦縞の背広を着ることによって、自分を大きく見せたがっているからでは？という説がある。

なぜ、縦縞の背広を着るとその人物が大き

く見えるかといえば、「錯視」のせい。人間の目は、縦縞の服はヨコにふくらんで見え、横縞の服はタテに長く見えるという錯覚をおこしやすい。つまり、縦縞の背広を愛好する政治家たちは、意識してか無意識なのか、縦縞の背広を着ることで自分を大きく、堂々と見せたがっているというわけである。

そういえば、縦縞の背広は、そのスジの人にも愛好者が多いといわれるが、これは偶然の一致?

いい大人が、M資金のようなインチキ話にひっかかるのは　ナゼだ?!

「金と金儲け」を取りまく危ない疑問の数々

◎ダイヤモンドと金とでは、どちらが資産価値がある？

ダイヤモンドと金。いずれも、女性の胸をトキメかせる代表的な貴金属だが、資産価値でいうと、どちらが上か？

まずはダイヤモンドだが、結論からいうと、〝給料の三か月分〟程度のダイヤモンドは、質屋さんが買値の半額で引き取ってくれれば上出来。日本にはダイヤモンドの換金市場もないし、そもそもダイヤモンドの値段というのは、流通コストや関税が大幅に上乗せされている。つまり、外国だったら、一〇万円程度で手に入るようなものが、日本では三〇万円もするということが珍しくない。その資産価値を世界的な見地からみると、いよいよ日本の庶民がもっているようなダイヤは期待薄というわけである。

一方の金だが、こちらの値段は、世界的な市場の動きによって、刻々と変化している。だから、株と同じで安値で買って高値で売れば、これは大いに儲かるが、反対なら大損することもある。

金はダイヤモンドのように粗利がたっぷり

乗っている商品ではないから、買った時点ですでに損をしているということはない。資産価値からみると、やはりダイヤモンドより金のほうが、圧倒的に上である。

◎なぜ、「M資金詐欺」にひっかかる?

世の中に〝うまい話〟はゴマンとあるが、その代表格が、戦後の詐欺事件でたびたび登場する「M資金」だろう。

「M資金」の「M」とは、終戦直後、日本を占領したGHQ（連合国軍総司令部）の経済科学局長だったマーカット少将の頭文字をとったもの。GHQは、日本軍が抱えていた莫大な管理物資の中から、貴金属などを押収。その一部を秘密資金にしたのが「M資金」とされ、この資金を超低利で長期間にわたって融資するというのが、お決まりのうまい話である。

なにせ、その融資額は何十億からときには何十兆円という単位。それが超低利で借りられるとなれば、大企業にとってはたしかにうまい話にちがいないが、政財界の中枢にいる御仁の中には、この話をもちかけた詐欺師に、融資の準備金として何億円ものお金をポンと渡してしまう人がいるのである。

「M資金」の「M」は、「ミステーク」の「M」と思ってまちがいない。

◎日本銀行が財務省印刷局に払う〝お札の仕入価格〟はいくら?

日本で流通しているお札は、日本の中央銀行であるところの日本銀行が発行している。

ただし、お札や硬貨を印刷・製造しているのは、ご存じのように「財務省印刷局」。つまり、日本銀行は財務省印刷局からお札を〝仕入れ〟ているわけだが、このときの仕入価格はいくらか?

仕入価格は、日本銀行への「引き渡し価格」といわれるが、一万円札と五千円札が一枚約二〇円、千円札は約一五円だというから、けっこう安い。

いかに精巧につくられたお札でも、利益を乗せなければその程度の値段でできてしまうのだろうが、新札を発行した初年度分は、デザイン料や製版料もしっかり請求するというから、財務省もシブい。

◎日銀が回収した紙幣のその後は?

日本銀行から発行された一万円札は、約二年間社会に出回ったあと回収され、日本銀行で廃棄処分にされる。

その方法は、まず真ん中に、大きな穴が三つあけられ、これが紙幣として無効という証拠になる。そして、パルパーと呼ばれる巨大な機械に入れられ、ドロドロになるまで溶かされる。さらに、これを脱水機にかけると、白っぽいカスになる。

この白っぽいカスは、再生紙になり、製紙会社に販売されている。しかし、元は二年間も人々の手垢にまみれてきたお札のため、再生紙の原料としては最低ランク。ダンボール紙ぐらいにしか使えないという。

◎紙幣の肖像画を描いているのは、どんな人?

紙幣の肖像は、財務省印刷局に所属する工芸官が描いている――としか明らかにされていない。

工芸官は、高卒以上の学歴で美術関係を専攻していたことが条件。だが、その氏名はいっさい公開されていない。その人数も、「複数います」(財務省印刷局)ということしかわからない。

ちなみに、工芸官はお札の肖像画以外にも、政府刊行物や国債、収入印紙などのデザインなども担当している。さらに国が主催する催し物の入場券などを扱っている。公務員の中では、けっこう忙しそうだ。

銀行の支店の金庫には、いくら眠っている？

われわれは、銀行の金庫の中にはギッシリお札が眠っていると思いがちだが、本店はともかく、郊外型のごくフツウの支店の場合、金庫の中には、給料やボーナスの支給日をのぞくと、一億円もないところが多いという。

それが証拠に、そろそろ定期を解約しようとして銀行に問い合わせると、

「まとまったお金を下ろされる場合は、三日前ぐらいに必ずご連絡下さい。急にいわれましても、大きな額だと、すぐにご用意できない場合がありますから……」

といわれることがある。

もちろん、こうした措置は、余分なお金を置いておけば、それだけ万が一のときの被害が大きくなるから。銀行強盗をするなら本店狙いだが、ガードが厳しすぎてまず成功しないはず？

銀行のＡＴＭでは、なぜ一度に高額の引き出しができない？

銀行のＡＴＭは、一度に引き出せる額の上限がたいてい一〇〇万円。三〇〇万円引き出したいときは、三回にわけて引き出さなくてならない。

なぜ、ＡＴＭでは、一度に高額のお金を引き出せないのか？

ひょっとすると、銀行はせっかくの預金を

引き出されたくないからではないか……などと思って調べてみると、なんのことはない、機械の都合だというのである。

要するに、引き出し額が高額になると、それだけ札束が分厚くなり、支払い機の取り出し口に入らなくなるというだけの話なのである。

◎外貨を扱っている銀行でも、なぜ外国コインは両替しない？

海外旅行に出かけると、たいていコインがあまる。しかし、このコイン、ご存じのように、外貨を扱う銀行でも両替してくれない。

なぜ、紙幣はよくて、コインはダメなのか？

全国銀行協会連合会によると、両替しない主な理由は二つある。

ひとつは、コインは重いくせに貨幣価値が低いからだ。

もし、銀行がコインを両替すると、そのコインを外国に運んで紙幣に交換する必要があるが、コインは重いために輸送手数料が高い。そのくせ貨幣価値が低いため、それをやると銀行が赤字になってしまうのだ。

もうひとつの理由は、贋《にせ》コインを見分ける手だてがないから。

紙幣は、見本が一枚あれば細かい点までチェックできるが、コインの場合、その場で原材料まではチェックできない。結果として贋コインをつかまされる可能性が高いのだ。

かくして、いま日本には、総額ウン十億円分くらいの外国コインが眠っている⁉

◎「スイス銀行」に預金できる？

「スイス銀行」といえば、アラブの王様の隠し金庫、国際的犯罪組織のブラックマネーの預け先、ナチの残党たちの隠し口座がある……など、ちょっと犯罪がかってはいるが、ともかく世界的なスケールの銀行というイメージがある。

では、そんな「スイス銀行」と、あなたは取引することができるか?

答えは、ノーだ。それは、あなたが、日本の一庶民だからではない。「スイス銀行」という銀行が実在しないからである。「スイス銀行」とは、じつはスイスに約六三〇ほどある大小さまざまの銀行の総称にしかすぎないのだ。

そんな「スイス銀行」が有名になったのは、第二次世界大戦以降、その徹底した秘密厳守ぶりが世界に広まり、世界のブラックマネーが、どっとスイスの各銀行に流れこんできたからである。

ただし、一九九〇年に制定された法律で、「スイス銀行」は組織犯罪に関係する預金に関しては秘密を守秘しないことが決まった。これからの犯罪映画では、もう「スイス銀行」の名前は使えなくなるのかも。

◎銀行の「支店」と「出張所」は、どう違うのか?

ここ数年、ちょっとした駅の前には、銀行の「出張所」が次々に誕生している。

無人の出張所はともかく、行員のいる出張所の業務内容は、ふつうの「支店」と大差はないように見えるが、やはりというべきか、その違いは、「出張所」は「支店」のように、財務省銀行局に支店登記をしていないというだけの話。企業への輸出入用の外国為替など、一部の特殊な業務ができないという制約はあるが、あとはふつうの「支店」と業務内容はほとんど変わらないのだ。

だったら、みんな

「支店」にしてしまってもよさそうなものだが、銀行が「支店」ではなく「出張所」をつくる理由は、二つある。

ひとつは、財務省の規定で「ひとつの銀行から半径三〇〇メートル以内に、その銀行も含めて支店は四つしかつくれない」と決められているため。つまり、すでに四つの銀行の支店がある地域に、五番目の銀行が進出するためには、「出張所」として進出するしかないのである。

もうひとつは、銀行側の経費節減のため。「出張所」なら行員の数も少なく、建物も小さくてすむ。それで「支店並み」の営業拠点ができれば充分というわけだ。

◎日本人は、なぜ、貯蓄が大好きなのか?

日本人の国民資産は一三〇〇兆円といわれる。日本人は貯蓄好きといわれる所以だが、つい一四〇年ほど前、まだ福祉といった概念も年金という制度もなかった江戸時代には、貯蓄に励むような日本人はほとんどいなかった。江戸っ子は宵越しのカネを持たないといわれたように、お金を貯めて喜んでいるのは、高利貸しくらいのものだった。

日本人が貯蓄が好きになったのは明治に入ってからだ。明治政府は全国に郵便局を設置し、郵便貯金制度の導入を開始した。要するに、郵便貯金で集めたお金をプールして、国家のために使うという大プロジェクトである。

このとき尖兵となったのが、特定郵便局。これは、全国各地の資産家や名望家に郵便局を設置するための土地を提供させ、かわりにその人物を郵便局長に任命した郵便局のことだが、こうした人物を局長とする郵便局をつくれば、たしかにお金が集めやすくなる。

かくして日本人は、じょじょに貯蓄という習慣を身につけ、わずか一〇〇年ほどで、世界一貯蓄好きな民族になっていったというわけである。

◎公共料金はどこまで滞納できる?

一定期間以上、料金を滞納すると、電話、電気、ガス、水道などは止められていく。

では、どれくらい料金滞納すると、これらのライフラインは止まるのか？

おおむね、電気・ガス・水道は、検針後五〇日前後が納付期限となり、それ以上料金を払わないでいると、まず督促状が舞い込み、それでも払わないと、その二〜三か月後には供給がストップする。

会社や自治体によって違いはあるが、経験者の話を総合すると、おおむね電気、ガス、水道の順で止まっていく。

ただし、電話は、もっと早く止まる。納付期限を過ぎて一か月を経過すると、止められることが多い。

◎社内預金は、会社が倒産したらどうなるか?

どんな大企業が倒産してもおかしくない時代だが、会社が倒産しても、給料は払ってもらえるはずである。

民法では、社員の給料に対し、「先取《さきどり》特権」を認めている。倒産した場合、他の債権者に優先して、社員の給料をまず支払うように規定しているのだ。

ところが、社内預金には、この先取特権が認められていない。他の債権者と権利関係は同等となり、もし会社が倒産すると、入社以来、コツコツ貯めたお金が一円も返ってこないケースもありうる。

今後は、会社の経営状態がおかしくなってきたら、まず社内預金を下ろしておいたほうがいいだろう。

クルマの自賠責保険は、なぜ最高三〇〇〇万円なのか？

万が一、クルマで人を轢《ひ》き殺してしまえば、その補償金額は一億円がザラといわれる。にもかかわらず、強制加入が義務づけられている自動車損害賠償責任保険（自賠責保険）では、最高三〇〇〇万円しか支払いが認められていない。

だから、多くのドライバーは任意で高額の保険に加入しているわけだが、なぜ、自賠責保険の保険料や補償金額は低いのか？

自賠責保険とは、一九五五年に制定された、いわば国家が保険者となっている強制保険だが、生命保険と違って、保険料を支払う人（ドライバー）のためではなく、交通事故の被害者の保護を目的としている。

受益者＝保険料の支払い人なら、高額の保険料をとって高額の補償金額を支払うこともできるが、交通事故の被害者は当然ながら一銭も保険料を支払っていない。そのため、保険料もアップできず、補償金額も小さいというわけだ。

その点、任意保険は受益者がドライバーのため、いくらでも高額の保険料＝高額の補償が可能。

国が任意保険もやってくれれば、もう少し保険料も安くなりそうなものだが、それでは保険会社が儲からない？

古いお金は、どこまで使える？

お金はいくら古くても、一〇円は一〇円として使うことができる。極端な話、明治時代の一円金貨を支払いに使うこともできる。

むろん、金貨といっても、一円の価値しかないから、コイン商に引き取ってもらうほうが、はるかに価値はある。

ただし、一九五三(昭和二八)年、円以下の銭単位のお金は使えないと決められた。硬貨、紙幣を問わず、銭など円以下のものは現在は使えない。

◎郵便貯金にはなぜ〝時効〟がある?

郵便貯金法第二九条に「権利の消滅」という条項がある。内容は、通常貯金は最後に利用したときから一〇年、定額貯金の場合は満期から一〇年、まったく利用がなかったときは、ともに権利が消滅。つまり、時効となって、郵便局に預けたお金は国に没収されてしまうというものである。

ただし、一〇年が経過した時点で、郵便局は利用者に催告書を送付。それから二か月以内に利用すれば、貯金は没収されない。しかし、それでも世の中には太っ腹というか、ウッカリ者が多いとみえ、一年間で七〇億円前後の貯金が時効・没収されているという。

銀行の預金には、こうした時効はない。たしかに、最後の利用から一〇年が経過すると、利用者にその旨の通知がいくが、だからといって没収ということにはならない。つまり、一度、預金したお金は、永遠に自分のモノである。

なぜ、貯金には時効があって、預金には時効がないのか?

その理由は、お上と私企業の体質の違いからきているとしかいいようがない。

◎拾ったお金には税金がかかる?

拾ったお金を交番に届け、持ち主が現れなかったら、自分のものになるのはご存じのとおり。

では、このとき、自分のものになったお金に税金はかかるのか？

拾ったお金は「一時所得」とみなされ、特別控除額の五〇万円を差し引いた残りの半分が課税対象になる。

たとえば、五〇万円拾った場合は、無税。一〇〇万円拾って、一〇〇万円の謝礼をもらったときは、五〇万円を引いた後の半額、二五万円が課税対象額になる。

ちなみに、宝クジの当せん金は、当せん金付証票法という法律の一三条によって、たとえ三億円であっても、いっさい課税されない。なぜ、宝クジの当せん金は課税されないのかといえば、国や自治体は、宝クジの売上げから四割以上もピンハネしているから。ピンハネという言葉が悪ければ、収益金として公共事業に使っているからである。

この上、当選者から税金をふんだくろうとすれば、これは一種の二重課税。庶民も黙ってはいない？

◎お札の「通し番号」を使い切るとどうなる？

日本銀行が発行する紙幣には「AA000001A」からはじまって、「ZZ900000Z」までの通し番号がついている。このアルファベットと六桁の数字の組み合わせで、一〇〇億とおり以上の通し番号ができる（アルファベットのIとOは、数字の1と0と間違いやすいため使われない）というが、新札を発行するうちに、この通し番号を使い切ってしまったらどうなるか？

じつは、昭和五一年に「伊藤博文の千円札」が、番号を使い切ってしまったことがある。このときは、印刷インクの色を黒から青に変えて対処した。つまり、デザインも番号も同じだが、番号の色だけが違うというお札が存在したのである。

平成五年にも「福沢諭吉の一万円札」が、ナンバーを使い切ってしまい、このときは印刷インクの色を黒から茶色に変えている。

◎「印税」は、なぜ「税」なのか?

印税とは、売れた部数に応じて作家が出版社からもらうギャラ（著作権使用料）のことだが、なぜ、出版社からもらうものなのに、「税」という字がつくのか?

昭和三〇年代くらいまで、本には「検印制度」というものがあった。これは、出版社が本を発行する際、一冊ごとに著作権者の検印を受けるというもので、出版社は検印の受領数をもとに著作権料を計算した。つまり、こうした著作権料は、出版社にとっては検印に対して支払う税金のようなもの。ここから「印税」という言葉が生まれたという。

このほか、明治の初期、「印紙税」の略として「印税」という言葉があり、それを出版物の著作権使用料として転用したという説もある。

◎タクシーの「深夜割増し」は、なぜ三割?

タクシーの稼ぎ時は、午前〇時を回ったころ。深夜になれば、タクシーのメーターも、昼間より三割増しで上がる。この時間帯、タクシー運転手たちの目が鋭くなるのも当然だが、この「三割増し」という数字は、どんな根拠にもとづいているのかというと、じつは労働基準法である。

その三七条では、午後一〇時から午前五時

までの労働については、通常より二五％以上の割増賃金を支払わなければならない、と決められている。

つまり、タクシー会社としては、その割増分を利用者に負担してもらおうというわけである。

運転手に払うのは二・五割増しなのに、客からは三割増しでとるのは、なんとなくタクシー会社の手前勝手という気もするが、東京の場合、深夜割増料金が適応されるのは、午後一一時から午前五時までとなっている。だから、午後一〇時から一一時までの一時間は、サービスタイムといえるかも。

◎理容室の料金は、なぜ長髪もハゲも同じなのか？

内心思ってはいても、声に出しては言いにくいコトというものがある。たとえば、理容室の料金。髪の毛の少ない人の中には、なぜ、髪の毛の多い連中と同じ料金を取られるのか、不満に思っている人もいるはずである。

たしかに、理容室で観察していると、髪の少ない男性は散髪時間が短いような気もする。さらに髪が少なければ、ハサミの刃も消耗しないわけで、減価償却という点でも、料金は安くてもよさそうだ。

しかし、理容師にいわせると、話は逆なのだという。

散髪の手間は髪の量とは無関係で、むしろ髪の少ない男性のほうが髪型のパターンが限られる分だけ難しい。それに、少ない髪を手荒に扱ってはいけないと、神経も使うというのだ。

というわけで、利用料金は髪の量とは関係なく均一。ま、理容師から「お客さんはハゲてるから、安くしときます」なんていわれたら、かなり傷つく人が多いはずだが……。

◎「婚約指輪は月給の三倍」の根拠は?

「婚約指輪は給料の三か月分」というフレーズを考えだしたのは、世界最大のダイヤモンド原石を扱っている大資本、デビアス社の日本担当者だった。

一九六〇年代後半、日本女性で婚約指輪にダイヤの指輪をもらった人は、わずか六%にすぎなかった。高度成長期とはいえ、日本はまだまだ貧しかったのだ。

だが、国際ダイヤ資本としては、日本を将来的に有力なマーケットと考え、積極的なキャンペーンを開始した。まずは「ダイヤモンドには永遠の価値がある」とPR。すると、一九七〇年代の半ばには、五一%の女性が婚約指輪にダイヤをもらうようになった。

そうなると、「いくらくらいのダイヤを買えばいいのか」と宝石店に問い合わせる男性が増えはじめた。そこで、デビアス社が考えた目安が「給料の三か月分」だった。

このキャンペーンは、一九七九年にスタート。郷ひろみが二谷友里恵と結婚したとき、記者会見で「婚約指輪は僕の給料の三か月分のを贈りました」といって、これを広めるのに一役買った。

◎水道メーターの仕組みは?

一般家庭の水道メーターには、「流速式接線流羽根車タイプ」が使われている。

蛇口をひねると、水が計量室内で羽根車にぶつかり、その羽根車の回転数から、通過水流を比例計算して、水道使用量を計算している。要するに、羽根車

の回転数で、ひと目で使用水量がわかるようになっている。

ちなみに、水を少しずつ流すと、羽根車があまり回転せず、水道代節約になるという噂がある。水道局に真偽を聞くと、「関係ありません」という公式見解がかえってきた。真偽のほどは、一人ひとりに実験していただくしかない。

◎なぜ、住むところによって水道料金は違う？

水道料金は地域による料金格差が大きい。一般家庭の月間水道使用量は、平均二〇立方メートルだが、その値段は最高額で六一八〇円、最低額は六九〇円と、その差はなんと九倍にもなる。

そもそも、水道料金は、厚生労働省への届け出・認可制。全国には、東京都水道局、山梨県河口湖南水道事業団のような水道事業者が、大小合わせて一万二千以上もある。各事業者が、事情に応じて料金を決め、厚生労働省に届け出る。そこで「公正妥当」と認めたものが、その地域の水道料金になる。

それぞれの事業体は、収支を予測し、料金を決めている。

水道施設を建設し、管理するために必要な経費を算出。水道需要の予測をたて、事業体を運営するために必要な収入、水道料金をはじき出す。

この収支状況が、料金の地域格差に大きく影響する。たとえば、東京都水道局と、過疎の町村とでは、同じ長さの水道管をひいても、収益性がまったく違う。また、水がもともと豊かな地域と、水資源に恵まれない地域では、ダムや配水タンクなどの施設コストも格段に違う。

極端にいえば、全国に一万二千通りの水道事情があるわけで、ここから料金格差が生じているわけだ。

◎ガス自殺した人のガス代はどうなる?

ガス自殺をすると、当然多くのガスを使うことになる。そのガス代は、どうなるのだろうか。

ケースバイケースだが、たとえば自殺者が家族と一緒に住んでいる場合は、その一家のガス代に含まれて徴収されることになる。

一人暮らしの場合は、銀行口座からの引き落としで、口座に預金が残っていれば、そのまま引き落とされることになる。しかし、すでに口座が解約されていれば、引き落とすことができない。

支払いがなければ、やがてガスが止められることになるだけで、ことがことだけにガス会社もしつこく支払いを求めることはない。

◎なぜ、ホテルのルームサービスは、運ぶだけで値段が二倍にもなる?

ホテルでルームサービスのメニューを聞くと、ひどく驚かされる。海老フライ・セットが三五〇〇円、カレーライスが二八〇〇円と、目の玉が飛び出しそうな値段がついている。

味もまた目の玉が飛び出るぐらいおいしい、というのならまだ許せるが、そんなことはない。値段だけがレストランの倍ぐらいするのだ。

ホテル業界では、ルームサービスの値段は、「同じメニューをレストランで提供する場合の二倍の値段に設定する」のが常識だ。なぜ、同じ料理を部屋に運ぶだけで、二倍にも跳ね上がるのか。ラーメン屋に出前を頼んでも、倍にはならないのに。

値段をつりあげているのは、「人件費」と「諸経費」である。まず、人件費は、客の注文をレストランに取り次ぐフロント係、食事を運ぶときと、食器を下げるときの二度も部屋に出向くボーイの分が余分にかかる。

一方、諸経費としては、ルームサービスには、チリよけの皿のふた、予備のナイフ・フォークなど、余分な食器がいろいろと必要になる。それらの食器は、使われずに戻ってきても、すべて洗浄、消毒しなければならない。その経費もかかる。

これらにかかるコストを折り込むと、ルームサービスの価格は、レストランのおよそ二倍になる、というわけだ。

◎首都高速の通行料は、なぜ、タダにならない？

日本の高速道路の通行料金は、世界でも屈指の高料金だが、この利用料金、一九五六年にできた道路整備特別措置法によって、金利なども含めて高速道路建設にかかった費用をすべて払い終えればタダになることになっている。

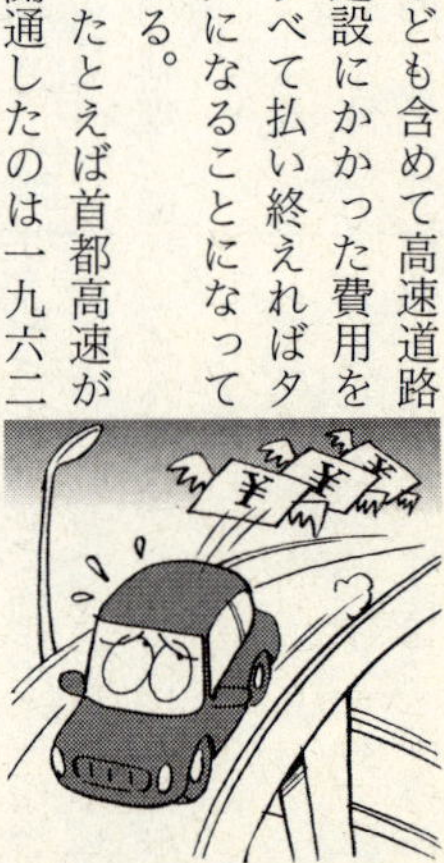

たとえば首都高速が開通したのは一九六二年。当時の計算では、三〇年後の一九九二年には通行料はタダになるはずだったが、なぜ、タダになるどころか、何年かおきに値上げされてきたのか？

それは、高速料金は「プール制」というシステムで徴収されているからである。これは、新しく高速道路を建設した場合、その建設費等は、既存の路線の料金収入を「プール」したものを財源にするという制度のこと。首都高速の場合、現在も、中央環状線などの建設工事が続いているし、これまでの建設費用に対する返済金利もバカにならない。

こうした膨大なお金をどこから調達するのかといえば、結局、われわれドライバーが払う料金しかない。首都高速の料金がタダになるのは、夢のまた夢である。

金券ショップは、どこから金券を仕入れているか?

金券ショップの売れ筋商品といえば、新幹線や首都高速の回数券だが、金券ショップは、どこからこうしたチケットを仕入れているのか?

ふつうに考えれば、たまたまチケットが不要になった人が金券ショップにそれを売り、それに若干のマージンを乗せて一般に売るということになる。しかし、その程度の小口の商いでは、とても需要に追いつかない。金券ショップには、もっと大量の仕入れ先がある。

その仕入れ先は、名だたる有名企業。有名企業の中には、損を承知で金券ショップに大量の新幹線回数券などを売るところがあるのだ。

なぜ、こんなことをするのかといえば、裏金をつくるため。たとえば、政治家に裏金を渡すような場合、こうしたお金は帳簿に載せることができない。そこで、いったん大量に買った新幹線回数券などを社内で使ったことにして、これを金券ショップに売り、そのお金を裏金として利用する。

金券ショップには、マネーロンダリングの機能もあるのだ。

見合い写真の撮影代は、なぜ高い?

お見合いといえば、欠かせないのが釣り書きに添える見合い写真。

男性は、学歴や収入など履歴が重視されるから、素人が撮ったスナップ写真でも許されるが、女性は、やはりしかるべき写真館で、晴れ着でも着て、バッチリ決めるという人が圧倒的に多い。

ところが、この見合い用の写真、たとえば成人式用の写真撮影と比べると、同じサイズでも、倍近い値段になることが多いという。

これは、見合い写真の撮影料金には〝修整代〟が加算されているからだ。

顔に陰影をつけて鼻筋を整える。フェイスラインに補正を施すなど、見合い写真は、ネガの段階と、プリントされた後の二回に分けて、手作業で修整されるという。

ま、それで玉の輿に乗れるのなら、見合い写真の修整代など安いものかもしれない。

◎超激安商品を売って、ホントに儲かるの？

ディスカウントショップには、どう考えても仕入価格より安い値段の〝超激安商品〟がある。

あんな値段でホントに儲かるのかと他人事ながら心配になるが、じつは店側も損を承知で売っていることが多いのである。

これは、この世界ではミックスマーチャンダイジングと呼ばれている商法。つまり、利益率の高い商品と低い商品をミックスして売り場に並べることで、「この店は安い」というイメージを消費者にうえつける商法のことである。

超激安商品は、業界では「ロスリーダー商品」と呼ばれる、まさに出血サービス商品なのだ。

もちろん、こんな商品ばかり売っていては、商売はすぐに傾くから、こうした超激安商品のとなりには「一〇〇万円の毛皮が一九万八〇〇〇円！」といった、別の目玉商品が並んでいる。

これこそ、倒産処分品など裏ルートから仕入れた商品で、仕入れ値は一万円ほどだったりする。つまり、この毛皮が一着売れれば、約一九万円の儲け。超激安商品で損した分など、簡単に取り戻せるというわけだ。

腋毛の脱毛は、なぜ高価？

女性誌をめくると、エステティックサロンの「永久脱毛」広告が非常に多い。

問題はその値段。人によって毛の密度や量が違うから一概にはいえないが、平均的な人で腋の下四〇万円。脚二〇万円、股間のＴバック・ライン七万〜一二万円という。

面積からすると、腋の下の脱毛が高すぎるという感じだが、それにはこんな理由がある。

脚の脱毛は、毛根に近い部分を焼き切ればいいが、腋毛の毛根には、ワキガの原因にもなるアポクリン腺がついていて、それをいちいち切開して焼き切らなければならない。その手間賃が腋の下の脱毛費用を高くしているのだ。

それにしても、ムダ毛をかくも気にするのは、世界でも日本女性がナンバーワンだという。ヨーロッパでは体毛の色や濃さも、チャームポイントのひとつ。何十万も払って、その体毛を無くしてしまうというのは、ヨーロッパでは、男たちが許さない？

なぜ、電話の通話料は、距離に比例して高くなる？

たいていの人は、遠距離ほど電話の通話料のコストが高いのは当然だと思っているはず。

しかし、そう思うのは、素人の浅はかさ。近年は、回線のデジタル化や光ファイバーなどの普及で、遠距離電話でも以前ほど複雑な装置は不要になっている。実際、ＮＴＴ側も、現在の技術力からすれば、遠距離電話の通話料のコストは、以前ほどかからないことを認めている。そして、近距離電話と比べると、料金が高すぎることも認めているのである。

ならば、遠距離電話の通話料は、もっと安くなってもしかるべきところだが、じつはNTTの足を引っ張っているのが近距離電話の通話料。市内通話料金三分一〇円というあの料金体系が、かなりの赤字を生んでいるというのだ。

で、実際は、その赤字分を遠距離電話の通話料で穴埋めしているのが現状。

遠距離電話の通話料を下げれば、市内通話料が上がる。市内通話料を現状維持のままにすれば、なかなか遠距離の通話料は下がらない。まさにジレンマというところ？

◎もし競馬で全員当たったら、どうなるか？

競馬で当たったときの配当金は、配当倍率いわゆるオッズによって決まる。的中した人が少なければ万馬券も出るが、反対に倍率一・〇倍ということもある。的中しても、元返しということもありうるのである。

もし、馬券を買った人全員が的中した場合も、配当金は一・〇倍になる。競馬会としては、集めたお金を全額払い戻すことになり、この場合、国庫に支払うべき納付金分や必要経費は、競馬会の持ち出しとなる。

むろん、全員が当たることは現実にはありえない。だが、過去に大人気の実力馬が勝ったレースで一〇〇円戻しのケースは数多くある。全員が当たったわけではないが、中央競馬会のテラ銭を差し引くと、一〇〇円戻しになってしまったというわけだ。

一方、当たった人が一人もいない場合は、「特払い」といって、一〇〇円馬券に対して七〇円が全員に支払われる。こちらもめったにないことだが、昭和四六年第二回福島競馬の三日目に起きている。

私立大学の受験料は、なぜ、あんなに高い?

最近の私立大学は受験するだけでも大変。三万五〇〇〇円前後の受験料がふんだくられる。

こうなると〝私立離れ〟はいよいよ進むはずだが、なぜ、私立大学は、自分の首をしめるようなマネをしてまで、高額の受験料をとろうとするのか?

それは、受験料が大学の経営をささえる貴重な財源として算出されたものだからだ。

私立大学の財政が苦しいことはよく知られている。だから、国もかなりの補助金を出しているわけだが、それだけではお金の足らない大学は、受験生から受験料の名目でお金をふんだくることを考えた。

つまり、大学の総予算のうち、あらかじめ何%は受験料でまかなうという目標があり、そこから導き出されたのが、あの高額の受験料というわけである。

学費を値上げすれば、現役の学生が黙っていない。しかし、立場の弱い受験生からなら取りやすいとは、人の足元をみるようなやり方といわれてもやむをえない。

ゴルフ料金の「諸経費」って、何の経費?

ゴルフ場に払うお金でもっとも大きいのは「グリーン・フィー」で、これはコースの使用料。次は「キャディー・フィー」で、これはキャディーさんへのギャランティ。さらに利用税や消費税、ロッ

カー使用料などがある。これらはまあ納得がいくが、「諸経費」とは何か？

日本ゴルフ場事業協会によれば、「諸経費の定義はない」のだという。つまり、ゴルフ場が勝手に「諸経費」の中身を決めて利用者から徴収しているということになる。

一般的には、道路補修費、水道・光熱費、保険、厚生費など、いわゆる維持・管理のための経費が「諸経費」の正体だといわれているが、スジ論からすれば、こうした費用は、すべてグリーン・フィーから支払われるはずのもの。

にもかかわらず、「諸経費」を別立てにしているのは、グリーン・フィーを安くみせかけるためのワナと思われても仕方がない？

◎軽油は、なぜ、あんなに安い？

欧米では、ガソリンと軽油の値段はほぼ同じである。では、なぜ、日本では軽油はあんなに安いのか？

軽油とガソリンの値段に大きな差が生じたのは、一九七三年の第一次オイルショックのとき。このとき、ガソリンの値段は一気にはね上がったが、バスやトラックなど公共輸送を担うクルマに使われる軽油は、通産省の行政指導によって、あまり値上げされなかったのだ。

さらに、バスやトラックなどの運輸関係各社は、ガソリンの元売り業者にとっては大口のお得意様だったことも大きい。

結局、そのツケがガソリンに回り、軽油とガソリンには現在のような価格格差が生じたのである。

◎なぜ、ホテルではコーヒー一杯にもサービス料を取る？

日本で最初にサービス料を取りはじめたの

は昭和一六年、帝国ホテルだといわれる。

　それまで日本のホテルは欧米と同じチップ制だったが、この制度は、日本人にはまだなじみがなかったこと、客と接する機会のない従業員はチップをもらえず不公平という意見があったことなどが、サービス料が導入されたきっかけだという。

　サービス料を導入したホテル側は、サービス料をプールして、あとで従業員全員に配分するようになった。従業員にとっては、これがけっこうな収入源であったことはいうまでもない。

　この帝国ホテルのやり方が、やがては業界全体に広まり、いつしか慣例となったが、なぜ、一杯のコーヒーにもサービス料を取るのか？

　ホテル側は、普通の喫茶店よりは、設備に金をかけ、雰囲気をよくしているなど、サービス料の根拠を力説するが、ならば、本来の料金を値上げして、サービス料は欧米のようにチップ制に戻してはいかが？

◎定期券の期限は、なぜ一、三、六か月？

　定期券の期限は「一か月」「三か月」「六か月」の三種類。「二か月」とか「一年」という定期券は、ほとんど見かけないが、これはどうしてか？

　ＪＲによれば、その理由は二つ。

　ひとつは、一、三、六か月の定期で、たいていの期間はフォローできるというもの。たとえば、二か月なら、一か月の定期券を二枚。四か月なら、一か月＋三か月の定期券。一年の場合でも、六か月の定期券を二枚買えばいい。

　もうひとつの理由は、学校のサイクルに合わせたということ。たとえば学生の場合、四、五、六月と三か月定期を使い、七月は回数券を使えば、七月後半から八月いっぱいの夏休みの間、定期券を無駄にしなくてすむというわけである。

◎出産には、なぜ、健康保険が適用されない？

病気やケガをしたとき、健康保険がないとたいへんな費用がかかる。しかし、一週間前後も病院に入院したのに、この健康保険が役に立たないのが出産である。妊娠・出産には五〇万円近くかかるが、健康保険が適用されない。

たしかに、加入している健康保険から一時金として一〇万円程度もらえる制度はあるが、これは、あくまで〃公的な出産祝い〃として支払われる。

なぜ、妊娠・出産には健康保険が適用されないのか、理由は二つある。

ひとつは、妊娠・出産は「病気ではない」から。出産は病気どころか、おめでたいコト。そんな〃慶事〃に、健康保険は適用できないというわけである（帝王切開や妊娠中毒症は病気とみなされ健康保険が適用される）。

もうひとつの理由は、出産費用が病院によってまちまちだということである。産院には、ホテル並みの設備を誇る産婦人科から、昔ながらの助産院まで、設備も料金も非常に幅がある。

健康保険の現物給付を受けるためには、料金を全国一律にしなければならないが、現状ではまず不可能。だから、出産には健康保険は適用されないというわけだ。

◎なぜ、円高になっても、洋画料金は安くならない?

経済原理からいうと、円高になると外国製品が安くなるはずだが、洋画の入場料は安くならない。なぜだろうか?

そもそも、映画の料金設定では、原価に配給会社や映画館のマージンを乗せるという方法をとっていない。むしろ、その逆なのだ。

はじめに、映画館の料金がいろいろな物価とのバランスから決められて、その入場料に入場者数をかけた総興行収入を、映画館、配給会社、製作会社が一定の割合で分配しているのだ。

だから、円高になろうが円安になろうが、入場料は変わらないし、製作費一〇〇億円の超大作も数千万円の芸術映画も、四時間もかかる長い映画も九〇分ぐらいのものでも、ほとんど同じ料金なのだ。

◎トイレットペーパーは、シングルとダブルではどっちが得?

全国家庭用薄紙工業組合連合会の調査によれば、一回の用足しで使うトイレットペーパーの平均的な量は、シングルの場合、小が八九センチ、大が一七七センチなのだそうだ。かたやダブルの場合は、小が六六センチ、大が一四六センチである。

では、どっちが得なのか?

トイレットペーパーは、シングル六〇メートル、ダブル三〇メートルというものが圧倒的に多く、どちらもメーカー標準価格はほぼ同じである。では、それぞれ大が何回できるかを計算してみると、シングルは約三四回、ダブルは約二一回と、圧倒的にシングルがお得。

ダブルのときはシングルの半分の長さでいいとはいかないところが、長年の習慣の恐ろしさなのだろう。どうりで、公共トイレのトイレットペーパーは、たいていシングルなわけである。

◎蛍光灯は、丸管と直管とどっちが得?

蛍光灯には、直管と呼ばれる真っすぐな蛍光灯と、丸管と呼ばれる丸い蛍光灯があるが、値段、寿命、明るさのすべてにわたって、直管のほうが得である。

まずは、その値段。同じワット数のもので比較してみると、直管は丸管のだいたい二〜三割安といったところ。

寿命は、三〇ワットのもので、直管が七五〇〇時間なのに対して丸管は五〇〇〇時間。一日一二時間つけたとすると、二〇〇日以上も持ちが違ってくる。

明るさは、直管が一八七〇ルクスなのに対して、丸管は一六八〇ルクス。

というわけで、照明器具のデザインさえ気にしなければ、蛍光灯は断然、直管が得。どうりで、オフィスや工場などには、丸管の蛍光灯が使われていないわけである。

◎公務員には、なぜ失業保険がない?

失業した人にとってなくてはならないのが失業保険(雇用保険)。これがあれば、半年くらいは食いつなげる強い味方である。

その失業保険、〝親方日の丸〟といわれる公務員には存在しないが、これは、失業保険が私企業が倒産したり、規模を縮小して、職を失った人々を保護するのが目的だからだ。国や地方自治体が、私企業のように自由競争の結果、倒産するということはありえず、よって、そこに勤める公務員は失業保険の対象とはならないのである。

もっとも、国だって外国相手に多額の債務

を抱えれば、事実上、倒産するのが最近の世界経済。いまはよくとも、いずれは日本も債務国に転落しないという保証はない。

となれば、国や自治体が公務員のクビを切るということだってありえるわけで、公務員の皆さんも、自分で保険に入っておいたほうがよい？

◎なぜ、缶ジュースは三五〇ミリリットルでも、二五〇ミリリットルでも値段が同じなのか？

ここ数年、缶飲料は三五〇ミリリットル入りのモノが主流になりつつある。しかし、ときどきお目にかかるのが二五〇ミリリットル入りのスリムなやつ。この二つ、中身は同じだが量は違うのに、なぜ、値段は同じなのか？

昭和六二年頃まで、日本の国産缶飲料は二五〇ミリリットル入り一〇〇円が相場だった。ところが、この年、円高のせいもあって、外国産の三五〇ミリリットル缶が大量に輸入され、なおかつ九〇円という安値で売られた。

国産メーカーはこれに対抗するために、三五〇ミリリットル入りの缶飲料の生産を開始。値段は据え置きの出血サービスだった。

以来、国産メーカーは、二種類の缶飲料をつくりつづけているわけだが、二五〇ミリリットル入りの製造を中止しないのは、製造工程を変えるのが大変だったり、地方によって流通事情が違うため。すべての製品を三五〇ミリリットルに統一するのは、なかなかむずかしいのだという。

また、缶飲料の値段の七〇％近くは、流通コストと容器代。つまり、中身が一〇〇ミリリットル程度違ったところで、コスト的にはあまり差はないというのだ。

メーカーは、三五〇ミリリットル入りはサービスだと強調するが、やっぱり解せない？

◎貝がお金だった時代の〝ニセ札〟対策は？

大昔、多くの地域で、貝がお金代わりに使われていた。たとえば、メラネシアの島々では、貝殻を円形に加工し、中央に穴をあけて、数珠のように輪をつないでお金として使っていた。

というと、貝を拾ってくるだけで、「ニセ札」がつくれたのかと思う人がいるかもしれない。確かに、同じ貝を拾ってくれば、簡単な加工でお金が偽造できたはずだ。

だが、当時から、偽造防止策がとられていた。貝の貨幣といっても、その島ではとれない貝や、何百年もたった古い貝が使われていたので、簡単には偽造できなかったのだ。

たとえば、インドネシアで、二〇世紀はじめまで使われていたものは、遠くの海岸から険しい山を越えて運ばれてきた貝。ソロモン諸島の貝貨は、数百年前以前の貝殻が使われていた。古い貝殻は、それだけでも値打ちが高く、宝石のような価値があったのだ。

◎なぜ、果物でメロンだけが特別に高い？

メロンが日本で栽培されるようになったのは、明治後期のこと。当時は皇室の専用品で、やがて財閥や華族らも食べるようになり、普通に市販されるようになったのは、昭和に入ってからのことだ。

それでも、むろん高級品であることに変わりはなく、いまでも銀座の有名店では、高品質の温室メロンが、一個一万円から二万円はする。こういう値段になるのは、メロン栽培には莫大なコストがかかるためだ。

メロンは、専用ガラス使用の温室で、「上げ床式栽培」という手間のかかる方法で育てられている。しかも、一ツルで一個しか収穫できない。ほかの果物とは、まったく性質の違う果物といっていい。

北朝鮮の人が「マスゲーム」をするのは、ナゼだ?!

日本の常識では理解不能な「外国」の不思議

◎北朝鮮の人々は、なぜ「マスゲーム」をするのか?

北朝鮮（朝鮮民主主義人民共和国）といえば、ベールに包まれた謎の国といわれるが、確実にわかっている事実のひとつに、彼らの〝マスゲーム好き〟がある。

北朝鮮では、創建記念日、朝鮮労働党党大会などの国家行事では必ずといっていいほど、大規模なマスゲームのパフォーマンスが行われるが、これはどうしてか?

北朝鮮の思想原理は、故・金日成《キムイルソン》主席が唱えた「主体思想《チュチェ》」である。

主体思想とは、「勤労人民大衆の自主性の実現をめざす革命の学説」（金日成主席の一九七〇年の演説より）で、それを実践するためのひとつの具体的な行動が「一人は全体のために。

全体は一人のために行動する」ということになる。

なんだかラグビー精神のようだが、まさしく、これはマスゲームそのもの。つまり、マスゲームは、主体思想を忠実に体現した、一種の革命運動なのである。

アルジェリアとナイジェリアの関係は?

アルジェリア（Ａｌｇｅｒｉａ）は、地中海に面した北アフリカにあり、スーダンに次ぐアフリカで二番目に大きい国。一方、ナイジェリア（Ｎｉｇｅｒｉａ）は、ギニア湾に面した西アフリカにある国で、アフリカ全体の六分の一の人が住む人口大国だ。両国の位置関係は、ニジェールをはさんで上下に隣り合っている。

アルジェリアという国名の由来は、七世紀半ば、アジアからアラブ人が侵入。最初に目にした、現在のアルジェ港に浮かぶ四つの島を見て、「島群（アル・ジャザイール）」と呼んだことによる。つまり、本来はアラビア語で「Ａｌ-ｊｅｚａｙｒ」と書く。Ａｌｇｅｒｉａは、その欧文表記だ。

一方、ナイジェリアという国名は、一九世紀の終わりにイギリスのジャーナリストが名づけたもの。命名の由来は、現ナイジェリアの中央部を流れる大河を、現地の人がニジェール川（Ｎｉｇｅｒ）と呼んでいたことだった。

というわけで、両国の名前にはまったく関係はない。単に日本語で表記したとき、偶然「アル」と「ナイ」になってしまったというだけの話なのだ。

なぜ、氷の島を「グリーンランド」と呼ぶ?

北極圏にあるグリーンランドは、陸地の八二・八%は氷におおわれている島。それなのに、グリーンランド（緑の島）という名前がついている。

グリーンランドという名前の由来は、この島の発見者が、開拓者を誘致するために大嘘をついたのが発端だった。本当は、氷の島であるにもかかわらず、グリーンランドという美しい名前をつけて、移民者をさそったのだ。

この手口は、古今東西を問わないようで、現代の日本でも、「美しが丘」「富士見台」などという、きれいな地名が乱発されている。

◎漢字の国・中国ではどうやって電報を打つ?

中国には漢字しかない。では、どうやって、電報を打っているのだろうか?

中国では、電報用に漢字一つ一つに四ケタの番号がつけられている。たとえば、「中」は「0022」、「国」は「0948」番で、この番号をモールス信号に変えて、電信で送っている。

つまり、電報局の人は「電報新編」という電話帳のような本で、漢字の番号を調べ、モールス信号を送り、受け取ったほうもまた、その「電報新編」で元の漢字に直す。

手間がかかりそうな話だが、漢字は一字だけでも意味があるため、そう不便ではないという。

◎カナのない中国では、どうやって辞書を引く?

日本語では、読み方がわかれば、ひらがなで辞書が引ける。ところが、漢字の国・中国の文字はすべて漢字。すると、中国の人は、どうやって辞書を引くのだろうか。

部首や画数で、その漢字を探すという人がいるかもしれない。日本の漢和辞典からの発想だろうが、中国にはそういう辞書はない。だいたい、部首や画数で探すのでは、漢字そのものを忘れてしまったときは、まったくのお手上げである。

じつは、中国には、ローマ字で引ける辞書がある。日本語と同じように、漢字は忘れていても、読み方さえわかれば、発音をローマ字で表して辞書を引けるというわけだ。そのため、中国の小学生は、多くの漢字を覚えるまえに、ローマ字を先に覚えている。

イスラム教徒は、なぜ一か月も断食できる？

アラーの神の教えによれば、イスラム教徒は一年のうち一か月は断食をしなければならないことになっている。

断食を行うのは、太陰暦の九月（ラマダン）。新月の夜から次の新月が出るまでの約三〇日間だが、さて、ほんとうに彼らは断食をしているのか。そんなに長期間、食事をとらないで、はたして餓死しないのか？

安心されたい。アラーの神はなかなか寛容で、断食月でも、日没から夜明けまでは、飲み食いを許しているのである。

もちろん、昼間は食事はもちろん、ツバを飲み込むことさえ許されないが、午後になれば食事作りはＯＫ。で、じっと日没を待ち、日没を知らせる空砲がなると、いっせいに食事に突入するというわけ。

しかも断食月の食事は、知人を招いての豪華版。さらに食事の回数は、日没、深夜、夜明け前と三回もある。かくして、食料の消費はふだんの月の三倍にもなるというから、いったい、どこが断食月？　という気がしないでもない。

「三国一の花嫁」って、どこの国？

一昔前の結婚披露宴では、花嫁の誉め言葉として、もっともポピュラーかつ陳腐な言い回しだったのが、この「三国一の花嫁」。

ここに出てくる「三

国」とは、日本、中国、インドの三つの国のことだが、「なんだ、みんなアジアの国じゃないか」と、バカにしてはいけない。

なぜなら、この言葉が生まれた時代は、日本人にとって、日本、中国、インドの三つを指せば、それで世界はすべてだったから。つまり、「三国一の花嫁」といえば、「世界一の花嫁」という意味だったのだ。

たしかに、中国に一〇億以上、インドに六億以上、そして、日本に一億以上の人間がいるから、この三国で二〇億近い。つまり、世界の人口の三分の一以上を占めているというわけで、この中でいちばんといえば、世界でもトップクラスに入る花嫁といえなくもない?

◎なぜ、西洋では「13」が嫌われ、「7」が好かれるのか?

西洋で忌み嫌われる数字といえば「13」。その理由は、キリストが処刑された日が「13日の金曜日」であり、さらにキリストを裏切ったユダがキリストの「13番目の弟子」だったからだといわれるが、じつは、西洋における〝13嫌い〟にはもっと古い歴史がある。

古代ギリシャでは十二進法が基本だった。さらに、オリンポスの山に住む神々が一二人だったように「12」は古代ギリシャ人にとって、完全を表す数字でもあった。

というわけで、その完全なる「12」に「1」を足した「13」は、完全を破壊する数字として忌み嫌われたのである。

次は、縁起がいいとされる「7」の由来だが、これはキリスト教と関係があるという説が有力だ。キリスト教では「創世記」の中で、神が六日間で地球上の一切のものをつくり、七日目には休んだとされている。こうして一週間という単位が生まれたが、ここから「7」をラッキーナンバーとするようになったというわけである。

◎国旗には、なぜ「三色旗」が多い？

「三色旗」というと、赤・白・青のフランス国旗を思い浮かべる人も多いはずだが、フランス以外にも、ヨーロッパを中心に三色旗を国旗にしている国は非常に多い。

その数なんと四一か国。二色でも、三分割されている国旗を三色旗とみなすと、五四か国。じつに世界の約三分の一の国が三色旗を国旗として採用している。

三色旗の元祖はオランダで、一五七四年に、オレンジ（のちに赤に変更）、白、青の三色旗を国旗として採用。その後、急速に三色旗を国旗に採用する国が増えはじめるのだが、その理由は、当時のオランダが世界でも有数の先進国だったからだ。

オランダは一六世紀の独立戦争以後、自由と民主主義を重んじる世界のリーダー的存在で、そんなオランダにあやかろうと、まずヨーロッパの国々がオランダの三色旗をまね、さらに他の国々も追随していったというのが真相といわれる。

◎欧米人は、なぜ「シャワー」が好きなのか？

欧米人の入浴スタイルといえば、「浴槽につかる」より「シャワー」である。しかし、大昔、ローマには「カラカラ帝の大浴場」があったように、昔の西欧人は、浴槽式の風呂が大好きだった。では、なぜ彼らは風呂派からシャワー派に転向したのか？

五世紀からはじまる中世キリスト教の教えは、当時の人々に非常に禁欲的な生活を強い、数々のタブーを生み出した。

浴槽につかる、つまり全身を湯にひたしてリラックスすることもそんなタブーのひとつ。

快楽に身をゆだねるなど、とんでもないことで、浴槽につかることは健康にも悪いとされたのだ。

かくして、欧米人の頭には、「浴槽に入る＝罪」の概念がしっかりインプットされてしまった。

というわけで、いまもって欧米人の中には、浴槽に入ると何となく落ちつかず、シャワーのほうが居心地がいいという人が多いのである。

◎なぜ、ミシシッピ川の長さは半分になった？

世界一長い川はミシシッピ川――と、思っている人は、たぶん四〇歳以上のはずである。

正解はナイル川（六六九〇キロ）なのだ。

たしかに今から三〇年ほど前に中学生だった人は、世界一長い川はミシシッピ川（六五三〇キロ）と習ったはず。その当時、ナイル川は五七六〇キロで、世界第二位だった。

それが、どうして逆転したのかというと、一九七〇年代に川の範囲を定める基準が変わってしまったから。その結果、ナイル川が首位に躍り出たのだ。

ちなみに、現在のミシシッピ川の長さは、わずか三七八〇キロと世界第一五位。なんと半分近くに減ってしまっているが、これは、ミシシッピ川の範囲をアメリカが主張する位置で計測しなおした結果である。

◎イギリスのパブは、なぜ薄暗いのか？

一日の仕事を終えたあと、ちょっと一杯やりたくなるのは、イギリス人も日本人も同じである。しかし、違うのは、そんなときに訪れる酒場の好み。

日本人と英国人では、アフター5にサラリーマンたちがいく店の雰囲気がまったく対照的なのだ。

日本人サラリーマンが、一軒目に出向く店といえば明るい大衆酒場が多いが、イギリスのサラリーマンは、隣で飲む人の顔も判別できないような薄暗いパブを好む。

イギリスには、夏でもドアを閉めきり、窓には、更紗のカーテンが引いてあるような店が多いのだ。

これは、イギリス人が自分だけの空間で酒を飲むことが好きだということ以外に、通りかかったピューリタン的な友人（禁欲主義者が多い）にパブにいるところを見られたくないからだともいう。

日本人は、酔っぱらいに対しては異常に寛容な国だといわれるが、だから、飲み屋もあんなに開放的で明るいのかもしれない。

なぜ、ハンガリー人にも蒙古斑があるのか？

日本人の赤ちゃんには、九九・五％の確率でお尻から背中にかけて、青いアザ（蒙古《もうこ》斑《はん》）がある。

蒙古斑はモンゴロイド系民族だけの特徴とされているが、じつははるか彼方のヨーロッパ民族の中にも、蒙古斑を持って生まれてくる民族がいる。一般には東欧民族に分類されるハンガリー人である。

この現象、ハンガリーよりアジア寄りのロシア人やポーランド人、ルーマニア人に蒙古斑がまったく見られないことを考えると、不思議な気がするが、ハンガリーの歴史をさかのぼると、ちゃんと説明がつく。

一三世紀、ハンガリーはチンギス・ハンに征服された歴史がある。そのとき、ハンガリー人は、モンゴロイドと混血。そのため、今でも〝隔世遺伝〟で、蒙古斑を持った赤ん坊が生まれてくるというわけである。

◎アフリカは、ホントに暑いのか？

アフリカ、それも赤道直下となると、頭の真上でストーブが燃え盛っているようなイメージがあるが、実際はそうでもない。アフリカでホントに暑いのは、サハラ砂漠周辺で、それ以外のアフリカはけっこう涼しいのである。

なかでも赤道直下の国々が涼しい。この地帯は海抜一五〇〇メートル以上にあるため、日本でいうと、ちょうど夏の軽井沢のような気候なのだ。

気温は、昼間いちばん日差しが強いときでも二七度程度までしか上がらないし、反対に夜は急激に一〇度以下に下がる。しかも四季がないため、年間を通してこの気候。つまり赤道直下とはいえ、このあたりは一年中、セーターやジャケットが手放せないのだ。

さらに、ヘミングウェイの短編に『キリマンジャロの雪』があるがごとく、アフリカには雪が降ることもお忘れなく。

◎インドにもカレー粉はあるか？

日本のカレーは、本場インドにもない、日本独自の料理である。だいたい、インドの人は牛肉を食べない。「本場インドのビーフカレー」など、インドのどこにもないのだ。

では、ビーフカレーはなくても、カレー粉ならあるか？　しかし、インドの食料品店にいって、「カレー粉、ください」といっても、きょとんとされるだけだ。

インドには、既製のカレー粉はなく、各家庭それぞれに好みの香辛料をブレンドして、それぞれのカレーをつくる。

日本にカレーを伝えたのは、インドを植民地にしていたイギリス人。

彼らが香辛料に小麦粉を混ぜ、今日の日本でいうカレー粉の原形をつくり、それを日本にも伝えた。日本のカレーは、イギリス経由の料理なのだ。

◎なぜ、ベニスのゴンドラは真っ黒?

「水の都」として知られるイタリアのベニスは、一七六の運河と一二三の島からできている。それらの間を約四〇〇もの橋が渡っているが、これらの橋の多くは、一九世紀以降につくられたもの。

その昔は、無数の小舟が人や物資を乗せて行き来していた。

船底が平たく、船の高さが低い細身のゴンドラが生まれたのは、狭い運河を航行するためだった。一六世紀のベニスには、一万隻をこえるゴンドラがあったという。

当時のゴンドラは、舟全体が赤、青、金色などに塗られ、華やかさを競っていた。船室には、当時の超高級品だったガラス窓がはめこまれ、大理石の椅子にビロードや錦の豪奢なクッション、船底はペルシャ絨《じゅう》毯《たん》が敷きつめられていたという。

ところが、そういう贅沢ぶりがエスカレートしすぎ、ベネチア政府は「贅沢取締り委員会」を組織し、「船体は黒に統一すること。船室のおおいも黒いラシャ以外は使用しないこと」という法令をつくった。

以来、ベニスのゴンドラは黒一色となったのだ。

天津甘栗は、本当に天津産？

天津甘栗の多くには、中国の河北省産の栗が使われている。この地方の栗は、小粒ではあるが、栗そのものに甘みがあり、炒るときに何の調味料を加えなくても、十分な甘味が出る。

ただし、河北省といえば、北京の北方で、万里の長城の近く。同じ中国でも、港町の天津とは、まったく方向が違う。それなのに、なぜ天津甘栗と呼ばれているのかというと、かつてはこの栗が天津港から出荷され、日本に届いていたから。

天津甘栗は、天津産ではなく、天津から出荷された栗だったのだ。

アメリカ人は、なぜ「ポテトチップス」が好きなのか？

「カウチポテト族」とは、カウチ（長椅子）に座ってポテトチップスを食べる人々のこと。アメリカで生まれた言葉だけあって、実際、彼らはポテトチップスが大好物なのだが、その理由は、植民地時代にジャガイモを食べられなかった反動なのだという。

当時のアメリカは、ピューリタン教会の禁欲的思想が支配しており、牧師たちは、説教のたびに「ジャガイモには催淫作用がある。それを食べると、欲情して不埒《ふらち》な行為に走る。それが原因で人は命を縮める」と説教。教会の教えを忠実に守っていた敬虔《けいけん》なクリスチャンは、ヨーロッパにいたときは堂々と食べられたジャガイモを、涙を飲んで豚の餌にしていたのだ。

というわけで、いま、アメリカ人は、昔の食い物の恨みをはらそうと、ポテトチップスをむさぼり食っているともいえる。

ちなみに、アメリカのポテトチップスの宣

伝コピーには、昔のジャガイモ淫乱説を風刺してか、「ポテトチップスをむさぼる満足感は、セックスと同じ」というのがあるそうだ。

なぜ、オリーブをくわえたハトが、平和のシンボルになった？

ハトを平和のシンボルとするのは、『旧約聖書』の「創世記」のエピソードに由来する。「ノアの方舟」のくだりだ。

人間の堕落した行状に怒った神は、大洪水をひき起こすことを決意し、このとき正直者のノア一家だけに難を逃れるための方舟作りを許可する。そして、洪水が起きたとき、ノア一家は方舟に乗り、アララト山の頂上にたどり着いて、新たな人類の歴史を記すことになる。

このとき、地上の様子を調べるため、ノアはハトを放った。ハトがオリーブの若葉をくわえて戻ってくるのをみて、ノアは洪水がひいたことを知る。

このエピソードから、ハトは平和のシンボルとして多用されるようになった。

アンネの日記は何月何日から書きはじめた？

アンネ・フランクが『アンネの日記』を書きはじめたのは、両親から日記帳を贈られたことがきっかけだった。一九四二年六月一三日、アンネが一三歳の誕生日を迎えた日のことである。

これは、アンネの一家が、ナチスのユダヤ人迫害のため、ドイツからアムステルダムへ逃れ、アムステルダムの隠れ家に移る直前のことだった。

以後、アンネは密告によって連行されるまでの二年間、隠れ家生活のことや家族の様子、異常な環境の中で思春期を迎える心の軌跡を書きつづった。

というわけで、アンネの日記は正月から書かれたわけではないのだが、歴史に残るほかの日記をみても、『和泉式部日記』は四月一〇日から、石川啄木の『ローマ字日記』は四月三日、永井荷風の『断腸亭日乗』は九月一六日から書きはじめられている。

リーゼントスタイルがそう呼ばれるのは?

前髪をヒサシのように盛り上げ、両横の髪は後方へなでつける――これが、いわゆる「リーゼントスタイル」である。エルビス・プレスリーとジェームズ・ディーンが世界に流行《はや》らせたヘアスタイルなのだが、プレスリーヘアとも、ジミースタイルともいわれることはなかった。

この「リーゼント」という名前は、ロンドン市のストリートの名称。この通りはゆるやかなカーブを描いていて、その形があのヘアスタイルによく似ていたというわけ。

核ミサイルの発射係が誤ってボタンを押すと、どうなる?

アメリカの場合、核ミサイルの発射ボタンを押すのは、大統領ではない。大統領は「発射命令」を出すだけで、実際に発射ボタンを押すのは、発射管制官という専門職である。

では、この発射管制官が突然、発狂したり、妙な妄想をいだいて、発射命令もないのに、ボタンを押してしまうことはありえないのか?

しかし、安心されたい。万一、発射管制官がボタンを押しても(正確には、発射キーを回しても)、核ミサイルは発射されない。

なぜなら、アメリカの場合、発射管制官はふたりおり、ふたりが同時に発射キーを回さないと核ミサイルが発射しないシステムになっているから。しかも、二つの発射キーの間隔は約四メートルあるから、ひとりで同時に発射キーを回すことは不可能。さらに、ひとりが発狂した場合にそなえて、お互いがつねにピストルを携帯して、〝相互監視〟しているという。

こういうと、万が一、ふたりが示しあわせて発射キーを回したら……という人がいそうだが、そういう可能性はないものとする、というのが、こうした場合の危機管理の考え方らしい。

◎なぜ、アメリカでは履歴書に写真を貼らないのか?

日本でもアメリカでも、ある会社の採用試験を受けようと思ったら、履歴書が必要になるのは同じである。

このとき、日本では履歴書に本人の写真を貼るのが当たり前だが、アメリカではその必要がない。というより、もしも会社側が応募者に写真を貼ることを義務づけたら、それは違法ということになってしまうのである。

その理由は、アメリカでは、従業員などの採用や処遇にあたって、出身国、人種、肌の色、宗教、性別、年齢、身体の障害などによって差別してはならないから。つまり、写真を貼れば、その人の肌の色や性別、さらには人種や年齢もある程度、推測がつく。これでは、採用側が面接する以前に応募者を選別しかねないというわけである。

だから、アメリカの履歴書には、写真だけでなく、性別や年齢を書く欄もない。採用側が応募者についてわかっているのは、名前程度。その名前から性別を想像するくらいで、ホントのところ、どんな人物が応募してくるのかは、面接のフタを開けてみなければわからないのである。

◎ド・レ・ミ・ファは何語?

「ド・レ・ミ・ファ」という音階を考案したのは、イタリアのアレッツォ生まれのギドー・ダレッツォという僧侶。つまり、ドレミファは、イタリア語である。

一〇二四年六月二四日、ギドーは、洗礼者ヨハネの祭りで、教会で合唱隊を指導していた。その歌はヨハネを讃えるもので、イタリア語では、「Ut queqnt laxis／Resonare fibris／Mira gestorum ――」と続く。全体で七小節あって、各節の頭の音が一音ずつ高くなっていた。

そこで、ギドーは、各節の最初の音、「Ut Re Mi――」で、合唱隊に発声練習をさせた。そして後に、最初の「Ut（ウト）」を「ド」に変え、シを追加して、ドレミファソラシドの八音階を完成させた。

このほか、ギドーは、音譜の原型となるものも発明している。

日本に痴漢と下着泥棒が多いのは、ナゼだ?!

言われてみれば、かくも不思議な「日本」への疑問

なぜ、日本には「鈴木」という名前が多い?

日本人の姓の数に関する調査では、「鈴木」さんが一位になることが多い。

「鈴木」という姓は、中世にできたもので、もともと「ススキ」と読んだ。昔、刈りとったばかりの稲を田に積み上げて、その上に一本の棒を立てて、神を呼ぶという神事が行われていた。そのときの棒を「ススキ」と呼んだのだ。

そこから、熊野神社の神官が「鈴木」姓を名のりはじめ、熊野信仰の影響で、鈴木姓が庶民の間に広まっていった。「鈴木」はその意味で、豊作を願う農耕民族の気持ちが広めてきた名前といえる。

なぜ日本人は狭い国なのに、なぜ人口が多い?

日本は人口密度の高い国だ。狭い島国ながら、昔から人口はけっこう多いのだ。これは、単純にいえば、日本人が元気だからである。

現在の日本人とは、南北からこの島にやってきたさまざまな人種の混血であり、比較的

新しい民族といえる。激しい混血の結果、いわゆる雑種強勢が働いて、生物学的にみると抵抗力が強く、それが人口を維持する根本的な理由になっている。

また、北から南まで縦に長いという日本の国土と自然環境も、日本人の生命力を強くする要因になっている。狭い国土でありながら、寒暖の差が大きく、さまざまな環境があることが、抵抗力を強めてきたわけだ。

これは、戦後、日本が世界一の長寿国となった基本的な理由でもある。

◎日本人は、なぜお土産を買って帰る？

おみやげは、もともとは「お土産」とは書かなかった。「宮笥」と書き、これは神社でもらう神札を貼る板のことだった。その昔、伊勢神宮へ村を代表してお宮参りをした人が、村人のために買って帰ったのが、この宮笥だった。

お宮参りする人を送り出すとき、村人たちは、村を代表してお参りする男性に、餞別を渡して自分の祈願も頼んだ。これが、「餞別」のはじまりでもあるのだが、神宮に参った男は、その餞別で村人分の宮笥を買い集めた。

その後、伊勢神宮の周辺では、参拝客を目当てに土地の産物も売られるようになったが、それらも宮笥にならって「みやげ」と呼ばれるようになった。

もともと、お土産品とは宮笥に便乗して、土地の物産を売りはじめたものだったのである。

◎なぜ、日本人男性には痴漢と下着泥棒が多い？

外国では、レイプ事件は頻繁に起きているが、痴漢と下着泥棒はめったにいない。この二つの性犯罪は、日本名物とさえいえる。

日本人男性に痴漢と下着泥棒が多いのは、一言でいえば、性的な欲望が抑圧された形で、性的ストレスがたまっているためといえる。

会社でまじめな社員を演じ、家でもやさしくてまじめな夫を演じる。そういう仮面的な生活でたまったストレスのハケ口として、痴漢と下着泥棒に走るのだ。

日本人男性には女性をレイプするほど、暴力的で攻撃性の強い性格の人は、比較的まれだ。

◎日本人は、なぜおじぎをするか？

日本人がおじぎをしはじめたのは、大化の改新（六四五年）の頃からである。

それまで、日本人は目上の人に対しては、土下座をしていた。邪馬台国《やまたいこく》について記された『魏志倭人伝《ぎしわじんでん》』にも、「下戸（庶民）が大人（貴族）と話すときは、うずくまってひざまずき、両手を地について敬意を表す」と記されている。

それが、大化の改新のさい、土下座をやめて、おじぎに変更された。おじぎは、中国の立礼をまねたもので、頭を下げることで無防備であることを示し、攻撃意志のないことを表現したのだ。

ただし、大化の改新以降も、おじぎはなかなか広まらなかった。そこで、天武天皇が土下座を禁止して、立礼に統一というおふれをだして、ようやくおじぎは日本人の間に広まりはじめた。

◎日本人の鼻は、なぜ低い？

日本人の鼻が低いのは、もともと栄養状態

がよくなかったからである。

同じ日本人でも、江戸時代の絵をみると、庶民の鼻は低いのに、大名の鼻は高く描かれている。栄養状態によって、鼻の高さがかなり変化するのは、鼻の骨が軟骨でできているからである。

栄養がいいと、甲状腺ホルモンが活発に働き、軟骨が発達してくる。鼻の軟骨が大きくなれば、しぜんと鼻も高くなる。

しかし、もともと日本人は肉食を避けてきた。そのため、甲状腺ホルモンの働きが低下し、鼻の軟骨があまり発達しなくなって、鼻が低くなったのである。

ただし、戦後は、欧米並みの食事をとるようになって、この半世紀、日本人の鼻はずいぶん高くなった。

◎なぜ、日本ではクルマは左側通行？

欧米のほとんどの国では、クルマは右側通行。日本と同様に左側通行の国は、イギリス、オーストラリアとインドくらいのものだ。

文明開化期、日本はさまざまな分野で英国をお手本にした。だが、クルマの通行法に関しては、大英帝国を手本にしたわけではない。

ではなぜ、日本は左側通行になったのか？

左側通行の由来は、江戸時代以前にさかのぼる。クルマのない時代、武士は決まって道の左側を歩いていた。武士は刀は左腰にさすため、それをすばやく抜くには、左側を歩く必要があったのだ。

すると、武士の刀の鞘《さや》にぶつかったりするといけないということで、荷車なども武士に追随して左側通行をするようになった。この名残りで、明治三三年、人もクルマもすべて左側通行することが決められた。

クルマだけが左側通行となったのは、昭和二五年のこと。モータリゼーションの時代が来て、それまで左側を歩いていた歩行者が右側へとはじき出されることになった。

なぜ、日の丸の上には金の玉がついているのか？

日の丸を掲げるときには、縞の旗竿の先に金の玉をつけるスタイルが一般的だ。

一般家庭が祝祭日に日の丸を掲揚するようになったのは、明治中期以降のこと。当初は、それぞれ勝手に白地に赤の旗をつくり、物干し竿などに掲げていたという。そのうち、縞の旗竿に金の玉、それに国旗の三点がセットになったものが売り出され、このスタイルが市民権を得た。

一説によると、金の玉は、太陽の遣いであったヤタガラスを象徴したもので、旗竿は神《じん》武《む》天皇の持っていた弓の模様からとったものといわれる。日本神話では、神武天皇東征の際、熊野から大和に抜ける山中で、天照大神から道案内として遣わされたヤタガラスが、神武天皇の持つ旗がついた弓の先に止まったことになっている。

おそらく、この神話にヒントを得て、国旗三点セットを思いつき、商品化した知恵者がいたのだろう。

日本の国旗が日の丸になった理由は？

「日の丸」というデザインは、平安時代にはすでに存在した。戦国時代には、武田信玄や伊達政宗らが日の丸を旗印に用いている。

日の丸が国旗として制定されたのは、明治三年のこと。だが、それ以前、幕末には、すでに日の丸は日本の国旗として、国際的にほぼ認知されていた。

そのきっかけは、いわゆる「生麦事件」。生麦事件は、薩摩《さつま》藩主の父、島津久光の行列の行く手を横切ったイギリス人四人を、薩摩藩士が殺傷した事件である。この事件を発端に、翌年、薩摩藩とイギリスの間で、薩英戦争が勃発するが、このとき薩摩藩の艦隊が標識としたのが、日の丸だった。その旗を見た英国人が、日本の国旗だと思いこみ、それが日の丸の国際デビューになった。

その後も、幕府の軍艦咸臨丸《かんりんまる》が日の丸を掲げて太平洋をはじめて渡り、日の丸は日本の旗として世界に知られるところとなった。

◎なぜ、日本は英語でジャパンになった？

英語で日本をジャパンというのは、中国語で日本のことをいった「ジッポン」からきている。今の中国の標準語の北京語では、日本は「リーベン」と発音するが、中国南部では今でも「ジッポン」「ジッパン」などと発音している。

そして、『東方見聞録』を書いたマルコ・ポーロは、「ジッポン」を「ジパング」と聴き覚えて記録した。それが世界中に広まったというわけだ。

したがって、日本を表すドイツ語の「ヤーパン」、スペイン語の「ハポン」も、いずれも出所は『東方見聞録』。

最初の音が国によってちがうのは、Ｊの発音のちがいからである。

◎なぜ、「平均貯蓄額」はあんなに多額なのか？

経済統計では、しばしば日本人の「平均貯蓄額」が発表されるが、その数字をみて、自分が「中流」だと思っていた人は、ガク然とすることが多い。

世間並みのサラリーをもらい、世間並みに

貯蓄に励んできたつもりなのに、なぜ、世の人々は自分よりも貯蓄が多いのか？

じつは、この「平均貯蓄額」には、タネを明かせばいたって単純なトリックが隠されている。

そもそも、貯蓄額を「平均」してしまうところに問題がある。たとえば、一〇〇人のうち九九人には一〇〇万円の貯蓄があり、一人だけ大金持ちがいて一〇億円の貯蓄があると、その一〇〇人の平均貯蓄額は、当然、一〇〇万円以上になる。つまり、九九人が平均以下、となってしまうのだ。

このように、金持ちがため込んだウン億円という額がモノをいい、平均貯蓄額は「中流」の人々が実感している数字よりも、ずっと高くなるのだ。

というわけで、自分が「中流」かどうかを知りたいのなら、平均貯蓄額より、どれくらいの貯蓄額の人がもっとも多いのかをチェックしたほうがいい。

◎なぜ、日本人は明るい照明の部屋が好きなのか？

日本家屋の居間や寝室の明かりは、欧米と比べると、ずっと明るいといわれる。

欧米の家庭では白熱灯が多く、蛍光灯の普及率はヨーロッパが二〇％に対して、日本は八〇％ともいわれる。では、なぜ、日本人は蛍光灯のような明るい照明が好きなのか？

ひとつは、日本人が白熱灯に対してもっているマイナスイメージのせい。戦前から戦後にかけて、アバラ屋に裸電球ひとつといった暮らしをしていた日本人は少なくなかった。そのため、多くの日本人にとって、裸電球＝白熱灯には「貧乏」と

いうイメージがつきまとっている。そのイメージを払拭しようとして、日本人は蛍光灯を愛用するようになった、というワケである。

もうひとつ、日本人＝農耕民族だから、という説もある。いわく、農耕民族は太陽の光がないことには農作物を育てることができない。そのため、太陽の光＝明るいことはすべて善ということになり、夜も明るい火を囲んで食事をするようになった。

日本人の瞳が黒いのも、日本人が光に強いことの証拠。だから、今でも、明々とした蛍光灯の下で暮らすのが大好きというわけである。

◎日本人は、なぜ〝電車で居眠り〟するのか？

世界広しといえど、日本人ほど電車でよく眠る民族はいないという。

その理由については二説ある。まずは、日本人の肉体に原因があるとする説である。

いわく、日本人の腸は外国人より長いため、消化の際、血液が腸に集中する時間が長く、その間は頭に血が回らない。こうなると、当然、眠くなる。しかも、電車の振動は、かっこうの睡眠導入剤の働きをする。だから、日本人は電車の中で居眠りをする。

次は、日本人の性格に原因があるとする説。日本人はもともと生真面目な性格だ。仕事や勉強に対して熱中しやすく、それだけにふだんから脳の疲労度が高い。だから、電車に乗ると、脳は、意図的に仕事をしない時間は少しでも休もうとする。つまり、空いている座席を見つけて、座ってすぐ眠れるのは、一種の条件反射というわけ。

どちらの説ももっともだが、もっと単純に、「日本は治安がいいから堂々と眠れる」とする説もないわけではない。

◎「メガネに出歯」。この日本人のイメージが定着したのは？

欧米の風刺マンガに描かれる日本人の姿は、「メガネに出歯《でっぱ》」である。映画でも、典型的な日本人として笑いのネタにされる。

この「メガネに出歯」のイメージの日本人が最初に登場したのは、一二〇年以上も前のこと。明治初期、東京で発行されていた漫画雑誌「ジャパン・パンチ」の一八七五（明治八）年八月号に、イギリス人画家のチャールズ・ワーグマンが描いたのが、この「メガネに出歯」の日本人だった。

この雑誌を、当時、日本を訪れた欧米人が、おみやげとして持ちかえり、それが欧米社会に広まって、日本人の「メガネに出歯」のイメージが定着してしまったのである。

欧米で描かれる日本人のイメージは、「メガネに出歯」にくわえ、首からカメラをぶらさげているものも多い。

◎なぜ、北海道だけがあんなに広い？

日本の都道府県の中で、北海道はずばぬけて広い。その面積は東京都の三六倍で、日本の面積の二一％を北海道が占めている。なぜ、都道府県の中で、北海道だけがあんなに広いのか？

北海道も、かつては三県に分けられていた時代がある。北海道の開拓は、明治維新とともにスタートし、一八七二年、開拓使が設置され、本格的な開拓がはじまった。この開拓使はすぐに廃止されて、札幌、函館、根室の三県に分割された。だが、行政単位が分かれていると、開拓がすすめにくいということになって、北海道庁が設置され、北海道全体を管轄するようになった。この長官は戦前は国の任命で、北海道知事が選挙で選ばれるようになったのは戦後のことだ。

つまり、新しい土地を開拓するためには不便だったため、北海道は広いというわけだが、逆に考えると、行政効率からして、ほかの県のほうが狭すぎるのかもしれない。

◎日本人は、なぜ「三」が好きか？

「三人寄れば、文殊の知恵」「女三人寄れば、かしましい」「石の上にも三年」「三度目の正直」など、日本のことわざには「三」のつくものが非常に多い。

ことわざだけでなく、「日本三大○○」や御三家、三羽烏、三人娘のように、日本人は三でひとくくりにするのも好きである。

その理由は、一説によると、日本に古くからある陰陽思想のせいだといわれる。陰陽思想では、奇数を陽数として尊び、偶数を陰数として嫌う。「七五三」や「三三九度」といったおめでたい儀式に奇数が使われているのもそのせいで、こうした陰陽思想では、一はものごとの始まりを表す神聖な数、そして三は、その次にくるもっとも区切りがよく、しかも縁起のいい奇数というわけだ。

また、三は、「満つ」や「充つ」に通じる、ひじょうにおめでたい数だとする説もある。

さらに、一や二は、点や線でしかないが、三になってはじめて、面が完成する→すべてがそろう、という説もある。

◎なぜ、女性の名前には「子」がつくのか？

最近はすっかり少数派だが、ひと昔前まで女性の名前といえば「子」がつくのがふつうだった。

古代中国では、「老子」「孔子」など、偉人や学者の名前に「子」のつくことが多かったが、これは「子」が敬称だったため。こうした習慣が日本にも伝わり、奈良・平安時代は、身分の高い男女の名前の末尾に「子」がつくようになった。たとえば、男性では小野妹子、女性では文武天皇の妃になった藤原京子などがそれだ。

江戸時代になると、それまでは貴族など一部の特権階級の女性にしかつけられなかった「子」が、武士の娘にもつけられるようになった。

さらに、明治時代になると、士農工商の身分制度が撤廃されたため、「子」のつく女性は、明治二六年は一七%、同三六年には三七%、そして昭和八年には八三%と急速に増えていった。

◎神社の木に結んだオミクジのその後は?

オミクジを引いたあとは、オミクジを神社の木に結んで帰ってくる。これは、願いごとが「結ばれる」ようにという俗信からきている。

この習慣、神社としてはあまり歓迎していない。有名神社には、梅の枝にオミクジを結ばないでくださいと、断り書きをしているところもある。枝に紙を結ぶと、木が弱くなり、また雨に打たれると紙がとけて、見た目にも汚い。

そこで、各神社では、枝に結ばれたオミクジを定期的に集めて、燃やしている。これが、「お焚きあげ」と呼ばれる儀式で、オミクジを清めるために行われている。

なぜ、名古屋城の上には金の鯱がある?

名古屋城の天守閣に燦然と輝く金の鯱《しゃちほこ》。あの鯱は、魔除《まよ》けのためにある。

鯱は、海のギャングのシャチとはちがって、中国の伝説に出てくる架空の動物だ。頭は竜で、背中に鋭いトゲを持ち、全体としては魚のような形をしている。ちゃんとオスとメスがあり、オスは口をあけ、メスは閉じている。古来、建物を火事から守ると信じられてきたため、城を火災から守ることを願って、天守閣に据えつけられたのだ。

だが、魔除けでありながら、名古屋城の鯱は、金でできているため、その金の鱗《うろこ》が盗まれるという事件も起きている。

昭和一二年には、五八枚の鱗が盗まれている。

なぜ、漢字は縦書きにする?

ヨーロッパのアルファベット、アラビア文字をはじめ、漢字以外の世界の文字のほとんどは、横書きである。なぜ、漢字だけは縦書きになったのか?

古代中国では、亀甲文字といって、カメの甲羅や動物の骨に文字を書いた。そのとき、カメの甲羅に文字を書くと、横より縦書きのほうが書きやすかった。このときの習慣から漢字は縦書きされるようになったと考えられている。

また、漢字はもともと象形文字であり、縦書きにし、一字一字独立させて書いたほうが読みやすい。

一方、ヨーロッパやアラビアの文字は、記号化された表音文字であり、こちらは横書きにして意味をとるほうが、わかりやすかったとも考えられている。

なぜ、昔の人の旅荷物はあんなに少なかったのか?

時代劇に登場する旅人の荷物は、じつに少ない。あれは真実の姿で、江戸時代の庶民の旅では、荷物はずいぶん少ないものだった。持ち物といえば、お金をいれた道中差《どうちゅうざし》、携帯用燭台、印籠、算盤《そろばん》や手燭《てしょく》などを入れた枕箱ぐらい。

旅館では、持ち物を枕箱に入れ、それを枕に眠った。

荷物をひとつにまとめられるし、盗難防止の意味もあった。

むろん、江戸時代の旅は徒歩の旅であり、荷物はできるだけ少なくする必要があった。荷物が重いと、へばってしまい、歩けなくなってしまうからである。

もっとも、荷物が少なかったのは、庶民や下級武士で、大名の旅は武具類や風呂、台所用具から料理人まで同行していた。まさしく、大名旅行だったわけだ。

なぜ、日本の幽霊には足がない?

ドラキュラにしても、フランケンシュタインにしても、狼男にしても、外国の怪奇スターは、日本の幽霊ほど怖くないという日本人が多い。その理由として、外国の怪奇スターにはみな足があるから、という説がある。なるほど、日本の幽霊は、足元がフワっと消えている。

いかにも魂が空中をさまよっているようで、だからコワい……。

足のない幽霊とは、いかにも日本古来の伝統という感じだが、日本の幽霊から足が消えたのは、江戸時代の後半。一八一〇年代あたりだといわれている。それまでは、絵画に描かれた幽霊にも、能の『船弁慶』に登場する平知盛の幽霊にも、ちゃんと足があった。

幽霊の足を消したのは、歌舞伎役者の尾上《おのえ》松緑《しょうろく》。彼は『四谷怪談』を演じるにあたって、なにか凄味のある演出はないものかと考えた。そこで思いついたのが、幽霊の足を隠して、人魂といっしょに登場するという手法。幽霊がフワッと現れる感じが、人魂とダブるという寸法である。

これが怖いと大評判になり、以後、日本の幽霊からは足が消えることになった。

◎武士は、なぜ「切腹」が名誉なのか?

江戸時代の武士にとって、もっとも名誉な死に方といえば、「切腹」だった。罪を犯して死罪となったとき、斬首と切腹では、同じ死罪でもまったく意味が違った。斬首は、悪人として幕府（国家）から処罰されるということにほかならないが、切腹にはそうしたニュアンスは希薄である。

では、なぜ、武士は切腹を名誉だと考えたのか?

時代考証家の稲垣《いながき》史生《しせい》氏によれば、当時の武士の間では、人間の魂や感情の源泉は、腹中にあると考えられていたからだという。つまり、自ら腹を切るということは、自分のほんとうの魂や感情を披瀝するということになり、ここに、切腹＝自分の汚れなき精神を見せるという意味が生まれた。

さらに、切腹には武士道からくる名誉の尊重や死を恐れぬ勇気などの意味がつけ加えられ、いよいよ武士の死に方は切腹こそが最高となった。

今でも、オジさんたちが「腹を割って話す」のが大好きなのは、その名残りかもしれない?

なぜ、武士は月代を剃っていた?

時代劇に登場する武士はみな、おでこの上の部分を剃っている。時代劇通ならご存じのとおり、月代《さかやき》と呼ばれる部分だが、なぜ武士は月代を剃っていたのか?

これは、合戦があったころの名残り。

日本では、室町時代後半から徳川家康が江戸に幕府を開くまで、一世紀ものあいだ戦国・乱世が続いた。血で血をあらう合戦が頻繁に行われ、鎧《よろい》、兜《かぶと》に身を包んだ武士たちが戦いに明け暮れていた。

この鎧、兜は、あわせて七〇キロというしろもの。しかも重いだけでなく、風通しが悪いときていた。

とくに、兜の風通しは非常に悪く、すぐに蒸れてしまう。それを少しでもしのぎやすくするために、額の上の部分すなわち月代を剃ったのだ。

時代がくだり、江戸庶民の中にも月代を剃る男が現れたが、これはただ粋がって剃っていただけである。

左利きの武士は刀を反対側に差したのか?

昔の侍は、刀を左の腰にさしていた。いざというとき、右手で刀を抜くためである。

というと、左利きの武士は刀を右の腰にさしていたと思えるが、現実にはそうする武士はいなかった。

もともと、刀を振るのは、物を投げるのとは違って、剣術の技術はどちらかの片手の力が大きく影響するものではない。利き腕だけで力まかせに振り回し

ても、相手が斬れるものではないのだ。いざ相手に打ちこむときは、むしろ左手が強く働き、右手は方向性を定める働きをする。だから、左利きの侍が左の腰にさしても、大きな問題はなかったのだ。

これは、やはり両手を使う野球のバッティングと似ていて、右打者は、左手でバット操作して、右手は添える程度。利き手とは逆の左手がうまく使えないと、好打者にはなれない。

◎大名は国替えのとき、どうやって引っ越した?

江戸時代の大名の国替えというと、何百人、何千人もの社員とその家族全員が、同時に転勤し、引っ越すようなもの。手続きや手順がうまくいかず、大騒ぎになる大名家も少なくなかった。

国替えになると、まず城内の諸道具や帳簿をそろえて、新城主に引き継がなければならない。その一方、移転先へ出向き、藩士全家族の引っ越しの準備をうちあわせなければならない。移転先に十分な家がなければ、到着しても落ちつく先がない。

また、家臣の家族らが一時にどっと押しかけては、先方の城下町が大混乱になる。そこで、夫人や子供を三〇～五〇人ずつにわけ、順番に引っ越したが、自分たちで荷車を引いて何百キロも歩いたため、道中で病気にかかる人もいた。とくに、雨の多い時期には、病人が続出した。

◎昔の遊女はどうやって避妊した?

コンドームもピルもなかった時代、昔の「遊女」たちは、どうやって避妊していたのだろうか?

少なくとも、江戸時代には、遊女流の避妊

術があり、彼女たちは膣の中にやわらかい和紙をいれて、今でいうペッサリーの代わりにしていた。

また、昭和の赤線時代の娼婦たちは、和紙の代わりに、膣の中に小さなスポンジをいれて精子を吸い取らせていた。

いうまでもないが、これらの手段には、ほとんど避妊効果はない。

◎侍の財布の中にはどれくらい入っていたか?

侍、侍といばっていても、経済的にはなかなか大変だった。下級武士、浪人、足軽、中間らはいうにおよばず、上級武士の生活もけっして楽なものではなかった。

たとえば、二百石取りの侍を例にとってみよう。これを貨幣換算すると、年収はおよそ八十両になる。

この中から、日常の生活費、足軽や中間、女中らの人件費をまかなわなければならない。古くなった武器を新調する必要もある。

そのため、ふだんの侍の財布の中は寂しいものだった。だいたい一分《ぶ》や二分しか持ち歩かなかったようだ。一分は現在のお金に直すと、数千円程度である。

◎戦国時代の武士は、ケガをどう応急処置したか?

戦国時代の戦いでは、もちろん多くのケガ人が出た。当時の戦場に、医者、今でいう軍医は同行していない。ケガをした侍は、薬草を使って自分で応急処置するのが普通だった。

よく使われたのは「紫根草」という植物の根を乾燥させて粉末にしたもの。この粉末をケガをしたところに塗ると、すぐに被膜ができ、止血効果があった。侍は、紫根草の粉末を袋に入れて、戦場に持っていった。

運悪く、紫根草がなかった場合は、とりあえず、泥や灰を傷口に塗り、止血剤の代わりにした。むろん衛生的な方法ではないが、血が止まることは止まったようだ。

忍者は本当に竹筒だけで水にもぐれたか?

ドラマに出てくる忍者は、竹筒を口にくわえて水中に沈み、水面に竹筒の先だけ出して、空気を吸い込んで呼吸しながら、水中にひそむ。おなじみのシーンだが、これは現実には不可能な技だ。

第一に、人間の体は水に浮いてしまう。だから、水中にジッと沈んでいることじたいが至難の業だ。

さらに、水中では全身水圧がかかってくる。たとえば、二メートルもぐれば、肺には一・二気圧の水圧がかかる。竹筒を通して空気を吸い込むためには、その水圧をはねのけて、肺をふくらませる必要がある。その水圧の中で連続して肺を動かしつづけられるほど、強靭な肺を持つ人間は存在しない。

また、そんな圧力をはねのけて、肺を動かせば、鼻から水がはいってくるのは、当然の話だ。

なぜ、昔の大家は店子にうるさくいった?

落語の世界では、大家が店子《たなこ》に向かって口うるさくいう。事実、江戸時代は、大家と長屋に住む店子の関係は、きわめて密接だった。

なにしろ、店子は大家を通さないと何もできなかった。

嫁をもらうにも大家の許諾が必要で、旅に出るにも大家の力を借りないと通行手形が手に入らなかった。

また、大家は何かにつけて店子の生活について口をはさんだ。教育、夫婦仲、ふだんの生活態度にまで口やかましく注意したのである。言葉どおり、店子といえばわが子も同然だったのである。

その背景には「連座制」があった。万が一、長屋から罪人が出たとする。すると、当時は連座制が適用され、処罰の対象が罪人の家族にまで及び、大家にもなんらかの処罰が下されたのである。

◎代官には本当に悪代官が多かったか？

時代劇に出てくる江戸時代の代官といえば、かならず賄賂はとる、庶民は泣かせる悪代官である。本当のところは、どうだったのだろうか？

代官は、幕府の直轄領（天領）を治めていた行政官。その仕事は、年貢の取り立て、治安維持、治水工事、新田開発、窮民救済などにおよんでいた。

今でいうなら、市長と税務署長と警察署長を兼ねたような役割だった。

だが、代官の仕事を手伝った手付や手代といった部下は、たった二十人ほど。これだけの陣容で、五万石から十万石の土地を治めていたのだ。

普通の大名は、それだけの領地を治めるのに四百名程度の家臣を必要とした。つまり、代官は平常業務をこなすだけで、いつも手一杯の状態で、悪事を働く余裕はなかったといえる。

むろん、代官の中には、年貢徴収で手心を加えるなど、私腹を肥やすものもいた。しかし、そういう悪代官はほんの一握りにすぎなかった。

「踏み絵」を考えだした人は?

最初に踏み絵を実施したのは、長崎奉行・水野河内守《かわちのかみ》のようだ。寛永五(一六二八)年のことで、このときの踏み絵は、紙製の聖画類だった。

つづいて、翌寛永六年には、同じく長崎奉行・竹中采女正《うねめのかみ》が木製の板踏み絵をつくり、庶民に次々と踏ませていった。

後に、キリシタン探しが激化すると、紙や板の踏み絵ではもたなくなり、真ちゅうの踏み絵が開発された。

ただし、寛永五年以前の資料にも、神父が聖像を踏まされたという記述があるなど、踏み絵のルーツについては、まだ謎が多い。

縄文人は釣り糸をどうやってつくった?

縄文遺跡からは、動物の骨を削ってつくった釣り針が、よく出土する。

しかし、今まで、釣り糸がついた状態で発見された釣り針はひとつもない。ということは、釣り糸は何か朽ち果てるモノでできていたのだろうが、それは何だったのか?

釣り針と一緒ではないが、植物繊維をよりあわせてつくった紐の断片は、各地の縄文遺跡で発見されている。それらの紐が釣り糸ではなかったかと推定されている。

その素材は、クワ、フジの木などの表皮の下にある甘皮の部分、イラクサ類の表皮の繊維をよりあわせたものだった。つまり、縄文人たちは、かなり細かい、ていねいな手作業で、釣り糸をつくっていたようだ。

最初の遣隋使のとき、誰が通訳した?

奈良時代の遣隋使は、いわば中国に向けた

外交使節団。日中間で対等の外交関係を樹立することが派遣の目的だった。では、はじめて異国を訪問したとき、言葉の問題はどうクリアしたのだろうか？

それは、遣隋使船の乗船リストをみると、すぐに解明する。奈羅訳語恵明、新漢人大国、新漢人広斉、滋賀漢人恵隠——いずれも、日本人名とは思えない人が数多く乗船しているのだ。彼らは、遣隋使の派遣以前、四、五世紀ごろ、日本に渡ってきた帰化人の子孫と考えられ、彼らが通訳として使節団に随行していたようだ。

こういう人々の先祖は、日本に紙や陶器の技術をもたらした人たち。この人々の存在なくして、小野妹子ら遣隋使の成功はなかった。

◎キリシタン宣教師は何人くらいいたのか？

キリスト教の宣教師がはじめて日本に来たのは、天文一八（一五四九）年のことだった。イエズス会のフランシスコ・ザビエルが二名の同僚とともに来日した。

以来、ほぼ毎年のように宣教師は来日している。たとえば、天正一一（一五八三）年には、司祭は二〇名、修道士は五〇名もいた。文禄二（一五九三）年になると、司祭、修道士あわせて一五三名の大部隊になる。

とはいえ、宣教師の活動が活発だったのはこのあたりまでで、江戸幕府はキリスト教の布教を厳禁し、鎖国をしいた。寛永一七（一六四〇）年には、司祭、修道士のほとんどが日本から姿を消した。

『源氏物語』は、平安時代、何人くらいの人が読んでいた？

紫式部は『源氏物語』を書きはじめたとき、夫と死別し、一児の母となっていた。

やがて、紫式部は、藤原道長のお声がかりで、道長の娘の彰子に仕えることになる。この宮廷に勤めている時代に、彼女は『源氏物語』を完成させる。

そして、執筆当時の『源氏物語』の読者は、彰子をはじめとし、宮廷内のごくかぎられた人物だけだったと考えられている。

一部の公卿にくわえて、僧侶や写本をした女官たちなど、多くても数十人程度しか、『源氏物語』の読者はいなかったようだ。

ペリーとの交渉には何語を使ったのか？

一八五三年、アメリカのペリー提督が黒船をひきいて日本にやってきた。このときの交渉役として幕府から派遣されたのが、浦賀奉行与力の中島三郎助。彼は通詞（通訳）の堀達之助を連れて、ペリーが乗船するサスケハナ号に向かった。

ところが、堀は通詞とはいっても、蘭学者であり、オランダ語しか話せなかった。「私はオランダ語を話すことができる」――彼の英語は、それだけいうのが精一杯だった。

しかし、アメリカ側は、そういう日本の事情をすでに承知していて、ちゃんとオランダ語の通訳を用意していたのである。

大岡越前があつかった裁判の数は？

大岡裁きで有名な、名奉行大岡越前守忠相《ただすけ》は、生涯にどのくらいの数の裁判を取りあつかったのだろうか？

まず、忠相が一日に裁いた裁判の数からチ

エックしてみよう。忠相などの奉行が、法廷にあたるお白州に出るのは、午後二時頃。それ以前は、城内で裁判以外の日常業務をこなしていた。

で、江戸の裁判は、ふつう一件につき一時間といったところ。夕方までしか開廷しなかったので、一日にせいぜい三〜四件程度が限度だった。仮に、一日平均三件だと仮定すると、町奉行は一か月交代の輪番制だったので、二〇年間在任した忠相の裁判数は約一万件程度になる。

ちなみに、時代劇に出てくる『大岡政談』の名裁きは、ほとんど作り話である。

◎東海道の旅を終えたあと、弥次さん喜多さんは、どうした?

江戸時代に十返舎一九《じっぺんしゃいっく》が書いた滑稽本『東海道中膝栗毛《ひざくりげ》』の主人公は、ご存じ弥次さん、喜多さん。

弥次さん喜多さんは、江戸の神田を出発し、箱根の山を越えて、京都の三条大橋に至る東海道五十三次を歩いた——と、ここまでの話はよく知られている。

では、京都へ到着した後、二人はどこへ向かったのか？

じつはその足で江戸へ戻ったのではなく、彼らの旅はさらに続いた。まず、京都から大坂に足をのばし、難波《なにわ》見物。そのさいに泊まった難波の宿で知り合った男に誘われるまま、一緒に四国に渡って金比羅《こんぴら》詣でをする。そこから、瀬戸内海を渡って広島の安芸《あき》の宮島を見物。

ようやく、東に向かい、帰り道は中山道《なかせんどう》を経由し、信濃の善光寺にお参りした後、上州の草津温泉に立ち寄って旅の疲れを癒してから、江戸に戻った。

というわけで、京都に到着してから先のほうが、彼らの旅は長かったのである。

なぜ、百人一首の小野小町は後ろを向いている？

かるたの百人一首の中で、小野小町の顔だけは、まったく描かれていない。後ろ向きで、顔がみえないのだ。

絶世の美女の顔をわざわざ隠したのは、江戸中期以降のことだ。

小倉百人一首が、現在のように歌かるたとして遊びに使われるようになったのは、江戸中期のこと。ところが、当時の江戸の女性たちは、美人への反感が強く、それを察知した版元が小野小町の顔だけは見えなくしたといわれる。

また、日本一の美女の顔は、想像してもらうほうが楽しい。

そういう版元のアイデアで、後ろ向きにしたという説もある。

なぜ、八男の源義経が「九郎」と呼ばれる？

源義経の名は、一般に源九郎義経として知られている。ところが、本当は義経は八男。八男のくせに、「九郎」と呼ばれるのはなぜだろうか。

『義経記』によると、義経は一六歳のとき、金売吉次とともに、奥州の藤原秀衡《ひでひら》を頼って下る途中、熱田《あつた》神宮で元服した。そのとき、「(本来は)八郎であるが、叔父の為朝《ためとも》が鎮西八郎と名のっていたため、これを避け、仮名を左馬の九郎、実名を義経とした」と記されている。

源義経が、八男なのに九郎としたのは、叔父さんへの遠慮からだったのである。

一寸法師は鬼を退治したあと、どうなった？

室町時代の『御伽草子《おとぎそうし》』によると、「一寸法師」の物語は、次のようになる。

一寸法師は、お椀の舟に箸の櫂《かい》をこいで、京の都へのぼる。そこで、三条宰相に召しかかえられ、三条宰相の娘にひと目惚れし、一芝居打った。

神前に供える米を眠っている娘の口になすりつけ、泣き叫んだのである。そして、「姫様がとって食べちゃったんです」と訴えると、宰相は「そんな娘を都にはおいておけない」と、二人で難波へ追放される。ところがその道中、嵐に遭い、孤島へと流される。そして、その島の鬼と針の剣で戦い、退治。鬼が忘れていった打出《うちで》の小槌《こづち》で、背の高い青年に生まれ変わるのである。

ここまでのストーリーはなんとなく知っていても、その後の一寸法師の消息を知る人は、少ないだろう。

姫と二人、京へもどった一寸法師は、帝に呼ばれて宮中へ参内。そこで、先祖を調べると、祖父はかつて無実の罪で流人となった堀河中納言の息子、祖母は伏見少将の子だったことが判明する。

そこで、帝は一寸法師をとりたて、堀川少将とする。それから、一寸法師は故郷の難波から父母を呼び、三人の子供に恵まれて、中納言にまで出世した。ホントの終わりも、やはりハッピーエンドだったのである。

マックシェイクがわざと飲みにくくしてあるのは、ナゼだ?!

毎日食べても解けない「食べ物」の不思議

◎なぜ、握りずしは一カン、二カンと数える?

寿司は、本当は一個、二個ではなく、一カン、二カンと数える。

だが、なぜ「カン」という単位で数えるようになったかは、よくわからない。一説には、お金の単位が貫だった頃、寿司一個の値段が一貫だったことの名残りだとか、巻物の単位の「巻」が、そのまま使われたともいわれる。

海苔巻きは一本、二本と数え、それを切れば一切れ、二切れと単純なのだが、握りずしを一カン二カンと数える理由は、謎につつまれている。

◎なぜ、ご飯を「シャリ」という?

寿司屋では、ご飯のことを「シャリ」と呼ぶ。語源は仏教用語で、お釈迦様の骨のことを「舎利」、または「仏舎利」と呼ぶことに由来する。

仏教では、「舎利」(骨)は土にかえると、めぐりめぐってイネ、ムギ、アワ、キビなどの穀物になり、人々を助けてくれると説かれる。つまり、米は「舎利」の化身であり、非常に尊いものと考えられてきた。

そこから、日本では、主食である米を「シャリ」と呼ぶようになったのである。

なぜ、キュウリをカッパと呼ぶ?

寿司屋では、キュウリの海苔巻きのことを「カッパ巻き」という。

キュウリが「カッパ」と呼ばれるのは、「河童の好物はキュウリ」という迷信に由来している。

今でも、神社の夏祭りには、キュウリをお供えするところが多い。これは、夏は水害、水の事故が多いこともあって、夏祭りが水神の化身である河童と深く結びついているためだ。

さらに、キュウリの切り口が、カッパの頭に似ていることから、カッパの好物はキュウリと考えられるようになった。

「バッテラ」の名前の由来は?

大阪ずしの代表、「バッテラ」。サバの押しずしのことである。これは細長い木箱に酢飯を詰め、上に酢でしめたサバと薄くそいだ昆布をのせ、上から押したものである。

このサバの押しずしを「バッテラ」と呼ぶのは、次のようなエピソードに由来する。

明治二〇年代、コノシロという魚をしめて、ボートのような形にして売り出した寿司屋がいた。現在の四角いバッテラより、もっと船の形に近かったようで、ボートのことをポルトガル語で「バッテラ」と呼ぶため、誰からともなく、「バッテラ二隻おくれんか」などというようになった。やがて「バッテラ」が正式な呼び名のようになった。

そのうち、コノシロがサバに代わり、形も

ボート形ではなく、細長い角形になったのだが、名前だけはそのまま残った。

◎イクラの軍艦巻きのルーツは?

江戸前寿司には約二〇〇年の歴史があるが、イクラがネタに使われはじめてからは、まだ六〇年もたっていない。江戸前寿司の誕生期から昭和初期まで、ネタは魚貝の刺し身に限られ、いわゆる珍味系のネタは存在しなかった。

ところが、昭和一六年のこと、銀座の高級寿司店「久兵衛」で、常連客の一人が主人の今田寿治さんに向かって、「もっと珍しい寿司を食べたいな。たとえば、イクラの寿司とか、うまそうだよなぁ」と話しかけたという。その言葉をヒントにして、今田さんは「しかし、イクラを酢飯の上にのせても、こぼれるなぁ」と考えた。そして、酢飯を海苔で囲む「軍艦巻き」のアイデアを思いついた。

次に、その客が訪れたとき、今田さんが新考案のイクラ寿司を出すと、これが予想以上に受けて、イクラは店の定番メニューのひとつになった。

現在では、いろいろなネタが軍艦巻きにされているが、その元祖はイクラである。

◎「鮨」と「鮓」の違いは?

「すし」を漢字で書くと、「鮨」と「鮓」と「寿司」の三つがある。関東では「鮨」、関西では「鮓」が多く使われ、「寿司」は全国的に見られる。

三つの中で、中国の古い文献に出てくるのは、「鮨」と「鮓」の二つ。「鮨」は、紀元前五〜三世紀の『爾雅《じが》』という辞書に掲載され、魚の塩辛の意味で使われている。一方、「鮓」は、紀元一世紀末から二世紀の辞書『説文解字』では、魚の貯蔵品の意味となっている。さらに、二世紀末頃の書物には、鮓は「なれずし」のことという説明がある。

ところが、三世紀頃になると、魚の塩辛の「鮨」となれずしの「鮓」が混同されはじめ、それが日本に伝わってきた。

日本では、平安時代から江戸末期まで、「鮓」のほうがよく使われていたが、明治時代になってから、「鮨」が増え、関東は「鮨」、関西では「鮓」と使い分けられるようになった。

ちなみに、「寿司」は縁起をかついだ当て字。おめでたい席で使われるようになり、全国に広がった。

◎なぜ、昔は「トロ」より「赤身」に人気があったのか?

日本人は、世界中でとれるマグロの三分の二以上を食べているといわれる。なかでも、日本人のお目当てはトロ。値段はバカ高だが、寿司ネタの人気ナンバーワンであることはいうまでもない。

しかし、このトロも、江戸時代はまったくの嫌われもの。当時、人気があったのは、同じマグロでも「赤身」である。

江戸っ子が赤身が好きだったのは、トロに比べれば味がさっぱりしており、見た目も美しかったから。野暮を嫌う江戸っ子たちにとって、トロの脂っこさは野暮、見た目にも美しい赤身のさっぱり具合は粋だったのだろう。

当時の魚屋は、売り物にならないトロは自宅で消費していたが、それにも限界がくる。トロの処置に困った魚屋は、やがてこっそりと寿司屋に卸すようになる。寿司屋では、トロを薄く切ってしまえばそう脂っこくもないだろうと、そっと握りのネタに使うようになった。

ところが、時代がくだって昭和になり、それも戦後を過ぎると、日本人は脂っこいものが好きになり、トロの人気は急上昇。需要と供給の関係で高級ネタになったのである。

◎シナチクの正体は?

ラーメンに欠かせないシナチクは、中国原産の竹の仲間だ。「麻竹」という種類のもので、日本に多い孟宗竹とは種類が違う。

シナチクは、麻竹を細かく切ってから、よく煮て、乾燥させてから土の中にいれ、発酵させてつくる。発酵後、塩漬けにしたり、乾燥して保存。この段階で、日本に輸入されてくる。それを、味付けして売るわけだ。

中華料理では、シナチクが使われる料理は、炒め物か煮物がほとんど。日本のように、麵類の具にするのは、広東省の一部地域くらいのものだ。

◎なぜ貝なのに「トリガイ」?

寿司ダネのトリガイは、漢字で書くと「鳥貝」。中国語でも「鳥蛤」と書かれるが、なぜ貝なのに鳥という字が使われるのだろうか?

それは、トリガイの味が鳥肉によく似ているから。

新鮮な上物のトリガイは、肉質がやわらかくて甘みがあり、歯ごたえも味も、鳥肉によく似ている。ここからトリガイという名前がつけられたのだ。

ちなみに、貝類には冬期を旬とするものが多いが、「トリガイ」は数少ない例外で四〜五月が旬。一度、上物のトリガイをこの時期に味わえば、この名前の由来がよくわかるはずである。

ラーメン丼のへりの模様は何のデザイン？

ラーメン丼のへりには、四角い渦巻きのような独特の模様が描かれている。

あの模様は、中国で考案されたもので、雷の稲妻を表したもの。日本で稲妻というとギザギザを描くが、中国では古来からあの模様で稲妻を表してきた。紀元前一〇世紀以前の殷の時代の青銅器には、すでにあの稲妻マークが記されている。

ちなみに、あの稲妻マークは、中国では「雷文」と呼ばれている。

回転寿司を考えだしたのは誰？

回転寿司は、大阪の白石義明氏が発明した。白石氏は、大正二年、愛媛県生まれ。昭和一四年に満州に渡り、昭和二二年に日本に戻ると、東大阪市で「元禄」という和食屋をはじめた。

ところが、昭和二四年、人手不足の折りにたまたまビール工場見学に出かけ、ベルトコンベアーにのってぐるぐる回るビール瓶を目撃した。その瞬間、白石氏の頭に閃《ひらめ》くものがあった。

さっそく、小型のベルトコンベアーを特注し、翌昭和二五年、調理場から料理をベルトコンベアーにのせて運ぶ「回転式食事台方式」を店に導入した。

その後、白石氏は、昭和三三年、東大阪市布施に「元禄」の支店をオープン。新しい店はメニューは寿司だけにしぼり、しかもセルフサービス方式にした。この店こそ、輝く日本の回転寿司第一号なの

である。

それから四〇年。現在、「廻る元禄寿司」は、日本全国に直営店とフランチャイズ店をあわせて一四〇店以上をもつまでに発展している。

ギョーザはなぜ三日月形？

中国では、春節（旧暦正月）や結婚式、出産などのお祝いの席には、ギョーザが山ほど用意される。ギョーザは縁起のいい食べ物だからで、ギョーザが三日月形をしているのもそのあたりに理由がある。

ギョーザのあの形は、昔の中国の貨幣に似せてある。中国最後の王朝である清朝まで使われていた「元宝銀」という馬蹄形の銀貨をかたどったものだという説が有力だ。

そこから、「食べると財を成す」という意味が生まれ、もっぱら祝いの席で食されるようになった。

また、中国には、春節に食べるギョーザの中に一～二個だけお金を忍ばせるという風習もある。それにあたった人は、その年一年間、お金に困らず、幸福でいられるという。

カップラーメンの〝待ち時間〟は、なぜ三分？

ほとんどのカップラーメンは、熱湯を入れて三分待たないと食べられない。これは、麺がほぐれるための必要最低限の時間だと思われがちだが、じつは技術的には一分でもＯＫのカップラーメンが作れるという。

では、どうして三分なのか。

カップラーメンの生みの親である、日清製粉の安藤百福《あんどうももふく》氏によれば、三分間待たされることで、人はさらにお腹がへり、カップラーメンをよりおいしく食べられるからだという。

これが一分では、あまりにも早すぎて「さあ、食べるゾ！」という気分が盛り上がってこない。かといって、五分では長すぎてイライラしてくる。三分はジラされる時間としてはまさにピッタリ。安藤氏はそうした消費者心理を憎いくらいに研究して、三分という時間を導きだしたというわけである。

それが証拠に、かつて一分でできるカップラーメンが発売されたが、不人気で製造中止になっている。

そば屋の「生そば」とは、どういう意味？

そば屋の看板には、「生そば」と書いてある。これは「なまそば」ではなく、「きそば」と読む。店先に「生そば」と掲げる店は、もともとは、そば粉一〇〇％のそばをだしていることを意味していた。

しかし、今ではそば粉一〇〇％のそばをだしている店はほとんどない。「生そば」と看板を掲げていても、それに近いので「生そば」としている店、またスーパーで売っているような麺を使っているくせに平気で「生そば」としている店もある。

要するに、「生そば」という言葉には、はっきりとした定義がない。現実には、店の主人の考え方ひとつなのだ。

なぜ、カップ生麺は生なのに長期保存できる？

普通の生麺は、冷蔵庫で保存しても、一週間もするとダメになってしまうが、インスタント食品のカップ生麺は、なぜ長期保存が可能なのか？

カップ生麺は、常温で五か月も保存できるが、長期保存できる理由は、真空パック技術にある。工場で製造された麺が即座にパックされるのだが、その密封作業はＩＣ工場並みのクリーンルームで行われている。パック内を完全な無菌状態にするためだ。

こうして、パックの中を真空にしておけば、菌が侵入することもなく、無菌状態が維持することができる。

カビが生えることも、酸化して味がおかしくなることもないわけだ。

◎なぜ、揚げ玉がはいると「たぬき」うどんになるのか？

うどんやそばの定番メニューといえば、たぬきときつねである。しかし、油揚げ↓お稲荷さん↓きつね、というのはわかるが、なぜ、揚げ玉がたぬきなのか？

たぬきうどん（そば）というメニューが誕生したのは昭和二〇年代の前半である。

といっても、うどんやそばに揚げ玉を入れて食べるのは、それ以前から当たり前のように行われていた。

なぜなら、当時のそば屋は、揚げ玉を入れた容器がテーブルに置いてあり、客は好きなだけタダで入れることができたからだ。

ところが、商魂たくましい東京の某そば屋が、揚げ玉をタダにするのはもったいないと、「たぬきうどん」なるメニューを勝手につくり、一〇円（現在の一〇〇円くらいに匹敵する）程度値上げした。

きつねがあるから、たぬきにしよう、という安易な発想で、タダだったものが有料に。

客たちは、キツネならぬタヌキにつままれたような気がしたはずである。

◎なぜ、カニ缶は紙で包んである？

缶詰の中でも、高価なのがカニ缶。他の缶詰との違いは、他の缶詰はそのまま中身が入っているのに比べ、カニ缶はカニ肉が白い紙に包まれていること。

これは、カニ肉が高価だから、紙で包んで

いるわけではない。

カニ肉は、缶の材質と化学反応を起こしやすく、ガラス状の結晶物をつくりやすい。それを防ぐために、「酸性パーチ」という白い紙で包んであるのだ。

とはいえ、長時間たつと、紙でくるんでいても、ガラス状の破片は多少は発生してくる。もっとも、食べても人体に影響はないので、心配はいらない。

なぜ、干物は長もちする?

生魚はすぐに腐ってしまうが、干物は日もちする。その違いの原因は水分と塩の濃度にある。

生魚が腐るのは、細菌、酵母、カビなどの微生物が、タンパク質や脂肪を分解するため。このとき、水分がないと、微生物は活動できない。つまり、腐りにくくなる。

その点、干物は日にあてて、水分を飛ばしてある。

そのため、微生物の繁殖がおさえられ、腐敗のスピードが鈍るのだ。

また、干物をつくるときには、魚を塩水につける。これによって、魚の水分が塩水の中に溶けだし、天日にあてたとき、水分がより蒸発しやすくなっている。しかも、微生物の多くは塩分が苦手。

塩水につけると、塩分の殺菌作用で、微生物が繁殖しにくくなるのだ。

子持ちコンブの子は、誰の子か?

子持ちコンブの表面には、びっしりと白い卵がついている。あれは、魚のニシンの卵だ。

魚の卵には、水面に浮いて漂う「浮性卵」、海底に沈む「沈性卵」、粘って海藻などにつく「粘性卵」の三種類がある。ニシンの卵は、そのうちの粘性卵で、海中でコンブやホンダワラにくっついて、孵化するまでの時間をすごす。いわばコンブは、ニシンの育ての親なのである。

だが最近は、ニシンは日本近海でほとんど獲れなくなり、子持ちコンブも大半が輸入物になっている。

◎なぜ「かまぼこ」は、板の上に乗っている？

「カマトト」とは、いわゆるブリッ子のこと。語源は、昔、カマボコを見た女性が、「かまぼこはトト（魚）からできているの？」と、ブリッ子風の質問をしたからである。

では、「かまぼこは、なぜ板の上に乗っているのか？」

これには、二つの理由がある。

ひとつは、かまぼこを半円筒形にするとき、板があると形が整えやすいということである。

もうひとつは、かまぼこの水分を調節するため。魚をすり身にして板に乗せ、加熱・冷却・保存すると、その過程で、かまぼこから水分が出る。かまぼこの板は、この水分を適度に吸収・調節することによって、かまぼこの品質と鮮度を長持ちさせているというわけだ。

ちなみに、かまぼこの板は、昔は杉がよく使われていたが、近年は、アメリカ産のモミの木が八〇～九〇％を占めているという。

◎生簀料理は、ホントにうまい？

たいていの日本人は、魚は新鮮であれば新鮮であるほどうまいと思っているはず。では、昨今流行している生簀《いけす》料理は、ホントにうまいのかというと、これが一概にはいえないのだ。

生簀料理とは、店内に大きな水槽をしつら

え、そこに生きた魚を泳がせておき、客の注文があるたびに、その魚を刺し身などにして出す料理のこと。なにせ、まな板に乗る直前まで、その魚は生きていたわけだから、これ以上、新鮮な魚はない、というのが売り物である。

　たしかに一日程度なら、獲れたばかりの魚を生簀に泳がせておく意味はある。胃の中身が消化され、よけいな脂肪分がとれるからだ。

　しかし、それ以上、生簀に生かされていた魚は、必要以上に脂肪が落ちてしまい、はっきりと味が落ちるのだ。

　また、魚には、獲れたてを調理するより、締めてからある程度、時間がたったもののほうが熟成が進んでうまくなるものが多い。魚ならなんでも生や新鮮がいいというものではない。酢でしめる、太陽に干す、寝かせる……魚をおいしく食べるには、昔からそうしたさまざまな知恵があったことを忘れてはならない。

◎なぜ、うなぎ屋は蒲焼を焼くときに団扇でバタバタあおぐのか?

うなぎ屋のパフォーマンスといえば、店先で団扇《うちわ》をバタバタあおぐあれ。

　蒲焼の焼けるいい匂いが漂い、思わず店に入ってしまいそうになるが、このパフォーマンス、じつは客寄せのためだけにやっているのではない。

　うなぎのような脂っこい魚は、炭火で急激に加熱されると、刺激の強いいやな臭いが発生する。さらに、炭火の上に落ちた脂が燃え、その煙がうなぎにつくと味が落ちる。

　つまり、団扇でバタバタあおっているのは、いやな臭いや煙がうなぎにつかないよう振り払っているのである。

というわけで、団扇をバタバタあおっているうなぎ屋なら、味のほうはかなり期待していい。

◎なぜ、レンコンには穴がある?

レンコンに穴が空いているのは、熊本名物「芥子《からし》レンコン」をつくるためではなく、次のような理由がある。

漢字でレンコンは「蓮根」と書くように、蓮の根にあたる部分である。

蓮は、沼地や湿地に生える植物だが、空気と水、日光は必要不可欠。しかし、湿地に生える蓮は、根で空気を取り入れるのは困難。そのため、葉で取り入れた空気を根の先まで送っている。

つまり、あの穴は、空気を送るためのパイプの役目を果たしているのである。

◎なぜ、「R」のつかない月はカキを食べてはいけない?

カキといえば、冬の代表的な海の味覚。カキは日本だけでなく欧米でも人気があるが、西洋では、「R」のつかない月(May、June、July、August)には、カキを食べてはいけないといわれる。

たしかに、日本でも五～八月になると、カキはスーパーの売り場から忽然と消える(岩ガキのような例外はある)。

カキは夏でもちゃんと海の中にいるのだが、それを食べないのは、夏場は腐りやすいというだけではない。たとえ新鮮であっても、うまくないのである。

カキは雌雄同体といって、ひとつのカキが雄になったり雌になったりする。その産卵は夏のはじめで、冬になると夏にそなえて栄養を蓄えはじめる。

二〜三月には、卵や精子も発達して丸々と太り、味もよくなる。だから、冬場のカキはうまいのである。

その点、夏のカキは、生殖を終えたばかりで、身がやせてうまくない。さらに、卵巣に有毒物質ができるという説もある。

食べ物の旬が失われつつある現在、冬しか食べられないカキは、かえって新鮮である。

◎緑色のレタスやキャベツは、なぜ、緑黄色野菜ではない?

野菜には、緑黄色（有色）野菜と白色（淡色）野菜がある。この両者を区別するのは、けっこう難しい。

たとえば、レタスやキャベツは、緑色をしているが、緑黄色野菜とは呼ばれない。緑黄色野菜と白色野菜は、見た目の色で区別されるわけではないのだ。

緑黄色野菜か白色野菜かは、体内に入ってビタミンAに変わるカロチンという色素の量によって分けられている。一般には、一〇〇グラムあたり六〇〇マイクログラム以上のカロチンを含む野菜を緑黄色野菜、それ以下を白色野菜としている。

◎ハムとソーセージの違いは?

ハムとソーセージの違いは、形の違いだけではない。

ハムは、豚肉を硝石を混ぜた塩につけて燻煙し、いったん煮沸し、冷やしたもの。最初から保存食として考案されたものだ。

一方、ソーセージは、使うのは豚肉だけではなく、羊肉や牛肉もミックスし、これらをひき肉にしてさらに練りこむ。そして、ペースト状になったものを豚や牛の腸に詰める。そのあとはハムと同じで、燻煙、煮沸、冷却するという工程でつくる。

だから、その意味では、魚肉ソーセージも、それはそれで立派なソーセージといえるのだ。一方、プレスハムは、豚肉以外の肉も混ぜられているため、厳密にはハムとはいえない。JAS（日本農林規格）の分類でも、プレスハムはソーセージとなっている。

◎ポパイは、なぜ「ホウレンソウ」が好きなのか？

昔なつかしいアメリカ産アニメのヒーロー、ポパイ。彼の好物は、「ホウレンソウ（の缶詰）」だが、ポパイがホウレンソウを好きだったのは、アメリカのPTAのような団体がたくらんだ、一種の策略だった。

当時のアメリカの子どもたちには、ホウレンソウ嫌いの子どもが非常に多かった。ホウレンソウは、ビタミンA、ビタミンB_1、B_2、鉄分などの栄養素を豊富に含んだ、育ちざかりの子どもにはピッタリの食べ物。これをなんとか子どもたちに食べさせたいという親たちの意向をくんで、ポパイはホウレンソウが大好きなキャラクターになったのである。

◎電子炊飯器で保温したご飯は、なぜ臭い？

ここ数年、電子炊飯器の性能が格段にアップしているが、変わらないのが、保温したときのご飯の臭いである。

この原因は、ご飯についているヌカ。ご飯を炊くときには、米を研ぐが、それでも少量のヌカは残る。で、このヌカが、炊かれて保温されるうちに、しだいに腐敗しはじめる。その腐臭が、あの臭いなのだ。

また、ヌカには微量の細菌が付着しているが、この細菌は熱にはめっぽう強い。電子炊飯器の中は、あったかくて栄養がたっぷりだから、細菌はみるまに繁殖し、あの臭いの一因になる……。

というわけで、電子炊飯器で保温したご飯が臭うのは、保温機能がついているための宿命のようなもの。

ご飯が臭わないように保存するには、たとえ保温はできなくとも「おひつ」がいちばんだという。

◎赤みそと白みその作り方の違いは?

みそを大きく分けると、「赤みそ」と「白みそ」になる。どちらも原料は同じで、大豆と米こうじと塩。白みそをつくるには、大豆をゆで、赤みその場合は蒸す。それだけの違いである。

大豆をゆでると、ゆで汁の中に、タンパク質やアミノ酸が出てくる。一方、蒸す場合は、アミノ酸などがそのまま大豆の中に残る。アミノ酸は熱せられると、糖分と結びついて褐色になり、これがみそを赤くする正体だ。

味の違いは、塩の量の違い、熟成させる期間によって変わってくるが、一般に赤みそが辛口で、白みそが甘口となっている。

◎「ソース」は何でできている?

醤油の原料が大豆であることは知っていても、ソースの原料を知る人は少ないのではないだろうか。

日本のソースの原型は、イギリスのウースターシャーで生まれた「ウスターソース」。これを基本にして、中濃ソース、トンカツソースなどが生まれた。

もともと、ソースの主原料は、タマネギ、トマト、リンゴ、セロリ、ニンジン、ニンニクなどの野菜。これらを絞って、コショウ、トウガラシ、ショウガなどの香辛料、砂糖、塩、酢を加え、カラメルで着色して約一か月間熟成させると、ウスターソースができあがる。

中濃ソースやトンカツソースは、野菜をミキサーにかける段階で粘度を変える。味は、酸味が強くスパイスの効いた辛口がウスターソースで、濃厚な甘味を特徴として酸味の弱いのがトンカツソース、中濃ソースはその中間の味だ。

七味唐辛子の入れ物は、なぜヒョウタン形？

もともと、七味唐辛子は本物のヒョウタンに入れられて、売られていた。唐辛子はたえず乾燥させておく必要があり、湿気を吸い取る性質のあるヒョウタンの入れ物が適していたのだ。

それが、いまでもスタイルだけが残って、ヒョウタンの形をした木製の器に入れられているわけだ。

なお、ヒョウタンは瓜の一種で、熟した果実の中身を取り出し、乾燥させると、あの容器としてのヒョウタンができあがる。

白コショウと黒コショウは、どう違う？

コショウには、白コショウ、黒コショウ、赤コショウなど、いろいろな種類がある。

白、黒、赤コショウは、色は違っても、すべて同じコショウの木からとれる。香辛料の原料となるコショウの木は、インド原産の常緑つる性の低木で、エンドウ大の赤い実をつける。

これをそのまま収穫したものが、赤コショウだ。白コショウは、この実が成熟してから収穫し、赤い皮を機械や水洗いで取り去り、残った種子を乾燥させたもの。黒コショウは実が熟す前に取り入れ、皮ごと乾燥させたものだ。

つまり、黒くなるのは、もともとは赤い皮が乾燥し、黒ずんできたものである。

◎しょう油一升を一気飲みすると、どうなる?

一升瓶いっぱいの日本酒を一気飲みすれば、よほどの酒豪でもない限り、急性アルコール中毒になってブッ倒れるにちがいない。では、同じ一升瓶でも、しょう油の場合はどうか。

戦時中は、しょう油を一升飲んでわざと病気になり、兵役逃れをしたという人もいたというが、ホントのところはどうなのか。科学的に考えられる答えを紹介しておこう。

まずは「顔が青ざめる」。

しょう油の主成分のひとつであるアミノ酸から、炭酸ガスが抜けたアミンという物質が一度に大量に摂取されるため、心臓に大きな負担がかかり、結果として顔が青ざめる。

次は「風邪に似た症状になる」。

しょう油は、人間の体液にくらべると食塩が大量に含まれており、浸透圧も大きく違う。この浸透圧の違う液体を大量に摂取することで、体液の分布に狂いが生じ、風邪に似た症状になる。最悪の場合は、結核になることもあるという。

というわけで、しょう油は、刺し身にちょっとつけて食べるのがやっぱりよろしいようで。

◎コンニャクには、なぜ白と黒がある?

コンニャクには白と黒（というか、黒いツブツブの混じった）ものがあるが、その違いは何か？

じつは、コンニャク芋から素直にコンニャ

クをつくると白くなる。では、黒いコンニャクはどうなのかというと、ヒジキなどの海藻を粉末にしたものが混ぜてあるのである。なぜ、ヒジキの粉末を混ぜたのかといえば、早い話が、昔の人にはそのほうがうまそうに見えたからだ。

その昔、現在のようにコンニャク芋をきれいに精粉せず、手作りでコンニャクをつくっていたころ、できあがったコンニャクは黒ずんでいるのが当たり前だった。つまり、日本人の頭の中には、「コンニャクは黒い」というイメージがインプットされていた。

そのため、製法が進化して白いコンニャクができるようになっても、昔ながらのイメージを守るために、わざわざヒジキの粉を混ぜたというわけである。

◎モダン焼きのルーツは?

お好み焼きに麺をプラスすると、モダン焼きになる。このモダン焼きは、名前のとおり現代的な食べ物で、登場したのは二五年ほど前のことだ。

それを調べあげたのは、関西の某テレビ局。ある番組で、モダン焼き特集を組んだとき、番組担当者が、阪神圏の老舗お好み焼き屋にローラー作戦をかけて、モダン焼きのルーツを探した。すると、「終戦後まもなくはじめた」と元祖を名乗る店は数軒あったが、いずれも、「お客さんの要望があればつくった」程度で、定番メニューにしていたわけではなかった。

結局、モダン焼きがちゃんとメニューに載った記録としては、大阪お好み焼きの総本家的な存在である「ぼてぢゅう総本家」の一九七二年作成のメニュー。ここに「モダン焼き」と印刷されたのが、最古の記録のようだ。

つまり、「ぼてぢゅう総本家」が全国に支

店を増やすにつれ、モダン焼きも全国に普及したといえそうだ。

◎関西人は、なぜ「薄味」が好き?

一般に日本料理は、関西は薄口醤油を使った薄味、関東は濃口醤油を使った濃味といわれるが、これはどうしてか?

かつて、まことしやかにいわれたのが、「関東人＝田舎者＝塩気を好む説」である。戦国時代、関東は田舎だった。田舎者の仕事は、農業などの肉体労働が主。肉体労働で汗を流せば、どうしても塩分の多い食事が食べたくなる。だから、関東では濃い醤油味の料理が一般的になった。

その点、関西は、雅びやかな知的階級の人間が文化をリードしていたため、その食事も上品な薄味になったというわけである。

もうひとつは、「水の質」が違うからという説。

関東の水は「硬度」が高く、カツオのダシがとりやすい。ただ、カツオのダシは、どうしても濃くなるため、それに見合うよう濃口醤油を使わないと、カツオ臭くなってしまう。だから、関東の料理は濃い醤油味になった。

一方、関西の水は「硬度」が低く、昆布のダシをとるのに適している。昆布の香りはデリケートだから、濃口醤油を使ってしまっては、台無しになる。そこで、薄口醤油が使われるようになり、自然に薄味になったというわけだ。

◎ピーナッツの殻は、どうやってむく?

ピーナッツの殻むきは、完全に機械化されている。

まず、落花生を大型脱皮機に入れる。この機械の内側には、木製の羽状のものがあり、これが回転しながら、落花生の殻を割っていく。割れた殻は、羽の風圧によって外に飛ばされ、渋皮のついた裸の豆だけが残るという仕組みになっている。

次に、内皮付きの豆は粒型選別機に入れられ、サイズによって一等から五等までのランクに分けられる。その後、お湯に漬ける湯漬け法か、ロースターで炒って乾燥させる方法のどちらかで、内皮を取りやすくし、それから脱皮機に入れて皮を取り除く。

なお、取り除かれた殻や渋皮は、ブタなどのエサにされている。

◎「柿の種」はなぜいびつな形?

おつまみの柿の種は、もともとは不良品だったといえる。話は大正一三年にさかのぼる。

新潟県長岡の今井与三郎という人物が、米菓を中心としたせんべい屋を開店した。塩せんべい、醤油せんべいといった品を並べていた。

後に、今井氏はモチ米を使ったアラレの製造もはじめた。アラレは単純なせんべいと違って、金型を必要とするが、ある日、できあがったばかりの金型を、彼の妻が踏みつけてしまった。

その結果、金型は曲がり、あのいびつな形をしたアラレが誕生することになった。もっとも、今井氏はもともとせんべい屋であり、当初の柿の種は、今よりもずっと大きなものだったという。

◎牛乳を腐らせてつくったヨーグルトが、なぜ腐る?

ヨーグルトは、牛乳を腐らせてつくるが、さらに腐らせると、食べられなくなってしまう。これは、腐敗には「よい腐敗」と「悪い腐敗」があるためだ。そのうち、よい腐敗は、一般に「発酵」と呼ばれている。

発酵も腐敗も、微生物のしわざであることは共通している。牛乳が微生物の作用で、よい腐敗をしていくと、ヨーグルトやチーズになる。

ところが、保存状態によっては、さらに別の微生物が付着して繁殖し、このとき毒素が生成されると、腐ることになるのである。

◎「アスパラの缶詰」は、なぜホワイトアスパラしかない?

アスパラガスには、グリーンアスパラガスとホワイトアスパラガスの二種類ある。

どちらもまったく同じ品種だが、グリーンアスパラは、太陽の光を充分に浴びて育てたため、光合成のせいで緑色になる。

ホワイトアスパラは、芽に土をかぶせて育て、穂先が土から顔を出す前に収穫されるため、モヤシのように白い。


では、缶詰には、なぜホワイトアスパラしかないのか?

じつは、アスパラガスの缶詰の製造がはじまった大正時代には、グリーンアスパラの缶詰もちゃんとつくられていた。しかし、缶詰類は高温加圧殺菌する必要があり、これをグリーンアスパラに施すと、本来の鮮やかな緑色が色あせ、苔色に変色する。

この苔色が当時の消費者にはいかにもまずそうだと不評だった。そのため、グリーンアスパラの缶詰は製造ストップ。ホワイトアスパラ缶だけが製造されるようになったのだ。

ちなみに、食べ物の見た目を日本人ほど気にしない欧米では、ホワイトよりもグリーンアスパラの缶詰のほうがメジャー。グリーンアスパラのほうが栄養価

が高く、しかも安価だからである。

◎缶詰にも旬はある?

缶詰は賞味期限内なら、どれでも同じと思いがちだが、おいしい缶詰を食べたいなら、製造年月日をチェックしたほうがいい。缶詰にも旬があり、それは、その製造年月日によってわかるからだ。

たとえば、サバの缶詰である。サバは九〜一〇月に捕れる秋サバがいちばんうまい。そこで、缶詰のフタに刻印されている製造年月日をチェックする。「010930」とあったら、これは「二〇〇一年の九月三〇日に製造した」という意味。つまり、中には、一年でもっとも脂ののった旬のサバが入っているというわけだ。

同様に、サンマなら八〜九月に製造されたもの。カニは二〜三月。野菜の場合、タケノコなら四月、グリーンピースは五月に製造されたものが旬の缶詰ということになる。

◎バウムクーヘンの真ん中にはなぜ穴がある?

樹木の年輪に似ているお菓子「バウムクーヘン」。もともとはドイツのお菓子で、バウムクーヘンとはドイツ語で「木の菓子」という意味だ。

作り方は、カステラのような生地を何重にも巻いて焼いてつくる。まず、芯棒に一〜二ミリの生地を巻き、グルグル回しながら焼き、その上にまた生地を巻いて焼く、というようにしてつくり、最後に芯棒を抜く。

そのため、芯棒を抜いた真ん中には、ドーナツのような丸い穴があく。

◎なぜ、クロワッサンは三日月形になった?

クロワッサンは、いまではフランスを代表するパンだが、もともとはオーストリアはウィーンの名物だった。フランスに伝わったのは、マリー・アントワネットがルイ一六世のもとに嫁いだときのことだ。

ウィーンで、この三日月形のパンが流行したのは、一七世紀の末のこと。当時、オーストリアはトルコと戦争状態にあったが、ある朝、早起きのパン屋が目覚めてみると、ちょうどトルコ人がウィーンの街に地下道を掘って攻め込もうとしているところだった。この情報をパン屋がオーストリア軍に知らせたので、急襲をまぬがれ、ウィーンは無事だった。

このことを祝って、トルコ軍の旗のシンボルだった三日月を食べようという意味でつくられたのが、三日月形のパン。これが、フランスに伝わって、クロワッサンと名付けられた。

なぜ、食中毒は秋に多いのか?

食中毒がいちばん多く発生するのは、春・夏・秋・冬のうち、どの季節か？　と問われれば、たいていの人が「夏」と答えるはず。

気温が高ければ、それだけ食べ物が腐りやすくなるから、当たり前のような気もするが、正解は秋である。

食中毒の主原因はサルモネラ菌と腸炎ビブリオ菌。これらの菌は、気温二五度以上になると一気に増殖する。

こういうと、やっぱり夏が危険という感じだが、夏の間は、誰でも食品の管理には気を使っている。ところが、秋になり涼しくなると気が緩むのか、危ない食品を平気で口にしてしまい、その結果、食中毒になるというわけである。

さらに、秋は夏バテして体の抵抗力が落ち

ているということもある。

いずれにせよ、食欲の秋こそ、食中毒にご用心。

◎松阪牛は、ホントに三重県松阪市で生まれた?

神戸牛、米沢牛、佐賀牛……日本に「ブランド牛」は数多いが、知名度、値段、そして（たぶん）味など、どれをとっても日本一の牛肉といえば、松阪牛だろう。

その松阪牛、産地は三重県松阪市であることはあまりにも有名だが、じつは生まれは松阪市ではない。兵庫県である。

それが証拠に、全国に松阪牛を送り出している松阪肉牛協会でも、松阪牛は「兵庫県産の親牛を持つ黒毛和種で、出産未経験の雌。雲出川と宮川に挟まれた、松阪市を中心とする地域とそれに隣接する町で最低六か月肥育されたもの」と定義されている。

実際、松阪牛を肥育している酪農家の多くは、兵庫県内の市場から生後九～一〇か月の子牛を買入れ、二～三年かけて、じっくり肥育している。

昔から、「生みの親より、育ての親」というが、兵庫生まれの牛は、松阪で手塩にかけて育てられることで松阪牛になるのだった。

◎産みたての卵は、なぜまずい?

ほとんどの日本人は、「卵は新鮮なほどおいしい」と信じているはず。しかし、卵は産みたてよりも、産卵後一週間ほどたった、ちょっと古めの卵のほうがうまいのである。

というのも、産みたての卵には炭酸ガスが多く含まれているから。炭酸ガスは卵のまろやかさを奪う大きな要因で、産みたての卵をゆで卵にすると、白身がパサついておいしくない。これは、卵白に炭酸ガスが混ざっているからである。

しかし、産み落とされてから一週間ほどたつと、卵の炭酸ガスはほどよく抜け、卵のとろけるような滋味が十分に味わえる。

◎外国で食べる日本料理は、なぜまずい?

外国でおいしい日本料理に出会えないのは、外国には日本の食材を生かせる「水」がないのも一因である。

日本の水は軟水で、水道水をそのまま料理に使うことができる。一方、欧米では硬水が主流で、カルシウムやマグネシウムを多量に含んでいる。硬水をそのまま料理に使うと、タンパク質が固くなり、味が落ちてしまう。

そのため、ヨーロッパでは、ソース、ワイン、牛乳、生クリーム、オリーブオイルなどを加えて煮る料理法が発達したのだ。

むろん、米を炊くときも、硬水ではふっくらと炊き上げることはできない。日本風の野菜の煮物料理をつくっても、ゴリゴリになる。

そもそも、日本料理が淡白であっさりした味付けなのは、軟水によって素材の持つうま味を生かすことができるからだ。

◎子供は、なぜ甘いモノが大好き?

子供が甘いモノが大好きなのは、味覚がまだ充分に発達していないからだと思っている人も多いはずだが、これは間違い。

たしかに、子供は、苦味や渋味のよさがまだよくわからない（というか、苦味や渋味に価値を認めない）が、これは味覚が発達していないからではない。

じつは、子供の味覚神経は大人より敏感に

できている。そして、だからこそ、もっとも口当たりのいい甘味をいちばんおいしいと感じるのだ。

子供の味覚神経がいかに敏感かは、大人が主に舌だけで味を感じているのに対し、子供は、舌だけでなく、口蓋《こうがい》やノド、頬の内側など、口の中全体で味を感じていることでもわかる。つまり、大人にとっては「ちょっと苦味があってうまい」が、子供にとっては「食えたものじゃないほど苦い」ということになるのだ。

考えてみれば、大人の神経は味覚神経にかぎらず、日々、マヒしているようなもの。その点、子供の神経は、味覚神経をはじめまだ純粋。苦い食べ物が大嫌いで、甘いモノが大好きな子供は、それだけ味覚神経がまともともいえるのだ。

◎女性には、なぜ「甘党」が多い？

「イモ、クリ、ナンキン」といえば、女性の好物のこと。いずれも甘い食べ物だが、なぜ女性には甘党が多いのか？

これについては、順天堂大学の新井康允教授によるマウスを使った次のような興味深い実験がある。

①卵巣を取り去ったメスは甘党ではなくなる。

②卵巣を取り去ったメスに卵胞ホルモンと黄体ホルモンを注射すると、ふたたび甘党になる。

③生まれてすぐに去勢したオスは甘党になる。

④メスにアンドロゲンという男性ホルモンを注射すると甘党ではなくなる。

この四つの実験結果からわかることは、ど

うやら女性の甘いもの好きには、女性ホルモンが深くかかわっているということ。女性の甘いもの好きが女性ホルモンの仕業だとすれば、こうした女性の嗜好は、これはもう宿命というか業《ごう》のようなものといっても過言ではないだろう。

なぜ、デザートは食事の最後に出てくるのか?

フランス料理やイタリア料理では、フルコースの食事をすると、最後に甘いケーキなどのデザートが運ばれてくる。

理由は、食事の最初に甘いお菓子を食べると、その糖分が直接、胃壁にあたって糖反射を起こし、胃の活動が止まってしまうからだ。こうなると、せっかくの食事もきちんと消化されないし、食欲さえもなくなってしまう。

もっとも、日本料理では、宴会の最初に甘いものが出てくることがある。これは、少ない料理でも、お腹がふくれたように感じさせるトリックかもしれない。

毒死した動物は食べられるか?

アフリカや中南米には、毒矢で狩りをし、毒殺した動物を食べる種族がいる。そのとき、毒殺した動物を食べて、毒にやられることはないのだろうか。

この疑問を解くカギは、毒が体内に入るプロセスにある。動物に刺さった毒矢の毒は、直接動物の血液に入ると、体内を流れ、脳に入りこんで神経をおかす性質のもの。直接、脳と中枢神経に作用するため、ケイレンや呼吸困難を起こすのである。

ところが、人がその動物を食べても、毒の成分は口から入ってくる。これは、まず胃で分解される。残りの毒も、十二指腸、腸を通るときに分解され、最終関門の肝臓でも解毒が行われる。つまり、血液に吸収される前に、体内で毒は分解され、体には影響が出ないのだ。

毒矢で狩りをする人たちも、そのあたりのことを経験的に知っているのである。

◎日本人は、なぜ「水割り」が好きなのか？

日本人にもっともなじみのある洋酒といえば、ウイスキー。たいていの日本人はこれを「水割り」で飲む。

欧米では、ストレートかオンザロックがほとんど。水はチェイサーに入れて、別々に飲むのが流儀だが、日本人が水割りを好きな理由については諸説ある。

①日本人のアルコールに対する弱さ。ウイスキーの場合、三倍くらいに薄めないと日本人の体質には合わない。②日本の水のうまさ。日本の水道水はまずくなったといわれてはいるが、それでも欧米のそれと比べれば、格段にうまい。③国産ウイスキー会社の戦略。国産ウイスキー会社は、ハイボールや水割りの普及にこれつとめたが、どうせならと、つくるウイスキーもストレートで飲むより水割りで飲んだほうがうまくなるような味にした。

最近は、ストレートでもかなりイケる国産ウイスキーが登場してきているが、大衆向けのウイスキーは、やっぱり水割りじゃないとおいしくない？

◎なぜ、ウイスキー瓶は引き取ってくれない？

ビール瓶や一升瓶は、酒屋で引き取ってく

れる。そして、リサイクルされているが、ウイスキー瓶はそうはいかない。

ウイスキー瓶は、ビール瓶や一升瓶と違って、メーカーや種類によって形がちがい、またビール瓶ほど数が出回るものでもない。数がまとまらないため、酒屋としては引き取ってくれないのである。

ただし、同じ種類の瓶の数がそろうクラブやスナックでは、出入りの酒屋に引き取ってもらっているところもある。

ビールの王冠のギザギザの数はなぜ、二一個?

どのメーカーのビールでも、ビールの王冠のギザギザの数は二一個と決まっている。なぜだろうか?

一九世紀末、ビールの王冠を発明したのは、英国のウィリアム・ペインターという人物。彼は、ビールの炭酸ガスが抜けない栓を作れないかと研究を重ね、その結果、王冠に二一のギザギザをつけるという方法を考案した。

考え方の基本は、物を固定するには、二点、四点よりも三点で支えるほうが安定するという力学の常識。だが、ビールの栓を三か所だけで固定すると、炭酸が抜けてしまう。そこで、栓がピッタリできるよう、三の倍数である二一個のギザギザをつくったところ、うまくいったのだ。

その後、各ビールメーカーでは試行錯誤を重ね、ギザギザの数を増減させたこともあったが、ついに二一個タイプを上回るものは作れなかった。

ビールには、なぜ賞味期限が表示されていない?

ビールは作りたてほどうまい。しかし、ビールの瓶や缶に表示さ

れているのは「〇〇年八月下旬製造」といった、いささかアバウトな製造時期だけで、賞味期限は表示されていない。これは、ナゼか?

もっともな疑問だが、これにはビールならではの理由がある。

ビールの味は、ホップと麦芽の微妙なバランスで作り上げられていて、時間の経過とともに、ゆっくり変化していく。ところがこの変化のスピードが、ビールを保管する環境で大きく変わってしまうのだ。

冷暗所で湿度が低ければ、ビールの味は半年くらいほとんど変わらないが、日の当たる場所に置くと、わずか二日で「日光臭」と呼ばれるいやな臭いがついてしまう。

つまり、ビールの賞味期限は二日とも半年ともいえ、どれだけもつかは、買った人の手に委《ゆだ》ねられている。だからメーカー側は一律に賞味期限を表示できないのである。

ビールが腐ることはまずないが、おいしく飲みたいなら、冷蔵庫に保管して六か月以内に飲むこと。それ以上たったビールは料理用に使うことをお勧めする。

◎ビールにはどんな水が使われている?

ビールの成分の九〇%は水分であり、ビールの味の決め手は水である。さて、日本のビールには、どんな水が使われているのだろうか。

サントリーでは、硬度が一定の地下清流水を使用し、そういった地下水が得られる地域のみに工場を立地している。

アサヒビールも、良質の水がある場所に工場を置き、独自の浄化法によってビールに最適な水を得ているという。

キリン、サッポロも同様で、工場のある土地の水を活性炭などで濾過《ろか》し、良質の水をビールに使用しているという。

◎ビールの成分「コーン・スターチ」って、どんなもの?

ビールのラベルには、原材料のひとつとして「コーン・スターチ」と印刷されているものがあるが、はて、「コーン・スターチ」とは何のことだろうか?

ラベルをよくみると、「麦芽・コーン・スターチ・ホップ」などとなっている。つまり、これは「コーン・スターチ」ではなく、「コーン」と「スターチ」のこと。意味は、コーンがとうもろこしで、スターチはでんぷんである。

もともと、ビールは、麦芽とホップからつくるもので、ラベルに「コーン・スターチ」とあれば、それは日本独特の混ぜ物入りのビールのことになる。

◎ブランデーを手のひらで包んで飲む理由は?

ブランデーグラスを手のひらで包むようにして飲むのは、ブランデーを体温で温め、香りをより強めるためである。

温めると、アルコールが蒸散するため、ブランデーの香りがより強くなる。口のすぼまったバルーングラスでブランデーを飲むのも、グラスの中に香りを長くとどめ、楽しむためである。

とくに昔は、質の悪いブランデーが出回っていたため、香りが乏しく、手のひらで十分に温める必要があった。

しかし最近は、ブランデーの品質がよくなり、手のひらで温めなくても、香りをたっぷり味わえる。

◎なぜ、カクテルはあんなにシェイクする？

バーテンダーがカクテルをすごい勢いでシェイクするのは、二つの目的がある。

まずは、酒とジュース類をうまく混ぜ合わせるため。強い酒は、ストレートで飲むと舌にピリピリするが、ジュースとうまく混ざると、味がまろやかになる。シェイクすることで、酒に酸素が混ざり、細かな気泡となって、刺激をやわらげるのである。細かな気泡をつくるには、すばやくシェイクすることが必要なのだ。

もうひとつの目的は、シェイカーの中の氷で、飲み物全体を急速に冷やすこと。もたもたしていると、氷が溶けて水っぽくなる。氷が溶けないうちにまんべんなく冷やすには、すばやい動作が必要なのだ。

◎ソムリエがぶらさげている灰皿のようなものは？

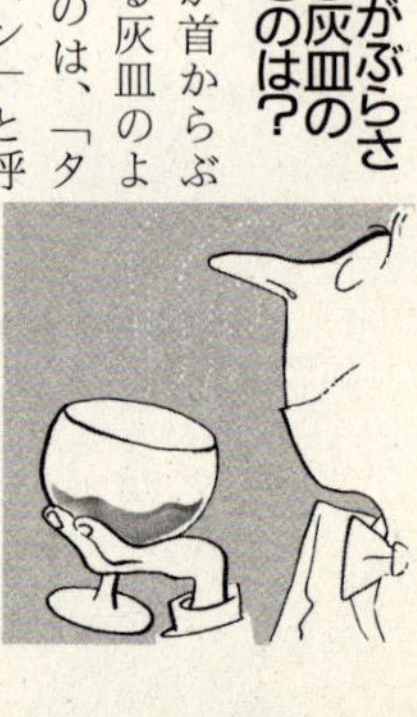

ソムリエが首からぶらさげている灰皿のような形のものは、「タスト・ド・バン」と呼ばれる容器。もとは、フランスのブルゴーニュ地方の酒蔵で、利き酒に使ったものである。

あの容器の内側には凹凸があって、中にワインを入れて光をあてると、ワインの色相がいっそうよくわかる。もともとは、薄暗い酒蔵内のロウソクの光でも、ワインの状態をチェックしやすいように工夫された容器だった。

しかし、照明が進歩した現在、酒蔵内でもワインはグラスにそそいでチェックされている。現代では、ソムリエが首からさげているのは、単なるお飾りで、使われることはほとんどない。

◎甘酒はなぜ甘い?

甘酒の甘さは、麦芽糖の甘味である。

甘酒は、もち米を蒸し、麹をくわえて、五五〜六〇度で一〇時間程度、寝かしてつくる。すると、米のでんぷんが、麹菌のだすアミラーゼによって分解され、糖分に変わるのである。

甘味のもとである麦芽糖は、時間がたつとブドウ糖に変わり、さらに酵母菌や乳酸菌など他の微生物の働きで、やがて乳酸が発生してくる。

甘酒を長くおいておくと、酸っぱくなるのは、そのためだ。甘酒を保存することはむずかしいから、すぐに飲むこと。

◎インスタントコーヒーはどうやってつくる?

インスタントの粉末コーヒーは、コーヒーを乾燥させてつくる。そのための豆の選定、焙煎、ブレンド、コーヒー液の抽出までは、普通のコーヒーと同じ製法。そこから、どうやって水分をなくし、乾燥させるかに関して、研究が重ねられている。

大きく分けると、乾燥法には「スプレードライ」と「フリーズドライ」の二つの方法がある。スプレードライは、コーヒーの液を霧状にして、熱風にくぐらせて、乾燥させるもの。

フリーズドライは、凍結させてから真空乾燥室に入れ、水分を蒸発させる方法だ。

スプレードライは、原理は単純でいいのだが、水分と一緒にコーヒーの命ともいうべき、香りまで消えてしまうのが難点。そこで、現在では、フリーズドライが主流になってきている。

缶飲料には、なぜスチール缶とアルミ缶がある？

リサイクル運動が盛んになるにつれ、町内会などでは、缶飲料のアルミ缶とスチール缶をきちんと分別して回収しているところが増えてきた。

手で簡単に握り潰せるのがアルミ缶、プロレスラーじゃないとちょっと無理なのがスチール缶だが、なぜ、缶飲料の材質には、この二種類があるのか？

答えは、缶の中身によって、缶の材質が違うからだ。

たとえばコーヒーや紅茶、トマトジュースなどは、缶に詰めた後に、高圧や高熱をかけて殺菌する必要がある。そのため、熱や圧力に強く、丈夫なスチール缶が適している。

一方、アルミ缶がよく使われるのは炭酸飲料やビール。これは、炭酸によって雑菌の発生が抑えられるため、殺菌の必要がないこと。また、炭酸の圧力によって缶が内部からつねに圧迫されているため、やわらかいアルミ缶でも缶が変形しにくいからだ。

なぜ、日本酒は真冬につくる？

日本酒は、「寒仕込み」といって、一一月から三月の厳寒期に仕込まれる。

こうなったのは、江戸時代からのこと。徳川幕府が、米価を安定させるため、寒造りを推奨したのである。

秋の収穫の後なら、豊作か凶作かに対応して、酒造りにまわす米の量を決めることができる。凶作の年に、ただでさえ不足がちの米が酒造りにまわって、さらに米不足がひどくなるのを防ぐのが目的だった。

そのお触れが出て以降、酒は冬の仕込みが定着し、やがて酒造りの仕事は農閑期の出稼ぎ仕事として定着していった。

◎なぜ、福建省はウーロン茶の大産地になった？

ウーロン茶の缶やボトルの表示をみると、「福建省」という地名をよく目にする。福建省は、中国の南部にある省。中国大陸でも、ウーロン茶の一大産地だ。

産地となった理由は、福建省の気候にある。ウーロン茶用の葉は、気候が温暖で、雨の多い高地でしか、栽培できない。広い中国の中でも、この条件をもっともよく満たしているのが福建省で、他の地域ではこれを超えるウーロン茶を製造できないのだ。

しかも、ウーロン茶の製造過程には、多くの手作業を必要とし、長年の経験と技術が欠かせない。そういう技術も、昔からの産地である福建省には十分蓄積されている。そのため、日本に輸入されているウーロン茶は、一部の台湾産をのぞいて、福建省産が独占している。

◎なぜ、マックシェイクは、わざと飲みにくくしてある？

日本にマクドナルドが上陸したのは一九七一年。以来、あっという間に日本人にハンバーガーなる食べ物を浸透させたのはご存じのとおり。その陰には、客のニーズや心理をたくみに読んだ新製品開発があったことはいうまでもない。

たとえば、マックシェイク。あの、アイスクリームの混ざった飲み物には、次のような周到な計算がなされている。

マックシェイクをはじめて飲んだ人は、味はともかく、飲みにくい、と感じたはず。とくにアイスクリームが溶けない初期の段階では、ストローで吸ってもなかなか口の中に入ってこない。短気な人ならイライラするほどだが、じつは、これ、わざと吸いにくくしてあるのである。

なぜなら、「人間がものを吸い込むとき、もっともおいしいと感じるのは、赤ちゃんが母乳を吸い込むときの速度」というのがマクドナルドの考え方だからだ。つまり、マックシェイクを飲むとき、人は赤ちゃんに戻り、ゆっくりとその味を楽しむことができるというわけである。

ゆっくり飲まざるをえなければ、その間にハンバーガーでも食べようかという気にもなる?

◎なぜ西洋料理のあとは、エスプレッソコーヒーが合う?

ふだんは薄いアメリカン・コーヒーが好みの人でも、イタリア料理やフランス料理を食べた後は、濃いエスプレッソが飲みたくなるもの。

これは、こうした料理を食べたあとは、エスプレッソに多く含まれる「タンニン」を体が欲するからだ。

タンニンとはコーヒー豆成分のひとつで、タンパク質と結合して、胃酸の分泌を促し、消化を助ける働きがある。

このタンニンは、豆に蒸気の圧力をかけて成分をとことん抽出するエスプレッソにいちばん多く含まれる。

バターやオリーブオイルがたっぷり使われ、ボリューム満点のフレンチやイタリアンを食べれば、消化のために自然とタンニンを欲するようになる。だから、西洋料理の食後はエスプレッソがうまいのである。

オペラ歌手に「歯抜け」が多いのは、ナゼだ?!

「スポーツ・芸能界」をめぐる「?」の数々

◎なぜ、野球は九回で終わる?

アメリカでベースボールが誕生した頃、野球は回数制ではなく、バレーボールや卓球のように点数制で行われていた。回数に関係なく、「先に二一点取ったほうが勝ち」というルールだった。

それが九回で終わるようになったのは、チーム付きのコックさんたちのブーイングがきっかけだった。一八四五年のことである。

当時、二一点取るまで戦うため、試合がいつ終わるか、誰にも見当がつかなかった。そのルールにブーイングを浴びせたのが、ニューヨークの野球チーム、ニッカーボッカーズのチーム付きのコックたち。

試合終了後、相手チームをレセプションに招待することになっていても、いつ料理を用意すればいいのかわからない。そこで、ゲームセットの時間が、あらかじめ計算できるように、野球ルールを改定してほしいと訴えたのである。

当時のアメリカは、まだ十二進法の影響が色濃く、野球にも十二進法が取り入れられて、その四分の三である九回が採用されることになった。

三振でワンアウト、スリーアウトでチェンジというのも、すべて十二進法の影響である。

なぜ、野球の「七回」は「ラッキー7」なのか？

プロ野球の甲子園名物「風船飛ばし」は、七回の裏、阪神の攻撃がはじまる前に行われる。

いうまでもなく「ラッキー7」にあやかって、必勝を期そうというわけだが、このラッキー7の始まりは、一九三〇年代のアメリカというから、比較的歴史は浅い。

当時、大リーグのサンフランシスコ・ジャイアンツは、七回の攻撃で、何度も逆転劇を演じた。その結果、「7」には奇跡を呼ぶ何かがあると噂され、それがアメリカ中に広まり、やがて、世界中に定着していった。

たしかに、七回ともなると先発投手も疲れてきて、バッター有利のイニングになる。攻める側にとっては、ラッキーなイニングではあっても、守るピッチャーにとっては七回は「魔のイニング」といえるかも。

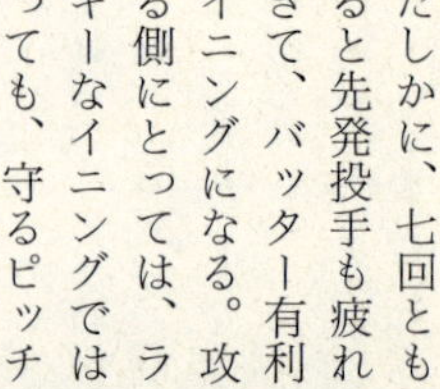

なぜ、左利きのことを「サウスポー」という？

野球では、左投手のことを「サウスポー（southpaw）」と呼ぶ。直訳すると「南の手」である。

「サウスポー」という言葉は、アメリカの新聞記者がつくった造語だ。生みの親は『シカゴニュース』のピーター・ダーンという説と、『ヘラルド新聞』のチャールズ・シーモアだという説とがある。いずれも一八八〇〜一八九〇年代のことで、シカゴ球場の観戦記によって生まれた言葉だった。

当時のシカゴ球場は、太陽光線が打者の目を直射しないよう、バッターボックスに立った打者が東を向くように建てられていた。つまり、投手は東から西に向かって投球することになり、左投手は振り上げる左腕が南側になった。そこで、左腕投手を「サウスポー」と表現したわけだ。

これが、ボクシング界でも使われはじめ、テニス、バレーなどなど、広くスポーツの世界で「サウスポー」の呼び名が定着してきた。

◎なぜ、野球のホームベースは五角形？

野球のホームベースは、ほかの塁とは違って、五角形をしている。もともとは、ほかの塁のベースと同じように正方形だったのだが、それでは不便だと今の形になった。

正方形の時代のホームベースは、キャッチャー、審判からみて、◇となるように置かれていた。ランナーのためのベースの役割だけなら、別にこれでもかまわない。

ところが、ホームベースは、投手の投げた球がボールかストライクかを判定する基準にもなる。そのため、◇と置いたのでは、アンパイアがボール・ストライクの判定をしにくかった。そこで、投球されるボールと平行になる辺をつくり、またファールラインとも一致するように形が整えられて、現在の形になった。

◎プロ野球選手の年俸交渉では、なぜ大物は最後になる？

プロ野球選手の年俸交渉は、キャリアが短い選手からはじまるのが普通である。シーズンオフになると始まる契約更改だが、最初のころは、年俸一千万円前後の入団二〜三年目の選手ばかり。年俸一億円を超すような大物選手は、最後のほうになって交渉に臨むことが多いが、これにはワケがある。

選手たちの年俸の総額は球団によって決まっている。そこで、球団側としては、最初に小物選手たちの年俸を叩きに叩いておくのが常。こうして小物選手からむしりとったお金を〝余剰資金〟としてプールしておき、あとで大物選手がゴネたときに回せるようにしておくわけだ。

ビンボー人からむしりとったお金をお金持ちに与えるようなものだが、これがまあ実力の世界というやつなのだろう。

悔しかったら、球団に向かって堂々とゴネられる一流選手になってみろ、ということか。

◎プロ野球選手の年俸は、一括してもらうのか？

プロ野球選手の給料は「年俸」だが、この年俸、その年のはじめに一括してもらえるわけではない。サラリーマンのように、年俸を一二で割って、月給としてもらっている選手がほとんどである。

球団の中には、そのほうが選手が無駄遣いをしないから……というところもあるようだが、実際は、年俸を分割払いにすれば、球団はそれなりの利子収入があるからというのが本音かも。

◎二塁から一塁へ盗塁できるか？

一九一〇年、アメリカ大リーグの草創期にこんなことがあった。

盗塁の記録がかかっていた選手が、一塁から二塁へ盗塁したあと、三盗を試みようとした。しかし、そこには自チームのランナーがいる。そこで、彼は二塁から一塁へ、逆戻りの盗塁をしたのだ。

バッテリーや内野手は、そんなことをするとは夢にも思っていなかったので、もちろんセーフ。それから、彼はまた二塁へ盗塁し、合計三盗塁という記録となった。

当時のルールブックでは、こんなバカなことをする選手がいるとは思わず、「逆盗塁」についての規定がなかった。しかし、その後これはおかしいと、ルールブックに「逆盗塁はアウト」と明記された。

◎プロスポーツ選手には、なぜ〝姉さん女房〟が多いのか?

プロ野球選手でも相撲の関取でも、〝姉さん女房〟というケースが非常に多いが、これはどうしてか?

まずは、プロ野球の場合だが、有望な若手選手は、早めに合宿所を出て、一人暮らしをするケースが多い。となると、食生活をはじめ、身の回りの世話を焼いてくれる奥さんが早くほしくなるところだが、本人はまだ二十歳そこそこということが多いから、つきあう女性は必然的に年上が多くなるというもの。

また、プロスポーツの世界は、野球であれ、相撲であれ、遠征や地方場所などで家を空けることが多い。こんなとき、家の管理ができるのは、しっかり者の姉さん女房というわけである。

もうひとつ、最近の若手有望選手は、意外に女性とつきあう機会が少ないから、という説もある。理由は、写真週刊誌をはじめ、周囲の目が厳しくなってきたから。女性とつきあう機会が少なくなれば、当然、女性のあしらいかたも下手になる。その結果、有望な若手選手の中には、玉の輿をねらう年上女の術中にまんまとハマることも多いというのだが……。

◎ヤクルトの応援歌は、なぜ「東京音頭」？

ヤクルトの応援歌といえば、「東京音頭」。なぜ、ヤクルトと「東京音頭」が結びついたのだろうか？

これは、私設応援団団長の岡田正泰さんが歌いだして定着したものだ。その理由は、ヤクルトが東京の球団であり、岡田さんも東京生まれの江戸っ子でお祭りが大好きだからというもの。岡田さんが独断で「東京音頭」を応援歌に採用したのは、一九七〇年代中ごろのことだった。

当時のヤクルトは弱小球団で、巨人戦以外は観客も少なかった。最初は、ヤクルトファンにも「東京音頭」を歌ってもらえず、応援団が歌詞を書いたビラを神宮球場で配ったこともあった。

ヤクルトが、念願の初優勝をしたのは、その直後。以来、「東京音頭」が、多くのファンに応援歌代わりとして認められるようになった。

◎日本のプロスポーツ選手も、〝掛け持ち〟できる？

アメリカでは、バスケットボールの選手がプロレスをするなど、〝掛け持ち〟が珍しくないが、日本の場合はどうか？

まずはプロ野球の場合だが、日本のプロ野球協約によれば、プロ野球選手は、他のプロスポーツとの掛け持ちはいっさい許されていない。Jリーグもしかり、プロボクシングも掛け持ちは不可である。

理由は、プロスポーツ選手である以上、そのスポーツに専念するのが当たり前、と考えられているから。日本では、プロスポーツは掛け持ちできるほど甘いものではないと考えられているようなのだ。

ただし、プロゴルフやプロテニス、プロボウリングなどでは、掛け持ちを禁止する規約はない。つまり、ゴルフとテニスのプロトーナメントで活躍することは建前上は可能のようだ。

◎ワールドカップは、なぜ四年に一度?

サッカーのワールドカップは、もともとオリンピックを意識し、対抗する形ではじめられた。ワールドカップの開催が、五輪と同様、四年に一度なのは、そのためでもある。

一九三〇年、南米のウルグアイで、第一回ワールドカップが開催された。「プロ、アマを問わず、サッカーの世界一を決める大会を開こう」という声が大きくなったためである。

今でこそ、オリンピックにはプロ選手も出場するが、かつて五輪は長くアマチュア主義を貫いていた。一九三〇年以前、プロ選手もオリンピックに参加させたいというサッカー界の主張を、オリンピック委員会は拒否しつづけていた。

そこで、サッカー界は、独自の世界一を決める大会、ワールドカップを開くことにし、そのとき、オリンピックの中間にあたる年に開くことに決定した。ワールドカップが四年に一度なのは、オリンピックが四年に一度開かれてきたためといえる。

◎サッカーで三点とるとなぜ「ハットトリック」という?

サッカーでは、一人で三点以上得点することを「ハットトリック」という。アイスホッケーでも一人で三点

以上とることをハットトリックと呼ぶが、この言葉、もともとは英国の国技とも呼ばれるクリケットの用語だ。

クリケットは、野球のルーツとされるスポーツで、正式に行うと一試合するのに三日間もかかる気の長いスポーツ。打者をアウトにするのが非常に難しく、投手が三人の打者を連続アウトにするのは、野球でいうと、トリプルプレー（三重殺）くらいに珍しいことだ。

そのため、三人の打者を連続アウトにした投手には、その名誉をたたえて帽子を贈る風習があった。ハットトリックのハットとは、その帽子のことを意味していたのである。

◎なぜ、ラグビーのトライは五点？

ラグビーのトライによる得点が、四点から五点になったのは、一九九二年のことだった。それ以前、三点が四点になったのは、一九七一年のことである。さらにさかのぼると、トライが一点の時代もあった。一八九〇年代のことである。

当時は、トライが一点で、トライ後のゴール、およびペナルティーキックが二点。ドロップゴールが三点という計算方法だった。その頃は、苦労してとったトライより、ゴールキックやペナルティーキックの得点のほうが高かったわけだ。当時は、ラグビーの目的はあくまでゴールすることであり、トライはその「ゴールを狙う権利を得る」ことにすぎなかったのだ。

だが、そういうルールだと、当然、トライをめざすより相手の反則を誘うプレーが増えてくる。トライをとるよりも、ペナルティーキックで得点を重ねるほうが、はるかに有利だからである。その結果、ラグビーはどんどんつまらないゲームになっていった。

そこで、ラグビー本来のおもしろさを取り

戻すために、徐々に、トライの点数が加算されてきたわけである。

◎力士の航空運賃は割増か?

力士でも、ひとつの座席に座れるなら、体重が何キロあろうと、一人分の航空運賃を払えばいい。問題は、どう考えても一人分の座席では体がおさまりきらない大型力士の場合である。

こういう場合、二人分の座席を使えば、料金は一・五倍。三人分の座席を使えば、二倍の運賃を支払うことになる。要するに、二座席目からは、運賃の半額の料金を支払えばいいのである。

このシステムを利用する乗客は、力士以外にもけっこう多く、たとえばテレビのスタッフが高価な機材を隣りの席に置いて運んだり、病人をタンカに乗せたまま運ぶときにも、利用されている。

◎力士のオッパイは、なぜ右のほうが大きい?

大相撲中継で、力士の土俵入りをじっくりみていると、力士たちのオッパイは左より右のほうが大きい人が多いことに気づく。オッパイの大きさ、形を問わず、もっぱら右のほうが大きいのである。左のオッパイのほうが大きい力士は、幕内でわずかに二、三人である。

これには、肋間神経が影響している。左のオッパイは、一般に肋間神経の神経支配が悪く、血行がよくない。そのため、右のオッパイに比べて、どうしても発育が悪くなる。女性の場合も、乳ガンやオッパイの炎症は、発育の悪い左の乳房に起こりやすい。

もともと、人間の体はけっして左右対称にできてはいない。耳も目も手も腕も、そしてオッパイも、左右の大きさが違っていてふつうだ。

◎優勝力士が休場したときは、誰が賜盃を返還する？

昭和四〇年一一月場所で優勝した横綱大鵬は、翌四一年一月場所に初日から休場した。このときは、優勝旗返還の儀式は行われず、土俵上に賜盃と優勝旗がポツンと飾られた。しかし、戦前は代理人が返還していた。代理による返還が行われたのは、昭和九年のこと。当時は、春と夏の年二場所制で、昭和八年、夏場所に優勝した横綱玉錦《たまにしき》が、翌年の春場所を休場。そのため、同じ二所ノ関部屋の先輩で、東前頭九枚目の海光山が代理で賜盃と優勝旗を返還した。

◎大相撲土俵の土は、どんな土？

両国国技館の土俵は、場所ごとに作り直されている。表面の土を削り落とし、新しい土を混ぜ、固め直す。

これはすべて手作業で、呼び出しの人たちが二〇人がかりで三日をかけて作業する。なにしろ、この上で力士が相撲をとるわけで、硬く固めなければ、誰かが投げられるたびに、土俵がくずれ、作り直さなければならなくなる。

使う土は、約八トン。使用する土は、茨城県筑波近郊の土と決まっていて、トラックで運んで来る。地方場所の土俵は、それぞれの地方の土を使っている。

◎土俵の四色の房は何を表している？

大相撲の土俵上には、天井から吊り屋根が下げられ、その四隅には「四つ房」と呼ばれる房が垂れ下がっている。あの房は刺繍《ししゅう》糸《いと》をより合わせてつくったもので、長さ二一二センチ、太さ六六センチ、重さは一・四キロもある。

土俵の上に現在のような吊り屋根が登場したのは、昭和二七年の秋場所からのこと。それ以前は、屋根は四本の柱に支えられていて、その四本の柱に巻かれていた色衣の代わりが、現在の四つ房だ。

そして、四本柱の時代から、正面東側が緑、向正面東側は赤、向正面西側は白、正面西側は黒と決められていて、四つ房も同様に色分けられ、青房、赤房、白房、黒房と呼ばれている。ＮＨＫのアナウンサーが、「青房下の○○さん」などと呼びかけるのは、この房の下にいるという意味だ。

なお、この四色は、青は青竜《せいりゅう》、赤は朱雀《しゅじゃく》、白は白虎《びゃっこ》、黒は玄武《げんぶ》という、伝説上の神獣のシンボル色だ。

◎なぜ、オリンピックは四年に一度?

四年に一度、閏年《うるうどし》に行われるオリンピック。近代五輪大会は、一八九六年、第一回アテネ大会からスタートし、そのときから四年ごとに開催することが決められていた。

その理由は、古代オリンピックがやはり四年に一度の開催だったからだ。では、なぜ古代ギリシアでは、四年ごとにスポーツ大会を行ったのか。その理由として考えられているのが、暦との関係だ。

古代ギリシアでは、太陰暦を使っていて、八年がひとつの重要な周期となっていた。そこで八年ごとに開こうとしたが、それではあまりにも間隔があきすぎるので、その半分にした、という。

オリンピックの金メダルは純金製?

オリンピックに出場する選手なら、ノドから手が出るほどほしいのが金メダル。

しかし、あのメダルは純金ではなく、金メッキである。

オリンピック憲章の第四五条によれば、金メダルは純度九二・五%の銀台に、六グラムの純金でメッキし、大きさは少なくとも直径六センチ、厚さ三ミリにするよう決められている。

最近の金相場では、金一グラムあたり一三〇〇円だから、金メダルに使われる金の価格は七八〇〇円。つまり、金メダルの〝値段〟は、これに銀台の価格と布製のリボン代を加えたもので、どんなに高く見積もっても、二万〜三万円くらいにしかならない。

もちろん、これはあくまで製造原価であって、金メダリストの中には何千万円出されても売らないという人がいるのはもちろんである。

マラソンはなぜ、四二・一九五キロなんて、ハンパな距離なのか?

マラソンの距離といえば、四二・一九五キロ。由来は、紀元前四九〇年、ペルシャ軍と戦争していたギリシア軍が勝利をおさめ、ある兵士が、勝利を伝えるために戦場のマラトンから首都のアテネまで走った距離だとされているが、これは厳密には不正解。

じつは、この戦争のとき、兵士が実際に走った距離は、三六・七五キロで、事実、第一回のオリンピック・アテネ大会のマラソン競技は、三六・七五キロで行われたのである。

では、それがまた、どうして四二・一九五キロになったかというと……。

第四回のロンドン大会のマラソンコースは、

当初、二六マイル（＝約四一・八四二キロ）に設定されていた。

しかし、競技場の貴賓席に観戦に来ていたアレキサンドラ女王の目の前をゴールにしようと変更したため、四二・一九五キロと距離が伸びてしまった。

四二・一九五キロは、第八回のパリ大会からマラソンの距離として固定され、以来、現在に至っている。

◎マラソンの途中でウンコをしたくなったら、どうなる?

マラソンは四二・一九五キロの長丁場のレース。こんなレースなら、ちょっとした体調の変化によって、急に便意をもよおすことがあっても不思議ではない。

では、万が一、そのときがやってきたらどうすればいいか。便意をこらえながら、ゴールを目指すのか。あるいは、失格を覚悟して、道端にしゃがみこむのか？

こんなときは、審判員の許可さえもらえば、コースを外れて用を足してもかまわない。そして、用を足した後、再び許可を得た地点に戻ってレースを再開すれば、失格にはならない。

もっとも、こんなハプニングがあっては、優勝など望むべくもなさそうだが、実際に優勝してしまったのが、一九七〇年代に活躍したアメリカの名ランナー、フランク・ショーター。彼は、日本で開催された「びわ湖毎日マラソン」で、急激な便意に襲われ、審判員の許可を得た上でコース外へ。このとき、沿道の人々が振っていた日の丸の小旗を三～四本拝借。これをトイレットペーパー代わりにして用を足し、そして優勝したのである。

◎マラソンコースには誤差はないか？

以前、「びわ湖毎日マラソン」のコースが四〇メートルも長かったことが判明した。その八年前に測定し、その後道路の改良工事があって、四〇メートルも長くなっていたのだ。しかし、そのため記録が参考記録になることはなかった。四〇メートルは、マラソンのルール上、許されている誤差の範囲内だからである。

ルールによると、コースの長さが四二・一九五キロより短ければ、即無効になり、レース結果は、参考記録に格下げされる。だが、プラスのほうの誤差は〇・一%、つまり四二・一九五メートルまでは認められている。

現在、日本での距離測定は、スチール・メジャーを使って行われている。関係者が徒歩で、道路左側から一メートルのところを測っていく。五〇メートルメジャーを使うと、八四四回同じ作業を繰り返すことになる。

◎ゴルフのトーナメントプロは、一回の試合でいくら稼ぐとトントンになる？

ゴルフのトーナメントで、決勝に残ってその中で最下位になると、賞金二〇万円程度。これは、九州のプロが北海道のトーナメントに出場したときにかかる必要経費に基づいて設定された金額とされる。

ひとつのトーナメントに出場すると、航空運賃、ホテル、食事代、キャディさんの手当てなど、そこにかかる経費のすべてを選手個人が負担しなければならない。

しかも、現地入りするのは、予選がはじまる二日前。男子プロの場合、決勝ラウンドまで出場すれば、最低でも、火曜から日曜日までの六日間、現地にとどまることになる。九州のプロが北海道でのトーナメントに出場した場合、その経費が約二〇万円はかかるのだ。

しかし、予選落ちすれば、収入はゼロとなる。滞在日数が減る分、持ち出しも少なくなるが、最低でも一〇万円以上の持ち出しとなる。むろん、決勝ラウンドに進出しても、下位の成績に終わると、やっと経費分が回収できるだけ。生活費までは稼げない。

◎ゴルフでミスショットする〝究極の理由〟って何？

ヘッドアップ、スウェイ、アドレスの向きが違う、打ち急ぎ、力みすぎ……。

ゴルフでミスショットする理由はさまざまだが、これ以外にじつは「究極のミスショットの原因」とでもいうべきものがある。それは、ゴルフでは「ボールが止まっているから」というものである。

止まっているボールなら打ちやすそうなものだが、人間の眼球は、停止しているものをじっと見つめるのが苦手なのだ。

たとえば、暗闇の向こうに電球が一個ついているとしよう。その明かりをじっと見ていると、だんだん揺れているように見えてくるが、これは眼球がつねに動いているから。専門的には動態視というが、これが止まっているゴルフボールをうまく打てない理由。

つまり、ナイスショットしようとして、ゴルフボールを見つめれば見つめるほど、ボールは微妙に動いて見える。だから、ミスショットしてしまうというわけだ。

もちろん、ボールを見ないほうがナイスショットというわけではなく、そのあたりがゴルフのむずかしいとこ

ろではある。

◎なぜ、競馬は「八枠」なのか？

競馬が「八枠」なのは、「一か八か」の勝負だから、というわけではない。

根拠とされるものは三つ。

ひとつは、近代競馬のさきがけとされる「九段馬場」の最大枠が「八」だったからというもの。

次は、「八」は昔から「末広がりで縁起のいい数字」といわれていたため、それにあやかったというもの。

最後は、かつては六枠制だったが、出走する馬が増えたため、八枠制にしたというものである。

◎なぜ、日本の競馬場には右回りのコースが多い？

馬に直線を走らせると、ふつう、左脚を前に出して「左手前」で走る。馬にはそのほうが自然で走りやすいからである。

そのため、馬はコーナーでは左回りのほうが得意。左回りだと、左脚を前に出したまま、左手前で走れるからだ。

ところが、日本の競馬場では、八割以上が右回りコースになっている。中央競馬会では、全国一〇か所の競馬場のうち、左回りは東京と中京の二か所だけ。馬には走りにくいのに右回りコースが多いのは、日本初の競馬場、根岸競馬場が右回りだったからである。

幕末に、根岸競馬場を建設するとき、左回りコースにすると、ゴール周辺に大量の盛土を必要とした。そこで、工期が長引くのを懸念した幕府は、本場のイギリスにも右回りコースがあると知り、右回りでの完成を急いだのである。

というのも、当時は、生麦事件や英国公使館焼き討ち事件など、「夷人狩り」が続発。横浜の居留外国人用の娯楽施設として完成を急ぐ必要があったのだ。

現在、日本に右回りの競馬場が多いのは、この根岸競馬場の設計をマネてきたからだ。

◎ボクシングとプロレスのリングは、どう違う?

ボクシングとプロレスのリングのいちばん大きな違いは、リングの大きさ。ボクシングは六・一メートル四方以内と決められているが、プロレスに規定はない。一般には、六メートル四方のリングが多い。

マットの状態も違う。ボクシングのマットはやわらかく、プロレスのマットのほうが硬い。ボクシングのマットがやわらかいのは、ダウンした選手が頭を打ちやすいから。投げられても、受け身がとれるプロレスより、やわらかくしておかないと危険なのである。

ロープの本数も違う。プロレスは、三本ロープだが、ボクシングは四本。そして、ボクシングのほうが強く張ってある。プロレスでは、ロープの間から選手が転落したり、ロープが体に巻きつくと見せ場となるが、ボクシングではそんなことが起きないようにロープの数を多くし、かつ強く張ってある。

◎試合でケガをしたプロレスラーは、相手を傷害罪で訴えられる?

仮に、人権意識が強く、人にケガをさせるような暴力を振るってはいけないと考えているプロレスラーがいたとする。そんな彼が試合で相手のパンチで大ケガをした。さて、このプロレスラーは、試合相手を傷害罪で訴えることができるだろうか?

答えを先にいうと、よほどのことがない限り、この訴えは認められない。なぜなら、刑法三五条に「正当の業務に因り為したる行為は之を罰せす」とあるから。プロレスでは、相手に暴力を振るうことが正当な業務とみなされる。つまり、この業務に従事した〝被害者〟は、相手と殴り合うことに同意しているわけで、試合でケガをしたからといって相手を罪に問うことはできないのだ。

では、暴力を振るうことが業務ではない、たとえばプロ野球の乱闘事件などの場合はどうかというと、これもまず罰せられない。理由は、警察には「特別法優先の原則」というものがあり、この場合の「特別法」とは「プロ野球規則」で、暴力沙汰があったようなときは、リーグ会長やコミッショナーがこの規則に則《のっと》って裁定を下すのが大原則だからだ。

◎「三〇〇〇メートル障害」という奇妙な競技のルーツは？

陸上トラック競技に「三〇〇〇メートル障害」という競技がある。ハードルと水濠を跳び越えながら、三〇〇〇メートルを走り抜ける競技である。

この競技のそもそもの始まりは、英国の学生の競馬大会がきっかけだった。

一八五〇年秋、イギリスのオックスフォード大学で、学生による競馬障害レースが開催された。二マイル（三二一九メートル）のコースで二四か所の障害物を跳び越える競馬を行ったのである。

そのレースで、一人の学生が、障害にひっかかって落馬、失格した。それが、よほど悔しかったのだろう。彼は、他の学生に向かって、「今度は二本の足で来い！」と叫んだ。

意外にもこれが大ウケして、翌日、同じコースで学生たちが自分の足で走って競走した。そして、落馬した学生が優勝したのだが、このレースがおもしろいということになり、「フット・スティープルチェイス」と名づけられて、やがてオックスフォード大学の全校運動会でも人気種目のひとつとなった。

そして、正式の陸上競技の仲間入りをしたのである。

◎なぜ、陸上のトラックは左回りなのか？

競馬場は右回りのところと左回りのところがあるが、人間が走る陸上競技場のトラックは、世界中どこでも左回り。この理由は何か？

足の裏の研究で知られる東京工業大学の平沢弥一郎教授によれば、右足と左足では、ふつう左足のほうが地面に接している面積が大きく、その時間も長いという。そのため、スポーツの場合は左足が軸になり、だからこそ左に回っていくのが自然ということになる。

もしも、トラックが右回りだと、内側の右足が軸にならざるをえず、これは人間の体の動きを考えると不自然というわけだ。

この説を証明するように、人間は、迷路にはいりこむと、自然に左、左へと回っていくというし、砂漠に放り出されると自分では直進しているつもりでも、無意識のうちに左へ曲がっていく人が圧倒的に多いことがわかっている。

◎なぜ、国体では、いつも開催県が優勝する？

国民体育大会いわゆる国体では、種目ごとの順位によって得点を計算し、都道府県ごとに集計、男女総合でもっとも点数の高かったところに天皇杯が贈られる。

この天皇杯、不思議なことにほとんどの大会で、開催県が獲得している。国体開催が予定されている県では、天皇杯をめざし、何年も前からプロジェクトを組んで準備するのが当たり前のことになっている。

具体的にいえば、まず、上位入賞が期待できる学生を体育の教員として大量に採用し、国体に県代表として送り出す。その影響で、国体開催が近づいた県では、体育教員が定員をオーバーしたり、開催後、その体育教員が次の開催県に移籍するという問題も起きている。

また、県内の企業に、優秀な選手を移籍させることも頻繁に行われている。さらに、県内の大学、高校に優秀な指導者や選手を他県からもスカウトし、授業よりクラブ活動優先で強化をはかっていく。

こういうやり方には、むろん批判も多いのだが、各県のお役人たちは今日も必死に〝強化〟に取り組んでいるのが現状である。

◎男と女では、なぜ体操種目が違う？

男子の体操種目は、床運動、跳馬、鉄棒、平行棒、吊り輪、鞍馬。女子の体操種目は、床運動、跳馬、段違い平行棒、平均台。共通するのは、床運動と跳馬だけで、あとは種目も数も違う。

これは、簡単にいうと男女の筋肉の差。鉄棒、平行棒、吊り輪、鞍馬の四種目は、屈強な筋肉が必要。しかし、もともと女性の筋肉はやわらかくできているため、先のような種目に挑戦すると、筋肉が切れてしまいかねないのだ。

その点、床運動と跳馬は、足腰のバネがあれば大丈夫。

では、なぜ、男子に段違い平行棒と平均台

がないのか。この疑問については、次のような説がある。

いわく、平均台の上で回転するとアソコがつぶれそうになるから。段違い平行棒では、下の棒にアソコがぶつかる危険があるから、である。

なぜ、新体操ではいろいろな道具を使う?

一九五〇年、バーゼルで開かれた器械体操選手権のとき、新体操の前身ともいうべき競技がはじめて行われた。そのときの名称は、「携帯器具を持ってする音楽伴奏団体演技」だった。

それが「新体操」という名になって、器械体操から独立したのは、一九六三年のことだった。使用する器具は、輪、なわ、ボール、クラブ、リボンの五つ。なぜ、この五つなのかと専門家にきくと、試行錯誤の結果、そう決まったという答えがかえってきた。

なぜ、体操競技で鉄棒を使うか、平均台を使うかというのと同じような質問なのだ。

テニスのサービスは思いっきり打ち込むのに、なぜサービス?

テニスの試合で、攻撃側が打つ最初のショットを「サービス」と呼ぶ。ご存じのように、相手が打ち返せないように思いっきり打ち込むわけで、「サービス」(奉仕)という名前には、まったくそぐわない。

この矛盾を理解するには、テニスのルーツにさかのぼる必要がある。テニスの原型は、「ジュ・ド・ポーム」という一三世紀のフランス貴族が考案した、コートの中でボールをゆっくり打ち合うゲーム。相手を打ち負かすことより、ラリーが何回続くかが重要なポイントだった。

そして、ジュ・ド・ポームのルールでは、最初の一球は、召使いが「では旦那様、まいります」と声をかけてから、プレーヤーが打ちやすい球をコートに投げ込むことになっていた。そこで、貴族たちは、その第一球を、「召使いの奉仕」、フランス語で（service＝セルビス）と呼んでいた。

一九世紀に入って、英国人がジュ・ド・ポームをもとに、テニスというスポーツを考案。選手が第一打を打つことになったのだが、serviceという名前は、そのまま継承されたのだ。

なぜ、ボウリングで連続三回ストライクを「ターキー」という？

ボウリングでストライクを連続三回とることを、「ターキー」と呼ぶ。英語で綴れば「turkey」で、七面鳥のことである。なぜ、こんな呼び方をするのだろうか？

これには、インディアンの弓の腕前が関係している。時代は一六世紀の末、オランダ人の米大陸移民がはじまった時期にさかのぼる。彼らは新大陸に本国で大流行していたボウリングを持ちこみ、楽しんでいた。

そんなある日、オランダ人たちは、インディアンのすばらしい弓の腕前を目撃した。インディアンが、一本の矢で三羽の野生の七面鳥をくし刺しに射止めたのだ。

オランダ人たちは驚き、これはボウリングでストライクを三回つづけて出すような芸当ではないかと、ストライクを連続三回とることを「ターキー」と呼ぶようになった。

なぜ、自転車のスプリント競技は最初から全力疾走しないのか？

タイムでなく、選手ふたりの勝ち負けを競

う自転車のスプリント競技では、ふたりの選手が全力疾走するのはラスト一周あたり。それまでは、リンクをゆっくり走り、ときに止まってしまうことさえある。

しかし、スタート・ダッシュをかけて逃げきってしまえば……と考えるのは、素人の浅はかさ。もしも、スプリント競技で最初から全力疾走すれば、まず確実にその選手は負ける。なぜなら、スプリント競技では、先行すると確実に体力を消耗してしまうからだ。

理由は、風。最初から全力疾走する選手がいれば、相手は、これ幸いとその後にぴったりとつくはず。逃げる選手はかっこうの風よけになり、最後の勝負どころでの体力が温存できるからだ。

ちなみに、日本の競輪では、勝負に関係のない「先頭誘導員」がレースを引っ張ることになっている。これは、その昔、選手たちが先頭に出ることを嫌い、レースがみな極端なスローペースになったため。これではみているほうも楽しくないというわけで、先頭誘導員が誕生した。

◎登山靴は、なぜ重い?

登山靴については、昔から「重い靴のほうが疲れない」といわれる。たしかに、専門店に並べられている登山靴は、革製で靴底の厚い、重くていかにも頑丈なものが多いが、ホントに「重い靴のほうが疲れない」のか？

山登りの専門家によれば、「整備された山道を歩くだけなら、軽い靴のほうが疲れない」のだという。

ただ、本格的な登山の場合は、ガレキの道や起伏の激しい道を歩かなければならない。

こんなとき、軽い靴では、靴にかかるショックがもろに足腰に伝わる。これでは、疲れやすいだけでなく、足首も捻挫しやすい。だから、本格的な登山靴は、丈夫につくられている分だけ重くなってしまう。

つまり「ホントは重くはしたくないのだが、安全性を考えるとどうしても重くなってしまった」というのが正解なのだ。

なぜ、ゲートボールは「老人のスポーツ」?

ゲートボールといえば「老人のスポーツ」というイメージが強いが、そもそもは子供向けのスポーツとして考案された。

考案者は、旭川市の鈴木栄治氏。昭和二二年のことで、戦後の物資不足の時代、子供たちの情操教育の一環として考案したという。

ゲートボールの原型は、一三世紀のはじめにフランスで生まれたクロッケー。鈴木さんは、かつてこのクロッケーを楽しんだことがあり、場所もとらず、用具も少なくてすむことに着目したという。

それがまた、どうして「老人のスポーツ」として脚光を浴びるようになったのかといえば、先の二つの理由に加えて、運動量が少ない、団体で楽しめるなどの理由が考えられる。

もっとも、最大の理由は、お年寄りが定年後も元気でヒマをもてあましていたから、かもしれないが。

スノーボードのルーツは?

スキーはノルウェー生まれのスポーツだが、スノーボードの発祥の地はアメリカ。スポーツとして考えられたのではなく、一九六〇年代、ミシガン州の山間部の住人が、冬季の猟の効率をアップするために考え出したものだ。

スキーを履いて猟に出ると、ストックで両

手がふさがってしまう。逃げる獲物を追って、鉄砲をかまえたまま雪の上を滑ることはできない。そこで、両手を空けたまま滑れる道具をと、サーフィンをヒントに考え出したものが、スノーボードだったのだ。

というわけで、スノーボードは最初、「スノーサーフィン」と名づけられ、七〇年代後半、はじめて日本に伝わってきたときには、まだその名前だった。

スノーボードという名前は、八〇年代以降、世界各地で競技会が行われるようになり、競技スポーツとして一般に普及しはじめてから、新しくつけられた名前だ。

◎「バンジージャンプ」のルーツは？

現在のバンジージャンプの開発者は、ニュージーランド人のA・J・ハケット氏。ゴム使用のバンジージャンプ台は、彼が一九八八年にニュージーランドのクイーンズタウンにつくったものが、世界第一号である。

しかし、ハケット氏は、安全にバンジージャンプを楽しめるようにした人、あるいはバンジーを近代化した人物とはいえても、その創案者とはいえない。本当の創案者は、南太平洋に浮かぶバヌアツ諸島の先住民たちである。

バヌアツ諸島は、オーストラリアとフィジーのちょうど中間に散在する八〇余りの島々で、先住民たちは次のような〝成人式〟を催すのが慣例だった。

儀式に参加するのは、一〇歳以上の少年で、当日、村の広場には森から切り出した木で、高さ三〇メートルぐらいのヤグラが組まれる。そして、ヤグラのてっぺんから、足に植物のツルを巻き付けた少年たちが次々にダイビングし、一人前の男としての勇気を示すのだ。

この、バヌアツの少年たちの大人になるた

めの通過儀礼が、現在のバンジージャンプの原型である。

◎演歌には、なぜ「北を歌った曲」が多い？

「函館の人」「北の宿から」「津軽海峡冬景色」「北酒場」「北国の春」……。

いずれも、日本を代表する演歌歌手の大ヒット曲だが、なぜこんなに「北」を歌った曲が多いのか？

この疑問について精神医学者の小田晋《おだすすむ》氏は、次のように分析している。

日本人のルーツについてはさまざまな説があるが、かなりの数は、黒潮にのって大陸から沖縄、沖縄から九州、九州から本州へと日本全土に分布していったにちがいない。だから、日本人の心の奥底には、南からきて北へ向かうという方向性がある。

仮に日本人のルーツが北だとしても、北の演歌は日本人の郷愁をそそる。

ルーツがどちらであれ、日本人には「北志向」があるというわけで、それが「北の演歌」が流行る理由というわけだ。

◎オペラ歌手は、なぜ歯が抜ける？

オペラの本場イタリアには、オペラ歌手の歯を治療するために、劇場専属の歯医者がいるという。

オペラ歌手は、本格的な発声が身につくにつれて、声の勢いが強くなり、そのせいで歯が抜けてしまうことが度々あるからだ。たとえば、日本でオペラを学び、イタリア・ミラノに渡った中丸《なかまる》三千繪《みちえ》さんもそのひとりだ。

彼女は、舞台の開演二時間前、食事の最中に、前歯が突然、抜けてしまった。

「歯のすきまから息がもれて、声が出ないのでは」と心配した中丸さんだったが、これを救ったのが劇場専属の歯医者だった。公演に間に合うように差し歯をつくってもらい、ことなきをえたのである。

「ミラノには、オペラを支える態勢が整っている」とは中丸さんの言葉だが、それにしても、自分の声で歯が抜けてしまうとは、オペラ歌手は、なんともすごい声量である。

◎宝塚のスターは、なぜ芸名がハデなのか?

大地真央《だいちまお》、鳳蘭《おおとりらん》、越路吹雪《こしじふぶき》……。宝塚歌劇団のスターたちの名前は、じつにハデなものが多いが、これはどうしてか?

宝塚歌劇団によれば、芸名にはこれといった規定はなく、ほとんどの場合、生徒たちが自分で考案しているという。

宝塚の草創期には「天津乙女《あまつおとめ》」など、百人一首などの古典から名前をとることが多かった。当時は、たいていの家に百人一首があったから、こうしたハデな名前ではあっても、なじみやすかったらしい。で、この傾向がいつしか伝統になり、現在の宝塚でも受け継がれている。

もうひとつ、夢を売る商売である以上、芸名も夢を感じさせるようなものでありたいというプロ根性のせいだとする説もある。

たしかに、宝塚は男役も女性が演じるという、ある種、倒錯した世界で、内容も、どこか浮世離れしたものが多い。そうなると「佐藤和子」のような当たり前の名前ではリアリティーがありすぎるというか、浮世の垢がつきすぎていて、観客に夢を与えることができないというわけだ。

◎子役は何歳まで?

芸能界には、何歳までを「子役」というかという、はっきりした基準はない。普通は、中学生までが子役と考えられ、高校生以上になると、一人前の役者と同じように扱われることが多い。

一方、新劇など舞台の世界では、劇中に親子が出るとき、その子供の役を演じる人は、全員が「子役」と考えられている。同じ「子役」という言葉でも意味が違い、三〇歳であろうと五〇歳であろうと、子供の役を演じる人は、全員「子供の役」という意味で、「子役」と呼ばれるのだ。

◎映画の巨大な看板はどうやって描く?

映画館の前に掲げられている巨大な看板には、上映中の映画の主演俳優などの顔が大きく描かれている。

あの巨大看板は、映画看板を専門に描いている絵描き職人たちによって描かれている。その描き方は、まず看板の一〇分の一から二〇分の一程度の大きさの原図を紙に描きだす。そして、その紙を特殊な映写機で看板の大きさに拡大して、あらかじめ紙を貼っておいた壁に映し出す。その映し出された線を鉛筆でなぞって描いていくのだ。最後は、絵の具でそれに彩色する。

新米の間は、背景など簡単な図柄を担当し、重要な俳優の顔はベテランが担当している。しかし、描いた看板の顔が似ていなければクレームがつき、描き直しということもあるそうだ。

◎なぜ、映画はビデオでみるより、映画館でみたほうがおもしろいのか?

最近は、映画は映画館より自宅でビデオでみるという人がすっかり多くなったが、映画はやっぱり映画館でみたほうがおもしろいのである。

理由は、映画館のほうが画面が大きく、音もいい、というだけではない。映画館には、観客という自分以外の人間がおおぜいいるからである。

なぜ、観客がおおぜいいると映画はおもしろいのか。それは、人間は誰しも「ボディーゾーン」という、いわば個人的な縄張りをもっており、そのボディーゾーンを他人に侵されると、緊張したり興奮したりするからである。

つまり、映画館にはいったとたん、あなたは前後左右の観客にボディーゾーンを侵されることで、無意識のうちに興奮している。そんな状態でみる映画は、ひとりでみるときよりもずっとおもしろく感じられるというわけだ。

◎映画の看板は、なぜ新宿と銀座で違うのか?

映画館の壁面に掲げられた映画の宣伝看板は、一枚一枚すべて手描きされているが、じつはこの看板、新宿歌舞伎町の映画館と銀座の映画館では、同じ映画でも微妙に違うのだという。

理由は、歌舞伎町と銀座では、映画館の壁の色も、照明の当たり具合も違うから。歌舞伎町は灰色の壁が多いが、銀座はシルバーがかった壁が多い。また、銀座の映画館は新宿より日当たりがよいところが多いといった具合に、周囲の風景や色あいが違えば、当然、絵の描き方も違ってくるというわけだ。

さらに、歌舞伎町と銀座では町の雰囲気そのものも大きく違う。歌舞伎町はギラギラしているが、銀座は、オシャレでハイブロウな雰囲気。こうした町の雰囲気にあった看板にするのも、看板絵描きの腕の見せどころという。

映画フィルムは、なぜ三五ミリ幅？

映画フィルムの規格が三五ミリ幅に決まったのは、発明王トーマス・エジソンが、最初に三五ミリ幅のフィルムを使用する映写機をつくったためである。

ではなぜ、エジソンはフィルムを三五ミリ幅に設定したか？　これは、エジソンがフィルムをケチったためだった。

エジソンは、映写機の試作を重ねるために、膨大な量の写真フィルムを必要とした。その当時、米国で売られていた写真フィルムは、イーストマン・コダック社製の幅七〇ミリタイプで、それは非常に高価だった。そこでエジソンは、実験経費を節減するためにフィルムを半分に切って使うことにした。そのため、完成した映写機は、幅三五ミリのフィルム用になったというわけだ。

その後、エジソンは、映画を商業ベース化するため、一八九六年、イーストマン・コダック社に、世界初の映画専用フィルムを大量に発注。その幅はもちろん三五ミリで、この日から映画用フィルムの規格サイズは、三五ミリ幅に定まった。

テレビのGコードって、どうやって決める？

「Gコード」は、新聞のテレビ番組表で、各番組紹介の最後に記されている数字のこと。二桁から最高八桁まであり、面倒なビデオ録画予約を、簡単にしてくれる暗号コードである。ビデオのリモコンに、録画したい番組のGコードを入力すると、放送時間に自動的に録画がスタートする。

「G」という名前は、このコードを開発した米国のジェムスター社の頭文字。では、その数字はどうやって決められているのか？

同社によれば、録画予約するには、月日、チャンネル、録画開始時刻、終了時刻など、一四桁の数字情報が必要だ。これを、応用数学にもとづいて、必要な情報を残して桁数を縮めているという。その数式は、企業秘密だそうだ。

ある程度明かされている法則によると、録画者が多いゴールデン・タイムの番組は小さい桁数、一方録画者が少ない早朝、深夜の番組は、大きい桁数になっている。また、毎時〇分にはじまり、三〇分、一時間ピッタリで終わる番組は、小さい桁数になっている。

◎なぜ、CMのナレーションは早口なのか？

なかには、高級ウイスキーや高級車のように、ゆったりとしたナレーションのCMもあるが、これは例外。CMのナレーションといえば、たいてい早口である。

一五秒から三〇秒という短い時間の中で商品名や特徴などを訴えるためには、早口になるのも当然というところだが、じつは、これにはべつの理由もある。

アメリカのオーデコロンのCMに、テニスプレーヤーが登場し、三〇秒で商品のセールスポイントをしゃべるというものがあった。で、このCMを、まったく内容を変えずに二四秒に縮めたところ、

視聴者の記憶に残る率が三六％も上昇した。二割も時間を縮めれば、当然、早口になるが、そのほうが印象深かったのだ。

なにごともスピードが求められる現代だが、CMのナレーションも、そうした世相と無縁ではなさそうだ。

なぜ、子供はCMが大好きなのか？

それまで遊びに夢中だった子供が、テレビがCMになったとたんにブラウン管に釘付けになる……。ホントに子供はCMが大好きだが、その理由はズバリ、音にある。

番組が一時中断すると、一瞬の間がある。次の瞬間、CMの音が耳に飛び込んでくるが、感覚の鋭敏な子供はこの変化を見逃さない。ましてCMの最初の音は、衝撃音などが使われていたり、音量も大きくなっているから、いよいよ子供はブラウン管に釘付けになる。

こうなると、スポンサーの思うツボ。子供がCMを一生懸命に見ていれば、大人もそう簡単にチャンネルを切り替えられない。

かくして、そのCMは大人にも浸透し、ついつい その商品を買ってしまうというわけだ。

日本初のスポーツ新聞は？

日本のスポーツ新聞の歴史は意外に浅く、第一号の誕生は第二次世界大戦後のことだ。一九四六年三月六日に発刊された「日刊スポーツ」が、その元祖だ。

体裁は、現在の「夕刊フジ」や「日刊ゲンダイ」のようなタブロイド版で、全四ページ。内容は一～三面がスポーツ情報で、四面が芸能欄。値段は一部五〇銭だった。

当時は、「朝日新聞」など一般紙が一部一五銭で、スポーツ新聞は一般紙の三倍以上もした。コーヒーの値段と比べても、当時、銀座の喫茶店では砂糖抜きコーヒーが一杯九銭。つまり、スポーツ新聞を一回買うお金で、喫茶店に五回も通えたのである。

これほどの贅沢品だったにもかかわらず、スポーツ新聞が駅頭に並ぶと、飛ぶように売れ、毎日一万五〇〇〇部が完売状態だったという。

なぜ、女性週刊誌にはSEX記事が多い?

たしかに男性週刊誌にはヌードグラビアがつきものだが、では、女性週刊誌は品行方正かというとそうでもない。「男性ヌード」こそ載っていないが、男性週刊誌顔負けの「SEX記事」が多いからだ。

やっぱり女性もそれなりにエッチなのだが、なぜ女性誌のエッチものは写真ではなく記事が主体となっているのか?

写真と記事（活字）、それぞれに「興奮する」という男女の割合を調べた次のようなデータがある。
＊写真……男二〇%、女一二%
＊記事……男一九%、女二八%
つまり、女は写真のような直接的なものをみるよりも、文章を読んで、イメージをふくらませるほうが興奮するようなのだ。

若い女性に「ハーレクイン・ロマンス」が人気なのも同じ理由だろう。男は具体的なものに、女は抽象的なものに興奮するといえるだろうか。こうなると、女のほうがこと性に関しては、ずっと高級な頭脳をもっているといえるかもしれない。

子供の本の「○歳児向き」にはどんな根拠がある?

児童書には、「この本は三～四歳児向きです」とあったり、「小学生低学年向き」という表示が掲げられている。この「○歳児向き」というのは、どんな根拠で決めているのだろうか。

これには、公的な根拠はなく、出版社が独自の判断で「何歳向き」と決めている。その意味では、「二〇代女性のための生活カタログ誌」などというのと、本質的には同じものだ。

ただ、児童書の場合は、企画段階で、たとえば「小学校二年生のための本」と決め、著者に原稿を依頼、著者もそのつもりで書き、編集段階で二年生が読める漢字しか使わないなどの配慮が加えられる。そのため、だいたいはその年齢にふさわしい内容になっている。

◎なぜ、「女子校生」はよくて「女子高生」はダメなのか？

同じ「ジョシコーセー」なのに、「女子校生」はよくても「女子高生」はイケナイもの。それは、アダルトビデオのタイトルである。

ビデオの中身やタイトルを審査する日本ビデオ倫理協会によれば、「女子校生」は、女子大生や専門学校生も含まれるためOKだが、「女子高生」は「一八歳未満の女子高等学校に通う女子生徒」を意味していることになる。アダルトビデオには、一八歳未満の女性は出演できないことになっているから、問答無用で×というわけである。

同じ女子高生がらみの規制では、ジャケット写真などに、「襟にラインのはいったセーラー服を着た女子校生（女子高生にあらず！）を使ってはならない」というものもある。襟にラインがはいっていなければいいというワケなのだが、どうやら、ラインがなければ女子高の制服とは見なされないらしい。

なぜ、「SEX」はよくても「セックス」はダメなのか?

世の中にはさまざまな倫理規定があるが、電車の中吊り広告も例外ではない。

たとえば、男性週刊誌はもちろん、女性週刊誌でもしばしば掲載される「セックス」に関する記事。しかし、こうした記事を広告に掲載する場合、ある電鉄会社では「SEX」という表記ならいいが、「セックス」はダメだというのだ。

その理由は、「SEX」は英語であるがゆえに、利用者に与えるインパクトが弱いからだという。つまり、日本語で「セックス」と表記するのは露骨だが、英語ならソフトだというわけだ。

広告代理店によれば、これは規制ではなく〝お願い〟だというのだが、「SEX」の文字を使う場合でも、B3ポスターで一文字三センチ以内の大きさにするといった〝目安〟が存在しているらしい……。

月刊誌の新年号は、なぜ一一月に発売される?

商店街ではジングルベルも鳴っていない一一月。書店の雑誌売り場には、金文字を使った新年号の月刊誌がズラリと並ぶ。

まだ師走気分ですらないというのに新年号というのは、あまりにも気が早いという気がするが、日本の出版業界で、こうした〝フライング〟がまかり通るようになったのは、大正時代の婦人雑誌戦争がきっかけである。

当時、日本の出版界では、「主婦の友」「婦人画報」「婦人世界」などのミセス向け雑誌が、激烈な販売競争をくり広げていた。読者は、当時の有閑マダムたち。彼女たちは、おヒマなせいか、婦人雑誌が発売されるのを今や遅しと待っていた。

こうなると、一日でも早く発売したほうが売れる、となるのも無理はなかった。各出版社は、われ先にという感じで発売日を早め、気がつくと、新年号は二か月も早く、店頭に出ていたというわけである。

ただし、現在の出版界には一種の紳士協定があって、週刊誌は発売日の十五日先、月刊誌は四〇日先までの日付しか認められないことになっている。

◎なぜ、女性雑誌の名前は「アンアン」とか「JJ」と繰り返すのか？

「アンアン」「ノンノ」「ジェイジェイ」「キャンキャン」「ビビ」……。

若い女性向けの雑誌には、同じ語をくり返したタイトルのものが多い。雑誌だけでなく、若い女性をターゲットにしたテナントビルにも、上野の「アブアブ」や吉祥寺の「ロンロン」などがある。

専門的には、こうした言葉は二音反復語というが、その理由について、ある言語学者は、女性の知的退行現象がもたらしたものだといっている。

こうした二音反復語は、言語学的には未熟言語とされている。いちばんわかりやすいのが赤ちゃん言葉で、這うのは「ハイハイ」、歩けば「ヨチヨチ」、クルマは「ブーブー」、オシッコは「シイシイ」という具合。

若い女性の精神構造が幼稚だといっては叱られそうだが、もう少し上の年代向けの女性雑誌には、こうした二音反復語のタイトルは存在しない。

◎なぜ、日本では文庫本にもカバーがあるのか？

欧米では「ペーパーバック（紙の背）」といって、安価な本にはカバーのないものが多い。ところが、日本で出版される本は、大型の豪華本はもちろん文庫本に至るまで、ほとんどすべての本にカバーがある。

これは、日本の本が「委託制度」で流通していることと大いに関係がある。

普通の商品は、店が仕入れて売れ残った場合、そのリスクは商店がかぶる。ところが、本の場合は、売れ残ったものを、出版社に返品できることになっている。その代わり、書店は勝手に安く売ることもできない（これを、「再販売価格維持制度」という）。

書店から返品されてきた本は、店や輸送段階で何人もの人がさわったりしているので、

カバーが汚れていたり、折れ曲がっていたりして、そのままでは再出庫できない。しかし、そんな本でも、カバーがついていれば、それを取り替えるだけで、簡単に本の〝お色直し〟ができる、というわけだ。

さらに、もうひとつの隠れた理由がある。最近はあまり本の値段も上がらないが、石油ショックの頃は紙代が急激に値上がるのに連動し、本の値段もどんどん上がっていた。そのとき、定価をカバーにだけ表記しておけば、安い時に作った本でも、カバーを替えるだけで値上げできることに、出版社は気づいたのだ。

奥付に「定価はカバーに表示してあります」とよく記されているが、それ以前は本の奥付に定価を記載していたのを、値上げしやすいように改めました、という意味でもある。

その後、消費税導入、税率変更、といった外的要因による定価の変動にも、カバーにのみ定価を表示する習慣ができていたおかげで、かなり助かった。

◎なぜ、「イヌ本」より「ネコ本」のほうが売れるのか?

イヌとネコといえば、ペットの両雄。当然、イヌに関する本、ネコに関する本は多数、出版されているが、イヌ本とネコ本では、どっちが売れているのかというと、断然、ネコ本である。

その理由として、業界でマコトしやかにいわれているのが、被写体としてみた場合、ネコのほうが本向きだということである。

いつの頃からか、年末になると書店ではイヌやネコのポスターが売られるようになったが、どっちのカレンダーが売れているかというと、これもネコ。で、おもしろいのは、カレンダーの大きさによって両者の売れ行きが大きく違う点である。

大型のカレンダーはネコはイヌの一・五倍程度の売れ行きだが、小型のカレンダーになると、ネコカレンダーはイヌカレンダーの三倍も売れる。

これは、体の小さいネコは、小さなカレンダーでも収まりがいいが、セントバーナードなどの大型犬もいるイヌでは、イマイチ迫力に乏しい。

さらに、室内で飼うネコは、カレンダーとして壁にかかっていても不自然ではない。同じことが写真集にもいえ、よって、ネコ本のほうが売れるというわけだ。

◎「少年ジャンプ」の合言葉は、なぜ「友情・努力・勝利」?

かつては発行部数六四八万部を記録した「少年ジャンプ」(集英社)。その編集方針は、「友情・努力・勝利」である。

なんだかクサい青春ドラマのようだが、この三つのキーワードは、ちゃんとした調査によって導き出されたものだった。

創刊当初、「少年ジャンプ」の編集部では、平均読者層の小学五、六年生を中心にイメージ調査をした。

その結果、読者にとって、いちばん心温まるものは「友情」、いちばん大切なことは「努力」、そして、いちばんうれしいことは「勝利」だということがわかった。

こうして「少年ジャンプ」に登場する漫画の主人公には、この三つのモットーが徹底的に反映されることになった。

先行する「少年マガジン」や「少年サンデー」に有名な漫画家を押さえられ、無名の新人を起用するしかなかった「少年ジャンプ」。しかし、無名の新人をマンツーマンで育てた編集者の「友情」と「努力」によって、最後に「勝利」したのである。

◎「女性自身」というタイトルは、なぜ生まれた?

「女性自身」（光文社）といえば、女性週刊誌の老舗中の老舗。

現在でも、「女性セブン」（小学館）と並んで、発行部数一、二を競っているが、あらためて「女性自身」というタイトルをしげしげとながめてみると、ミョ〜な気分になる人もいるはずである。

このタイトルを発案したのは、創刊当時の編集長・黒崎勇氏。

一九五九年のある朝、トイレの中で新聞を読んでいた彼は、「女性自身のもの——それは個性である」という広告コピーを発見。「これだ!」と閃《ひらめ》いたという。

当時は女性の解放が叫ばれはじめていた頃で、黒崎氏は時代の風潮にぴったりだと判断したわけだが、会議にかけると、猛反対の嵐。しかし、当時の光文社社長・神吉《かんき》晴夫《はるお》氏の鶴の一声で、反対意見を押さえることができた。

しかし、創刊号の売れ行きはさっぱり。そ

れでもタイトルは変更せず、第二号から皇室特集を組むことで徐々に売れ行きは上昇。『女性自身』ではなく『皇室自身』ではないか」という陰口をたたかれながらも、「女性自身」はやがて女性週刊誌売れ行きナンバーワンになったのだった。

なぜ、八重洲ブックセンターには「二宮金次郎の銅像」がある？

「二宮金次郎の銅像」といっても、いまどきの小学生は知らないはず。日本人の勤勉性を象徴する人物で、子供時代、家が貧しかったため、薪を背負って山道を歩きながらでも本を読んだというエラい人である。

昔は、この人の銅像が小学校の校庭に建てられていたが、「苦学」という言葉が死語になった頃から、ほとんど見かけなくなった。

ところが、二宮金次郎はまだ生きていた。知っている人は知っているように、日本で屈指の売り場面積を誇る書店、東京・八重洲ブックセンターの入口で、やっぱり薪を背負いながら本を読んでいるのである。

碑銘にいわく、「金次郎こそ、真の読書人」

八重洲ブックセンターは、大手町というビジネス街を控えているせいもあって、客層は圧倒的にサラリーマンが多い。仕事の合間にビジネス書を読むサラリーマンは、まさに現代の二宮金次郎？

「重版」と「増刷」は、どう違うのか？

本の奥付には、その本が何年何月に発行されたかということが記されている。

では、ある辞書の奥付に「二〇〇〇年九月一二日第三版第四刷発行」とあった場合、「第三版第四刷」とは、どういう意味なのか？「第三版」は「初版」が発行されてから版を二回改めたという意味である。辞書の場合、「版を改める」とは、時代の変化によって、採用する語句を削ったり、増やすなど内容を改訂して、印刷の元になる「版」の内容を変えること。「第四刷」は、その「第三版」を使って四回目に印刷した本、というわけだ。ただし、日本の出版界では「増刷」することを「版を重ねる」という意味で「重版」ともいうから話がややこしくなる。

「版」と「刷」。一見すると、同じような意味に考えてしまうが、本来そこには大きな違いがある。

◎ラジオの聴取率はどうやって調べる?

ラジオの聴取率は、テレビと違って毎日調べられているわけではない。聴取率が調査されるのは、わずかに年四回で、方法はアンケート方式だ。

関東地区の場合は、二六〇〇人をランダムに選び出し、一週間にわたって聞いた番組をメモしてもらう。調査票には、番組表と五分単位の目盛りが書いてあって、聴いた番組の聴いた時間だけ目盛りに合わせて線を引けばいいようになっている。この調査票は毎日回収され、その時に翌日分の調査票が届けられる。これを一週間繰り返して、調査は終了となる。

視聴率専用の機械を使うテレビと比べれば、ずいぶん簡単な調査だが、それでも調査の時期が近づくと、民放のラジオ局各局は、きまって聴取者への大型プレゼントの企画を発表したりする。

◎放送衛星が墜落したら、どうなる?

家々の屋根やマンションのベランダを見ればおわかりのように、NHKの衛星放送を受信している家庭が確実に増えている。

しかし、万が一、放送衛星が故障したり、墜落したりしたらどうなるのか?

過去にも人工衛星の打ち上げに失敗したごとく、わが国のロケット技術はまだまだ心もとないのが実情。いま、地球の軌道を回っている放送衛星だって、いつ故障したり、墜落したりするかわかったものではない……。

この問題については、じつは日本放送協会放送受信規約第一三条に、次のようにちゃんと明記されている。

「衛星系によるテレビジョン放送を、月のうち半分以上行うことができなかったときは、その月の衛星受信料を徴収しない」

逆にいえば、放送できる日が一六日間あれば、しっかり一か月分の料金をいただくということである。新聞だって、取らない日があったときは、日割りで計算して、その分を差し引いてくれるのに、NHKはちょっとケチ?

密封状態の砂時計に砂が入っているのは、ナゼだ?!

使っていても解けない身近な「モノ」の疑問

◎プッシュホンの「＊」の正式な呼び名は?

プッシュホンの記号にも、それぞれ正式の名前がある。まず、「＃」は「シャープ」である。では、「＃」と「0」の列にある「＊」は正式に何と呼ぶか?

日本では「米印」と呼ぶ人が多いが、電信電話に関する研究機関CCITT（国際電信電話諮問委員会）によると、正式名は「スター」となっている。

ちなみに、電話番号の表記に使う「－」「・」「／」は、順に「ハイフン」「中黒」「スラッシュ」と呼ぶ。でも、この呼び方、相手が知らないと通じない。

◎ボールペンを使い切るまで、ボールは何回転する?

ボールペンを最後まで使い切ると、一キロもの長さの線が書けてしまうという。

そんなボールペンの隠れた主役といえば、ペン先でクルクル回っているボールだが、一秒間に一〇センチの線を引くとすると、直径〇・七ミリのボールで四五回転。〇・五ミリのボールだと六〇回転もする。ということは、一キロの線を引いてボールペンを使いきるまでには、〇・五ミリのボールは、なんと六〇万回転もしている計算

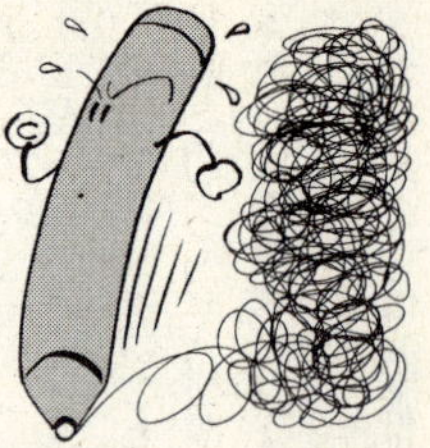

になる。

強い摩擦で六〇万回もの回転に耐えるためには、丈夫な素材でなければダメ。もちろん、サビなども寄せつけてはいけない。

さらに、ボールの表面はすべすべでなければ、書き味が悪くなる。そして、限りなく完璧な球形であることも求められる。

というわけで、現在、ボールペンのボールに使用されているのは、アルミニウムを強く熱してできるアルミナなどの素材。これをわずか直径〇・五ミリ程度の球形につくり上げる技術も凄い。

ボールペンをあなどってはいけない。

◎腕時計の電池交換は、なぜ自分でできない?

電池で動く腕時計は、特殊な道具がない限り、電池を入れるフタが開けられないようなつくりになっている。電池が切れたら、時計屋さんに出向いて電池交換を頼むしかないのである。

電池交換の費用は、電池代だけなら数百円だが、時計屋さんに頼むと、技術料や手数料が上乗せされる。

なぜ、時計メーカーは、ユーザーが自分で電池交換できないような時計を製造しているのか?

時計は精密機械だから、プロじゃないと電池が交換できない、というわけではない。

以前、服部セイコーでは、裏ブタをコインで開けて、自分で電池交換する腕時計を発売

したことがある。しかし、「自分でやると時計を壊しそうでコワイ」「防水性が不安だ」と、時計屋に持ち込むケースが多く、結局、この腕時計は製造中止になってしまった。

たしかに、素人が腕時計のフタを開けると、中にゴミが入ったりしかねないから、プロにまかせるのが無難？

ドアには、なぜ内開きと外開きがある？

ドアには、室内に向かって開く「内開き」のドアと、外側に向けて開く「外開き」があるが、この二つのドアは、どう使い分ければいいのか？

欧米では、内開きのドアには人を招き入れる意味が、外開きドアには雨風や外敵から守る意味があるという。

だから、家庭でパーティーなどを開くことが多い欧米では、内開きのドアが多いのだが、日本では、そうした意味を考えず、なんとなく建て主の気分でどちらかのドアが付けられていることが多い。

ただし、日本のホテルは欧米同様、ほとんどが内開きだ。その理由は、人を招き入れるホスピタリティー精神を大切にしているから。さらに災害時に避難するとき、外開きドアだと、廊下を逃げる人の邪魔になるということもある。

ちなみに、日本のマンションのドアはたいてい外開きだが、こちらは、しごく単純な理由による。つまり、日本のマンションの玄関はきわめて狭いため、内開きドアにすると、靴の置場がなくなってしまうのだ。

「家の鍵」は、ホントに家だけのものか？

マンションや一戸建ての玄関の鍵には、一見すると、どれも同じようなタイプのものが多い。もちろん、微妙に形が違うのだが、これだけ同じようなタイプの鍵が多いと、自分の家とまったく同じ鍵が出回っている可能性もあるのでは？

結論からいうと、その可能性は否定できない。しかし、その可能性は限りなくゼロに近い、ということになる。

なぜなら、いちばん普及しているシリンダー錠の場合、もっとも安い商品でも約三五〇〇万通りの「鍵違い」がつくられているからだ。鍵違いとは、同じ型の製品からできる鍵の形のことで、それが高級品になると約一億五〇〇〇万通りもの鍵違いがつくられているという。

一方、日本の世帯数は約四二〇〇万。すべての世帯が、同じメーカーの同じ値段の鍵を使うことはありえないから、他人と鍵が同じになる可能性は「まず、ない」といってもいいのである。

◎「ジグソーパズル」は、なぜみんな形が違う？

ジグソーパズルには、ピースが千単位のものも珍しくないが、ひとつとして同じ形がないのはなぜか？

たとえば、一〇〇〇ピースのジグソーパズルをつくる場合、一般に型紙に印刷された絵や写真を縦と横の二回に分けて切断する方法がとられる。具体的には最初は横に一九枚の歯でスパッと切断。次は縦に四九枚の歯でスパッと切断すれば、二〇×五〇＝一〇〇〇ピースのジグソーパズルがあっという間に完成する。

では、なぜ、このときのピースの形が微妙に違うかというと、このとき使用する歯型が微妙に違うから。かりに、横に切断する際には同じ歯型のものを使ったとしても、縦に切断するときに違う歯型を使えば、すべてのピースが似て非なる形になる。

かくして、完成したジグソーパズルには、ひとつとして同じ形のピースが存在しないのである。

彫刻の鼻の穴は、どこまで彫ってあるか?

彫刻の歴史で、鼻の穴をもっとも深く彫ったのは、写実性の強かった古代ギリシア、ローマ時代である。

一方、現代の彫刻では、鼻の穴はほとんど彫らないのが主流になっている。じっさいには、ほとんど彫らないで、いかにも鼻の穴のようにみせるのが、彫刻家の腕の見せどころのひとつ。深く彫っても、せいぜい五ミリ程度だ。

鼻の穴を彫るときは、その深さは顔の向きによっても違ってくる。うつむき加減なら、ほとんど彫る必要はないが、上を向いていれば、鼻の穴とわかる程度には、彫る必要がある。かといって、深く大きく彫りすぎると目ざわりになって、全体の芸術性を損なうことになる。鼻の穴の彫り方もまた、作家の感性の表れなのである。

蚊取り線香はどうやって渦巻型にする?

渦巻型の蚊取り線香は、「日本の夏」の風物詩。この蚊取り線香、もともとは本物の線香のように、棒状のものだった。しかし、それではすぐに燃えつきてしまい、一晩じゅうはもたない。そこで、長さを伸ばすため、あの渦巻型が考えだされた。初期には、職人さんが一本ごと、型に巻きつけて渦巻状にしていたという。

今では、まず円盤状のものをつくり、それ

を型抜き機で渦巻状に抜いている。二枚を重ねると、一枚の丸い板になるのは、ご存じのとおり。つまり、この方法で、一度に二枚ずつ蚊取り線香ができるわけだ。

◎干した布団は、なぜ叩いてはいけない？

ひさしぶりに晴れた日の午後、マンションのベランダからは、そこかしこから布団をパンパン叩く音が聞こえてくるが、あれはやめたほうがいい。

布団を叩くと、いくらでもホコリが出てくる。そのため、ついつい強く何度も叩いてしまいがちだが、あれはじつはホコリではない。布団の中にあるちぎれた綿で、強く叩けば叩くほど、綿の繊維が破壊され、無限にちぎれた綿が出てくることになる。布団を取り込むときは、布団の表面を軽くブラッシングするか、軽く払うだけでいいのだ。

ちなみに、布団は長時間干せばいいというものではない。布団干しにもっとも適した時間帯は、だいたい午前一一時から午後二時半くらいまでの三時間半。長時間干すと、布団の側地を傷めたり、染めが日焼けしてしまう。

◎「冷湿布」と「温湿布」は、どう使い分ける？

市販されている湿布薬には「冷湿布」と「温湿布」の二種類がある。どちらの効能書にも、「打ち身、捻挫、肩こり」と記されているが、どう使い分ければいいのか？

整形外科医によれば、打ち身、捻挫、肉離れなどの外傷性の痛みには冷湿布がよいという。外傷性の痛みは、筋肉や靭帯の炎症が原因。炎症を抑えるには、冷やすのがいちばん効果的だからだ。

一方、肩こり、腰痛、筋肉痛などの慢性の痛みには温湿布がベター。慢性の痛みは、いわゆる血行障害が原因であることが多い。だから、温湿布で筋肉を温めて、血液の循環をよくすれば、筋肉がほぐれて、痛みがおさまるというわけだ。

もっとも、肩こりや腰痛がひどくなり、患部を触ってみて腫れたり熱を持っている場合は、筋肉が炎症を起こしている証拠。慢性痛がここまで悪化したら、温湿布は逆効果。まずは冷湿布で冷やして、すぐに医者に相談したほうがいい。

◎なぜ、ティッシュペーパーを水洗トイレで使ってはイケナイ?

水洗トイレでティッシュペーパーを使うのは、ルール違反。ティッシュペーパーは完全に水に溶けず、トイレが詰まりやすいからである。

鼻をかんだり、汚れを拭き取ったりするティッシュペーパーは、水に溶けにくいよう、特殊な薬品が加えてある。

さらに、簡単には破れないよう、縦と横の強度差が三倍以上もある。こうすると、一方向には破れやすくとも、もう一方には、破れにくくなるからだ。

一方のトイレットペーパーは、とにかくすぐ水に溶けるよう、繊維の目が粗い。さらに、繊維の短い再生紙が使われているトイレットペーパーが多いのも、水を吸ったときに、すぐに繊維がばらばらになる、つまり溶けやすくするためである。

一見すると、同じ薄い紙にしか見えないティッシュペーパーとトイレットペーパーだが、製法も目的も大きな違いがある。

◎「猫よけペットボトル」のルーツは?

「猫よけペットボトル」は、一九九四年の夏、日本全国の街角に忽然と姿を現した。ペットボトルを並べると、ボトルが光を乱反射し、犬猫を驚かせる。そして糞尿の害を防げるというのだが、このアイデア、誰が考え出したものだろうか?

有力なのは、一九九三年の四月九日付の産経新聞多摩版が報道した東京多摩の主婦説である。同記事によると、「犬の糞尿に悩んでいた東京都羽村市の主婦石田ユキさん（五九歳）が、九一年に、青梅市に住む親戚に教えられてはじめた」とある。

ところが、「女性セブン」九四年一二月一日号によると、猫よけペットボトルは、「ハワイでは動物よけとして六〇年も前からやっていること」と紹介されている。

もっとも、ハワイの方式は、庭の四隅にボトルを一本ずつ立てるか寝かせるだけ。それが、太平洋を渡る間に〝たくさん置く〟式に進化したようである。

◎「テフロン加工」のフライパンは、なぜ、くっつかない?

日本に「テフロン加工」のフライパンが登場したのは、昭和三二年のこと。今では、日本で生産されるフライパンの八割を占めるまでになっているというが、なぜ、「テフロン加工」のフライパンは、くっつかないのか?

テフロン加工のフライパンの多くは、厚いアルミにテフロン樹脂を吹きつけたものだが、くっつかない秘密は、テフロンという物質の表面張力の低さにある。

テフロンは炭素とフッ素からできており、分子同士の引っ張り合う力が弱い。すなわち、表面張力が弱いのが特徴。

一方、料理に使う素材や水は、表面張力が強い。表面張力の強い水と、表面張力の弱い油が、文字通り〝水と油の関係〟であるように、テフロン樹脂と料理の素材も、お互いがはじきあう。だから、テフロン加工のフライパンはくっつかないのである。

◎「化粧せっけん」と「浴用せっけん」は、どう違う?

ひとくちに「せっけん」といっても、なかなかバラエティーに富んでいる。

まずは「化粧せっけん」と「浴用せっけん」の違い。成分上はほとんど変わらないが、浴用せっけんは、お風呂場ですぐに溶けてしまわないよう、粒子が粗くできている（粒子が粗いと、水が入り込みにくいため）。反対に、化粧せっけんは粒子が細かく、水に溶けやすいかわりに、泡のキメが細かい。さらに、「化粧」用という意味で「浴用」よりもたくさん香料が使われている。

また、「薬用せっけん」は、殺菌剤やニキビ治療に効く消炎剤などが含まれているもの。「洗顔せっけん」は、「化粧せっけん」の仲間のひとつで、肌への刺激を抑えるために、PHを抑えて、中性に近くなっている。

せっけんは用途を知って、正しく使いきってしまいましょう。

◎夫婦茶碗は、なぜ男物のほうが大きい?

フェミニストの中には、夫婦《めおと》茶碗をいけないという人がいる。亭主が大きな茶碗で女房が小さな茶碗というのは、男尊女卑の思想の残滓《ざんし》だというのである。

しかし、これはまったくのいいがかり。夫

婦茶碗は、江戸時代の優れた科学によって生み出された立派な作品なのだ。

江戸時代は、職人文化が急速に発達した時代で、その中で、「決まり寸法」という尺度が誕生した。これは、人体の寸法から、その人にもっとももあった道具の大きさを割り出すというもので、夫婦茶碗もその決まり寸法から生まれた。

具体的にいうと、茶碗の場合、口径は身長の八%がベスト。そこから男女の身長の平均値をとって、男用の茶碗は口径一二センチ、女用の茶碗は一一・四センチとなった。

身長の高い男性は、手も大きいだろうし、胃袋だって大きいはず。ならば、茶碗も大きめにつくったほうが、使い心地がいいのは当然である。

というわけで、この夫婦茶碗、もし女房のほうが亭主より体が大きければ、女房が大きいほうを使えばいい？

◎生理用品のルーツは？

生理用品がはじめて市販されたのは、一八九六年のアメリカ。ジョンソン・アンド・ジョンソン社が売り出した「リスターズ・タオル」がその第一号品だった。記録によると、ガーゼで綿を包み、ふんどしのように吊るして使う使い捨てタイプだった。

ただ、生理用品そのものは、紀元前三〇〇〇年頃から使われていた。約五〇〇〇年前のミイラの膣からも、木の皮の繊維や麻を詰め物にしたタンポンが発見されている。人類最古の生理用品は、どうやらタンポン・タイプだったようだ。

古代ローマ時代になると、ウールや麻の当て布をしたり、やわらかい毛でつくったタンポンが使われていた。当時は、使い捨てではなく、洗って使うのが常識だった。

ちなみに、アメリカで発売された「コーテックス」というナプキンが、爆発的にヒットしたのは、一九二一年のこと。第一次世界大戦に従軍した看護婦たちが、ガーゼの繊維が血液の吸収に適しているのに気づいたところから発案された、画期的な商品だった。

プッシュホンと電卓は、なぜ数字の配列が逆?

同じ0から9までの数字を叩く機械なのに、プッシュホンは上の段から下段にいくほど数字が大きくなる。ところが、電卓はこの逆。はて、これはどうしてか?

この配列は、プッシュホンは国際電信電話諮問委員会（CCITT）、電卓は国際標準化機構（ISO）で決められたものだが、まずはプッシュホンの数字の配列が決まったいきさつである。

アメリカのAT&T（米国電信電話会社）が、プッシュホンの売り出し前に、配列を変えたサンプルをいくつか試作。どれが使いやすいかモニター調査を行った結果、もっとも支持を得たのが現在の配列で、それがそのままCCITTで採用された。

他に、アメリカの電話にはアルファベットがついていて、その配列にしたがって、左上から順に数字を並べていったという説もある。

一方の電卓だが、計算には0、1、2、3を多用する。そのため、これらの数字は手元に置いたほうが便利というわけで、現在の配列になった。

トランプの「スペードのA」は、なぜ大きく描かれている?

トランプのスペードのA（エース）は、他のAより大きく描かれている。

これは、スペードのAはオールマイティーで別格だから、ではない。じつはもっと現実的な理由があった。

一八世紀のはじめ、イギリスではトランプゲームが大流行した。このブームに目をつけた当時のイギリス政府は、トランプの製造業者から〝トランプ税〟を徴収することを思いついた。

税の徴収方法は、スペードのAだけは政府が印刷して、業者に高い値段で売りつけるという方法だった。こうしてスペードのAは、「デューティーエース（税金のA）」と呼ばれることになった。

しかし、いつの時代も税金逃れを画策する輩はいる。政府が、市販品と同じようなデューティーエースを印刷しているうちに、〝偽造エース〟が登場。そこで政府は、偽造防止のため、Aのマークには絶対に真似できない複雑なデザインの地模様を施すことにした。

つまり、スペードのAが他のAより大きく描かれているのは、複雑なデザインを印刷するためだったのである。

◎「正露丸」は、なぜラッパのマーク？

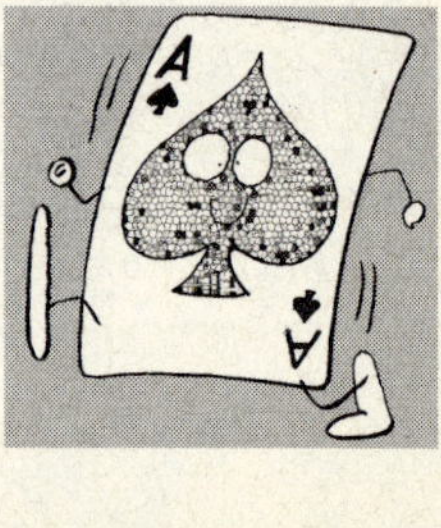

海外旅行に持っていくクスリのナンバーワンといえば、おそらく「正露丸《せいろがん》」である。
その正露丸、ラッパのマークで知られるが、このマークが生まれた裏には次のようないさましいエピソードがあった。
製造元の大幸薬品が「正露丸」を発売したのは、一九〇二（明治三五）年のこと。しかし、その名称は、三年後の一九〇五年、「正露丸」から「征露丸」に変わった。
理由は、この年、日本が日露戦争に勝利したから。すなわち「征露丸」とは、読んで字のごとく「露西亜《ろしあ》」を「征服」した、いわば戦勝記念の胃腸薬というわけである。

こうなれば、軍隊の進軍ラッパをトレードマークに採用したのも当然というべきか。さらにテーマソングに使われているラッパのメロディーは、軍隊の食事ラッパがそのまま採用されることになった。

後年、「征露丸」は、ロシアとの外交関係を考慮して、もとの「正露丸」という名称に戻された。

「カッコウ時計」は、なぜ「ハト時計」になった？

「ハト時計」は英語で「ｃｕｃｋｏｏ ｃｌｏｃｋ」、つまり「カッコウ時計」である。欧米では、時刻を告げるのはカッコウの役目。昔からヨーロッパではカッコウは「春告鳥」と呼ばれており、農民の間では、よい報せをもたらす鳥として親しまれていたことなどが理由である。

というわけで、本来は「カッコウ時計」が正しいのだが、なぜ、日本ではハトになったのか？

「ハト時計」は、明治になってドイツから輸入されたのが最初だが、カッコウがハトに変更された理由には諸説ある。

いわく、はじめてドイツからハト時計を輸入した業者が、木彫りのカッコウを見てハトと勘違いした。いわく、「カッコウ時計」では語呂が悪いので「ハト時計」と勝手に命名したなど。

ともかく、その後日本で製造された「ハト時計」は、ホンモノのハトがモデルになった。

「ドリンク剤」の瓶は、なぜビール瓶と同じ色？

ドリンク剤の値段はさまざまだが、ほとんどすべてのドリンク剤に共通するのは、瓶の色がビール瓶と同じ茶色だということである。

その理由は、ビール瓶の色が茶色であるこ

とほぼ同じである。

第一の理由は、紫外線をシャットアウトするため。紫外線は、ビール同様、ドリンク剤の成分にもさまざまな悪影響を及ぼす。それを防ぐには、あの茶色がいちばんなのである。

次は、検査の都合上、あの茶色がもっとも適しているということ。ドリンク剤の検査は、中身が詰まっている状態とカラの状態の二回行われる。光を下と横からあてて、沈澱物の有無や瓶のヒビ割れなどを検査するわけだが、このとき、瓶の色が濃かったり、不透明だったりすると、うまくいかないのだ。

最後は、ドリンク剤の多くが黄色だということも理由のひとつとか。透明の瓶では、黄色という液体は、なんとなくキモチが悪いし、かといって茶色以外の色では、黄色と重なったとき、どうしてもきれいな色にならない。というわけで、中身の色がわからない茶色に落ち着いたという。

◎日本のクスリ名は、なぜ「ン」で終わるものが多い？

リポビタン、パブロン、グロンサン、アリナミン、キヨーレオピン、サクロン……。

いずれもおなじみのクスリだが、共通点がひとつある。それは、製品名がみな「ン」で終わっているということである。

その理由については、諸説ある。

ひとつは、売れるクスリにはビタミン剤が多いが、その「ビタミン」の「ン」をもらったという説。

もうひとつは、戦前、欧米から輸入されるクスリには「ピリン系」のものが多く、その「ピリン」の「ン」をとったという説。さらに日本語として「ン」で終わると、おさまりがいいという説もある。

ともかく、こうして「ン」で終わるクスリ名が多くなり、多くなれば、当然ヒット商品もたくさん生まれ、さらにはそのヒット商品にあやかろうと、後続のクスリにも「ン」がつくようになった……。

かくして、日本のクスリに「ン」の文字が欠かせなくなったのだった。

「トローチ」には、なぜ、穴があいている?

のど薬といえば、「トローチ」である。この「トローチ」、じつは一般名詞で、「砂糖と薬を混ぜて固めた錠剤」という意味。「口中に含んで徐々に溶かし、口腔粘膜に長時間作用させる」(「日本語大辞典」)のが、その正しい用法とされる。

つまり、途中で絶対に噛んだり、飲み込んだりしてはいけない。いったんトローチを口の中に入れた以上、どんなにイライラしても、最後までなめ尽くさなければならない。「トローチ」の真ん中に穴があいているのも、じつはそのためである。

真ん中に穴があいていれば、ふつうのドロップのように、ツルッと飲み込んでしまうこともなさそうだし、舌の先にひっかけておくこともできる。あの穴には、そんな深い意味があったのである。

ティッシュペーパーは、なぜ、二枚重ね?

ふだんは無意識に使っているティッシュペーパーだが、よく見ると二枚重ねである。

ティッシュペーパーのウリは、ソフトな肌ざわりにある。メーカー各社は、いかに自社のティッシュがソフトかをCMで訴えているが、ティッシュペーパーが二枚重ねなのは、そのソフトさに理由がある。

なぜ、ソフトだと二枚重ねになるのか？

それは、薄いティッシュペーパーは二枚重ねにしないと、機械で断裁するときに破れてしまうから。二枚重ねにすることによって厚みを出し、断裁しても破れないようにしてあるのである。

たしかに一枚では、断裁するときだけでなく、強く洟《はな》をかむときも破けてしまいそうではある。

原稿用紙は、なぜ「二〇字×二〇行」？

新聞社や雑誌社などの特定のレイアウトに基づいてつくられたものを除くと、もっともオーソドックスな原稿用紙は、二〇字×二〇行の四〇〇字詰め原稿用紙。雑誌広告に「一挙五〇〇枚掲載！」とあれば、断るまでもなく、四〇〇字詰め原稿用紙が五〇〇枚という意味である。

そのルーツは、今から三五〇年も前、万福寺の住職だった鉄眼《てつげん》禅師がつくった木版にある。

当時、彼は、中国の明朝から隠元《いんげん》和尚が持ちかえった『大蔵経』の刊行を決意し、二五年の歳月をかけてなんと六万枚の印刷用木版を彫りあげた。このときの木版のレイアウトが二〇字×二〇行で、これが現在の原稿用紙の四〇〇字詰めの根拠になっているというわけだ。

さらに、このとき彼が彫った字体は、現在の明朝体のルーツともいわれている。

なぜ、碁石は黒石のほうが白石より大きい？

将棋の駒は、二組とも同じ大きさである。オセロも、白も黒も同じ大きさである（同じ駒の裏表だから、当たり前）。

ならば、碁石はというと、これが違う。じ

つは、黒石のほうが白石より少しだけ大きいことをご存じだろうか。

これは、上手が白（後番）、下手が黒（先番）ということとは関係がない。目の錯覚によって、白石は黒石よりどうしても大きく見えてしまうため、その分だけ黒石は少し大きくしてあるのだ。

それが証拠に、碁石を入れる器に白、黒それぞれの石を入れると、白石のほうが小さい分だけ容積が少なくなる。

ちなみに、黒石で上等とされるのは、那智の黒石、白石はメキシコハマグリの殻といわれている。

◎選挙ポスター掲示板は、その後どうなる?

選挙ポスターの掲示板は、選挙後はすみやかに撤去するという決まりになっている。

ベニヤ製のあのポスター掲示板は、選挙が行われるたびに、選挙管理委員会が専門業者と契約して、毎回新しくつくっており、その契約には、撤去、解体までが含まれている。じっさいの取り付けや処分は、業者の責任で行われているわけだ。

といっても、各市町村では近年資源のリサイクル運動に力を入れていることもあって、各選挙管理委員会の方針としては、ポスター掲示板もなるべく再利用することになっている。

使い道の限られる枠の部分は、焼却処分されることが多いが、ベニヤ板は建築現場の足場などに使われている。

◎エスカレーターの下から、光が出ているのは何のため?

エスカレーターを乗り降りする場所では、下から緑色の光が出ている。あの光は、事故が起きないよう、乗降客の注意をうながすためのものだ。

エスカレーターの事故の大半は、乗り降りするさいに起きる。足を踏みはずしたり、つまずいてひっくり返るのが、大きな原因だ。そこで、上りエスカレーターの一段目と、下りの最後の段の下から、エメラルド色の光をあてることになった。

エメラルド色が使われるのは、非常口に緑を使っているのと同じで、人の注意をよく引きつけるからだ。

なぜ、電話のコードはあんなにねじれる?

電話のコードは、ねじった覚えなどまったくないのに、ふと気づくと、ひどくねじれているものだ。あれほどにねじれる理由は、人間の電話のかけ方にある。無意識のうちに、人はコードをねじっているのだ。

たとえば、右手で受話器をとると、受話器を九〇度回転させて右耳にあてる。このときすでに、コードはねじれているのだ。

さらに、長電話になって右耳が疲れてくると、一八〇度回転させながら、受話器を左耳に移したりする。通話がすむと、また九〇度回転させて、受話器を置く。

その間に、コードは二〜三回転はしていることになる。というわけで、数回電話をかけるだけで、コードはかなりねじれてしまうのだ。

公衆電話の最初の「ブー」は何の音?

公衆電話を十円玉でかけると、相手が出た瞬間、「ブー」という音が鳴る。あれは、何のための音だろうか?

あのブザー音は「催促音」と呼ばれ、電話をかけている人に「もうお金がありませんよ。

切れますよ」と知らせる音だ。

百円玉やテレフォンカードでかけていても、十円玉に換算して、最後の十円が落ちるときには、あのブー音が鳴る。

とくに、最初から十円玉を一枚しか入れていない場合は、相手が出た瞬間に、その十円玉が落ちるから、いきなり「ブー」という音が鳴るわけだ。

◎美容院で切られた髪のその後は?

人間の髪の毛は、意外なところで利用されている。

まずは、毛芯。紳士服の襟の芯には、他よりも硬い生地がはいっているが、この生地には、羊毛、綿、ポリエステルと一緒に、髪の毛が混ぜられているのだ。

また、髪を電気分解すると、システインという物質が取り出せる。このシステインは、髪を傷めないパーマとして人気の高いシステイン・パーマの原料になる。また、気道改善剤や肝臓薬にも利用されている。

さらに、髪の毛はタンパク質でできているため、分解すると二〇種のアミノ酸になる。このアミノ酸は、うまみの素であり、化学調味料やだしの素、麺類のつゆの素にも使われている。

◎ダスキンマットは回収された後どうなる?

ご承知のように、ダスキンマットは定期レンタルシステム。業務用は二週間に一度、家庭用は四週間に一度、お客さま係が訪問して、新しいものと交換する。

そこで回収された汚れたマットは、工場へ運ばれ、まず洗濯される。ただし、洗濯といっても、再生されるマットの数は膨大だ。コインランドリーの乾燥機のような、内胴を回転させる大型特殊ウォッシャーで叩き洗いをして、汚れを落としている。

その後、よく乾燥させ、袋に詰めて配送センターに送られる。

一枚のマットで、平均三〇回くらいは再利用されている。

◎三味線用の猫皮は、どうやって調達する？

もともと、三味線には、絹糸と和紙を混ぜてつくった絹皮という素材が使われていた。ところが、絹糸の値段が高いため、絹皮の代用として猫の皮が使われるようになった。

猫の皮は、薄くて毛穴が小さいため、ほかの動物に比べると、繊細な音が出る。音色のよさで、猫の皮が選ばれたのである。

その猫の皮は、現在ではほとんどが中国からの輸入品。毛を抜かれ、なめした皮の状態で運ばれてくる。

一方、繊細さでは劣る犬の皮も、稽古用三味線や、津軽三味線に使われている。この犬の皮も、やはり中国から輸入されている。

◎置き薬屋さんが回収した薬はどうなる？

薬を各家庭に置き、使った分だけ精算するという「置き薬商法」は、いまも健在である。専門会社の配置員が、年に二、三度やってきて、使った分を精算し、古くなった薬を回収していく。

そのとき、回収された薬は、工場へ戻され、焼却処分されている。多くの種類の薬を置くと、どうしても使わない薬が出てくる。置き薬の有効期限は二〜三年だから、有効期限が切れる半年前をメドに回収し、メーカー別により分ける。そして、他のメーカーのものは、そのメーカーへ返し、自社製品は工場内で焼却するのだ。

各メーカーでも、戻ってきた薬は、焼却処分する決まりになっている。

◎手術用のメスは、どうやって研ぐ?

現在、一度使った手術用のメスを研ぎ直して再利用している病院は、日本にはおそらくない。

ただし、昭和三〇年ぐらいまでは、手術用のメスは、専門の職人が砥石で研ぎ、何度も使うものだった。昭和四〇年代、刃だけを取り替える替え刃式、あるいは刃と柄が一体になった使い捨てメスが主流となった。

最近は、使い捨て全盛の時代で、これは特殊アルミ箔で完全密封されているので、包装をはがすだけで、すばやく清潔なメスが使用できる。救急医療の現場などでも、非常に使いやすくなっている。

だが、どんどん医療ゴミが増え、医療産業廃棄物は、大きな問題になってきている。

◎T型フォードは、なぜ「教会の敵」と呼ばれた?

後世の歴史家の中には、二〇世紀を「クルマの時代」と名づけるものもいるかもしれない。なにせ、一九〇〇年には世界で八〇〇〇台しかなかったクルマが、現在では日本だけで六〇〇〇万台以上。今世紀最大のヒット商品はクルマといっても、過言ではあるまい。

世界中にこれだけクルマが普及するきっかけとなったのは、フォード社が一九〇八年に発表したT型フォードである。流れ作業による大量生産は、このクルマの価格を引き下げ、製造をやめた一九二七年までに一五〇〇万台も売れた。

T型フォードの出現は、アメリカ人のライフスタイルをも変えた。ホワイトカラーは郊外に住み、クルマでの通勤が可能になった。さらに、休日のドライブが最大の娯楽になった。

それまで相手の家庭を訪ねることでデートをしていた若者たちは、クルマの中で愛を語るようになった。さらに、クルマでのガールハントや遠出のドライブ。かくして、休日に教会に通う若者は激減。T型フォードは「教会の敵」とさえ呼ばれたのだった。

◎ピストルの口径の数字の意味は?

ピストルのサイズは、「二二口径」「四五口径」などと表される。その単位は一〇〇分の一インチで、銃口の直径が〇・二二インチ(五・五八ミリ)のピストルを二二口径と呼び、四五口径とは〇・四五インチ(一一・四三ミリ)の口径をもつことを示している。

なお、銃口内をのぞくと、その内側には突起物が四か所から六か所ついている。この対角線上にある突起物の間の長さが「口径」になる。弾丸は、その突起物の間から飛び出してくるわけで、ピストルの口径と弾丸の直径はほぼ同じになる。

むろん、口径の大きな拳銃から発射される直径の大きな弾丸のほうが、火薬量が多い分、威力が大きくなる。その代表が映画『ダーティ・ハリー』で有名になった四五口径のマグナム45である。

◎なぜ、五線譜は五線になった?

もともと、楽譜に線はなかった。古代ギリシアの楽譜は、文字と記号だけで音の高低や長さを表している。

楽譜に横線が登場するのは一〇世紀頃で、

音の高低を見やすくするため、一、二本の線を引いていた。その後、音階が複雑になると、七、八本も線を引くようになるが、かえって見にくくなった。

そこで、一七世紀、イタリアのオペラ界で、五本線に統一しようということになった。音階はド・レ・ミ・ファ・ソ・ラ・シ・ドの八つだから、四線でも表現できたはずだが、切りがいいということで、五線が採用されたようだ。

それ以降、音楽界全体に五線の楽譜が広がり、ベートーベンもモーツァルトも、五線譜の上に名曲を残している。

◎ウォシュレットのノズルの長さが六・一七センチになったのは?

TOTOのウォシュレットのノズルの長さは、六・一七センチと決まっている。工場に試験場をつくり、社員が実験台となって、研究の結果、割り出された長さだ。

モニター役の社員は、便座に伸ばした針金に、自分のお尻の穴をマーキングして長さを測定。そうして集められたデータをもとに、六・一七センチという数字がはじき出された。これが、噴射されるシャワーがうまく肛門に命中する長さなのである。

また、四三度という噴射角度も、同様の試行錯誤の中から生まれた角度だ。

◎「考える人」は何を考えている?

ロダンの彫刻「考える人」はあまりにも有名な作品。しかし、〝彼〟が何を考えているのかは、意外と知られていない。

じつは、彼は何事かを考えているわけでは

なく、あるものをじっと見つめているのだ。彼が見つめているのは、地獄の悲惨な光景だ。ロダンは、ダンテの長編叙情詩『神曲』から、この作品をイメージした。そして、もともと「考える人」は、大作「地獄の門」の一部になるはずだった。「考える人」は地獄の門の上から、地獄の火の海の中で苦しむ人々の姿を見つめているのである。

◎グリコのマークのモデルは？

ランニングシャツ姿の男が、まさにゴールインしようとしている。そんなグリコのシンボルマークには、モデルとなった陸上選手がいる。

これまで、モデルになった選手は、往年のフィリピンの名ランナー、カタロン選手だといわれてきた。だが、カタロン選手が活躍したのは、大正一二年の極東オリンピックでのことだ。グリコは大正一〇年創業で、そのときにすでにあのマークは決まっていたので、カタロン選手では時期が合わない。

グリコ広報部によると、どうやら「走っている男」のモデルは、一人ではなかったようだ。当時活躍していた何人かの陸上選手の姿を参考にして、制作されたというのが事実のようだ。

なお、同じ走る男のマークでも、男の表情や姿形は何度もモデルチェンジされている。

◎「インターネット」はどうして生まれた？

「インターネット」は、もともとは軍事目的で生まれた。

一九五七年、ソビエトが史上初の人工衛星を打ち上げた。あせったのはアメリカで、当時米政府がもっとも恐れたのは、先制核攻撃によって通信網が一網打尽に破壊されることだった。当時の「中央集権型の通信網」では、中枢部に核を一発食らうと、全通信網の機能がストップしてしまう。

　そこで、政府は米空軍のシンクタンク・ランド研究所のポール・バラン博士に、「核に通信の中枢を破壊されても、通信を確保する手段を考えてほしい」と依頼した。

　六四年、バラン博士は、「ＯＮ　ＤＩＳＴＲＩＢＵＴＥＤ　ＣＯＭＭＵＮＩＣＡＴＩＯＮ」――直訳すれば「分散型通信」という題名の論文を提出した。その内容は、「コンピューターが管理する網の目状の通信ネットワーク網を構築し、発信地から目的地まではリレー形式で伝える。これなら、一か所が破壊されても、別ルートで通信を確保できる」というもの。つまり、現在の「各地のプロバイダーを経由して世界をつなぐ」インターネットの原理は、六四年にバラン博士が発案したものだった。


　ところが、この論文はいったんオクラ入りする。当時はまだコンピューターそのものが研究段階といえる時代。論文を読んだ国防総省通信局の担当者には、コンピューターを利用した通信網など、ＳＦのような話にしか思えなかったのだ。

　それから二年後、国防総省の国立高等研究所ＡＲＰＡのリック・ライダー氏が、埋もれていたバラン博士の論文を発見。マサチューセッツ工科大学のリンカーン研究所に、バラン理論にもとづく通信専用コンピューター開発を依頼した。そして六九年九月、コンピューター二台が完成――その二台をＵＣＬＡとスタンフォード研究所に設置し、六九年末に開通したのがＡＲＰＡネットといわれる、インターネットの前身だ

った。

◎切手のデザインは誰がしている？

切手を発行しているのは、総務省（郵政事業庁）。記念切手を含めた切手のデザインは、省内で行われている。

切手のデザイナーは、郵政事業庁では技芸官と呼ばれ、人数は五人ほどだ。

ただ、この人数では、切手文通室の仕事をすべてこなすことはできない。同室では、切手のデザインだけでなく、記念切手の宣伝ポスター作りなど、さまざまな仕事をまかされているのだ。

そこで、技芸官に加えて十数人の嘱託が手助けをしている。嘱託は技芸官のＯＢやイラストレーター、画家、グラフィックデザイナーなどから構成されている。

◎鉛筆に使われているのは、どんな木？

鉛筆は、インセント・シダーという木からつくる。

これは、アメリカのネバダ山中に育つヒノキの一種で、高さ四〇メートル、直径一・五メートルもの大木になる。この木一本から、六七万五千本の鉛筆をつくることができる。これなら、一億本を消費したとしても、インセント・シダーは一五〇本も必要ない。

日本では、昔はアララギの木からつくっていたが、戦前から、このインセント・シダーを使うようになった。鉛筆に使うには五つの条件をそなえている必要があり、その条件とは「軽い」「曲がらない」「削りやすい」「木目がまっすぐ」「節がない」こと。この、それぞれ相反し矛盾する要素を、すべて兼ねそなえているのが、インセント・シダーというわけだ。

◎鉄線入りのガラスはどうやってつくる?

ビルの窓ガラスには、ガラスの中に鉄線が網状に入っているものがある。これは、もともとは防火対策として考案されたものだ。

ガラスは熱に弱く、火事にあうと、ガラスが溶け、被害が広がることがある。だが、ガラスの中に鉄線が入っていると、溶けても鉄線にくっつくので、溶け落ちるのが遅くなり、延焼を防げるわけだ。

その作り方には二つの方法がある。第一は、熱せられた液状のガラスの中に鉄線を入れ、冷却して板状にするという方法。ただし、この方法では、鉄線がどちらか一方に偏ってしまうマイナス面があった。

そこで考案されたのが、次の方法。二枚のガラスをつくり、その間に鉄線を入れ、はさんで接着するのである。現在では、こちらの製造法が主流となっている。

◎アーチ形の石橋はどうやってつくる?

九州地方には、長崎の眼鏡橋に代表されるアーチ形の石橋が数多くある。一六世紀、多くの中国人が九州に渡り住み、彼らの指導によってつくられたものだ。

九州地方はもともと台風が多く、丈夫な橋が必要だという理由もあった。丈夫だったからこそ、何世紀も経た現在も古い橋が数多く残っている。

だが、あの石橋、弧になった部分はどうして落ちないのだろう。また、どうやってつくるのだろうか?

作り方は、川幅を測ってアーチの大きさを決め、橋の両端を支える石垣を築く。次に、アーチの角度に合わせて木で土台をつくり、その上に石を積み上げて行く。

橋の中心、つまり宙に浮いている状態のところにある石は、特別に「要石《かなめいし》」と呼ばれ、石と石とが支えあう力の均衡の中心となる。

これが何かの拍子に落ちると、橋全体がガラガラと崩れてしまう。アーチ橋が落ちないのは、力学的な均衡が正確に計算されているためである。

なぜ、石垣は地震に強い？

日本の城郭は、天守閣はなくなっていても、石垣だけは残っているものが多い。地震国の日本で、なぜ石垣だけが残ってきたのだろうか？

その昔、城づくりに関わった技術者たちは、屋根瓦を積む経験から、くずれにくい石の積み方を編み出した。単に、石を積み上げると、石にかかる力が直線的に真下だけにかかり、全体の安定が保てない。

そこで、力を石垣の内部に分散させるため、放物線を描くような積み上げ方を考えだした。

江戸時代以前のことであり、むろんコンピューターがあるわけでもなく、算木とソロバンと曲尺《かねじゃく》だけで、適切な放物線を割り出して、地震に強い石垣を積み上げる技術を生み出したのだ。

現在残っている城の石垣が、上にいくほどせまくなるような放物線を描いているのは、そのためである。

砂時計の砂はどうやって入れる？

砂時計の砂は、じつは最初からガラス管の中にはいっている。砂時計の中は真空状態になっているのだが、まず試験管のようなガラスの円筒に砂を入れ、中をポンプで真空にする。そして、真空になったところで、熱を加えて口を閉じ、それから中央をくびれさせて、あの三角錐を二つつないだような形にする。

こういうと、単純な工程だが、じつはつくるのにはかなりの手間がかかる。各社とも、それぞれ砂の選び方や、どうやったら砂がサラサラと流れるかなどに、工夫をこらしている。

◎防弾ガラスの構造は？

防弾ガラスは、板ガラスと、頑丈なビニールともいえるポリビニールブチラールを組み合わせてつくる。板ガラスを何枚か合わせ、その中間膜としてビニールをはさむのである。

防弾効果は、もっとも薄い三一・一ミリのガラスでも、五メートルの距離から三八口径オートマチックを発射し、秒速三八四メートルで弾丸が当たっても貫通することはない。

◎防毒マスクの仕組みは？

防毒マスクは、吸収剤を詰めたフィルターで、空気を濾過《ろか》するという仕組みになっている。

吸収剤の素材は、ガスの種類や濃度によって違い、一般に市販されているマスクでも、「酸性ガス用」「有機ガス用」「アンモニア用」と分かれている。塗装現場や農薬散布、火災現場など、それぞれの用途によって使い分けられている。

だから、毒ガス現場に踏み込むときは、毒ガスの種類がわかっていないと、防毒マスクが役に立たないこともある。現場にただよう毒ガスに対応した防毒マスクをかぶらなければ意味はないのだ。

花火の色はどうやってつける?

夏の夜空に欠かせない、花火。現在、花火で出せる色は一〇色ほどあり、金属物質が燃えるときの色によって表現されている。

赤はストロンチウム、緑はバリウム、紫はカリウム、黄色はナトリウムといった具合で、これらの金属は「変色剤」と呼ばれている。

これらの変色剤は金属粉にされて、火薬に混ぜられる。その混ぜる順番や量で、花火の色が決まる。さらに、それだけでは輝きに乏しいので、「光輝剤」と呼ばれる薬剤が混合される。これには、おもにマグネシウム粉が使われている。

一方、肝心の火薬は、硝酸カリウム、塩素酸カリウム、硫黄、木炭を原料にしたもの。大きな打ち上げ花火では、煙の色も重要なため、亜鉛や硫黄で白くしたり、ケイカン石で黄色い煙にしたりする。

見事な花火には、化学技術の粋が詰め込まれているのだ。

将棋の歩の裏に「と」と書いてあるわけは?

将棋では、王将と金将を除く駒が、敵陣内にはいると、裏返って大きな力が与えられる。飛車と角は、それぞれ「竜」「馬」となって、本来の力に金や銀の力が与えられる。ほかの駒はすべて金の力が与えられる。また、銀や桂馬、香車の駒の裏には、崩し字で「金」と書かれている。

そして、これは、歩も同じこと。本来、歩の駒の裏にも「金」と書かれていた。ところが、ほかの駒と混同しやすいので、「金」の字をどんどん崩し、できあがったのが「と」という文字だった。

歩の裏の「と」の字は、もともとは金の略

字だったのだ。

◎筆の先はどんな方法で細くする?

筆には、太いものから細いものまでいろいろある。用途によって漢字用、かな用、日本画用などに分類でき、その種類は百数十種類におよぶ。そして、毛筆には、じつにさまざまな動物の毛が使われている。ウマ、ヒツジ、シカ、タヌキ、キツネ、イタチ、ネコ、リス、テン、ウサギなどだ。

一般に、芯の部分には、もっとも硬いタヌキの毛が使われ、そのまわりをウマの毛でかこみ、いちばん外側には水含みがよく、見た目もきれいなヒツジの毛が使われている。

筆の先の毛が細く尖っているのは、一度も切ったことのない毛を使っているためだ。動物の毛はもともと先が細くなっているため、とくに削ったりしなくても、束ねると自然に筆先は細く仕上がる。

◎郵便ポストはなぜ赤い?

日本人は、郵便ポストといえば赤いものと思っているが、国によってポストの色は色とりどり。

アメリカ・ロシアは青、フランス・ドイツは黄色、中国は緑といった具合で、赤いのは日本とイギリスくらいだ。

その日本でも、明治のはじめ、郵便制度が導入されたころのポストは真っ黒だった。しかし、街灯も整備されていない時代のことであり、それでは夜になると、どこにあるのかもわからなくなった。

そこで、明治三四年、試験的に赤くしてみ

たところ、好評だったので、明治四一年から全国のポストが赤く塗られることになった。

◎なぜ、観光地の絵はがきには人が写っていない？

名所、旧跡の絵はがきの風景写真には、たいてい人が写っていない。自然のあるがままの風景を損なうため、観光地の風景写真に人影は原則として入れないというのが、観光写真業界の常識だ。

しかし、観光地は当然のことながら、いつも人がいっぱいで、誰もいない状態はめったにない。だから、あの「無人写真」を撮るのには忍耐が必要だ。名所旧跡といえども、何かの拍子にパタッと人波がとだえる瞬間がある。カメラマンはその一瞬を忍耐強く待ち続けるしかなかった。

ところが、最近は、コンピューターで処理して人を消すこともできるようになった。同じ場所にカメラを据えつけて、時間をずらして、何枚も撮る。すると、たとえば、一枚目には画面の右に人がいても、二枚目になると、その人たちは移動して左にいる。そこで、それぞれの人がいない場所をつなぎ合わせるようにして、誰もいない風景を作りだせるようになったのだ。

いずれにしても、手間のかかる仕事なのだ。ところで、これらはあくまで日本の話。中国の観光名所の絵はがきには、たいてい観光客が写っている。さすが、人口一二億人を誇る国だけあって、観光地で人波がとだえる瞬間というのがないのか、はじめから「誰もいない景色」にこだわっていないようだ。

◎薬の錠剤はなぜカラフル？

市販薬には、カラフルな色がついている。病院でもらう薬も同様で、手のひらに並べると、赤、青、黄色など、信号機のようなにぎやかさだ。

派手な色がつけられているのは、似たような形、大きさの薬を誤って飲まないようにするため。そもそも薬は、人間にとって異物であり、服用に際しては慎重を期す必要があるのだ。

もうひとつの理由は、カラフルな色をつけることで、飲みやすくしているという意味もある。前述したように、薬には暖色系の色がつけられたものが多い。黒や灰色の薬では、人間は心理的に飲みづらいのだ。

◎防弾チョッキが弾丸を防ぐ仕組みは？

防弾チョッキの中には、「ケプラー」という特殊な繊維が隙間なく織りこまれている。

このケプラーという繊維には、スチールワイヤーの五倍という強度があり、耐熱性にもすぐれている。だからこそ、弾丸の貫通を防ぎ、同時に着弾時の高熱から体を守ってくれる。

現在、日本国内で市販されている防弾チョッキも、ケプラーを織ったシートが入れてあり、その枚数で、強度が変えられるようになっている。

◎マンションのカギは、住人が替わったとき、どうなっている？

マンションやアパートに引っ越すと、不動産屋から部屋のカギを渡される。

そんなとき、こんな不安が頭をよぎる。「もし、前の住人がカギのコピーを持っていたら……」。前の住人がコピーを持っていれば、空き巣に入ろうと

思えば、簡単に入れてしまう。

しかし、多くの大家や不動産屋は、そういう犯罪がめったに起こらないことを理由に、住人が替わってもカギを替えようとはしない。住人が替わったとき、カギを取り替えるのは、ごく一部の良心的な業者だけだ。

もちろん、新しい住人がカギを替えてほしいといえば、交換はしてくれる。ただし、その費用は、住人もちになることがほとんどだ。

◎船出の五色のテープを考え出したのは?

ドラが打ち鳴らされて、いよいよ船が洋上へとすべり出す。このとき、見送る人と見送られる人を結ぶのは、色とりどりの五色の紙テープである。

船出にあたって五色テープを投げる習慣が生まれたのは、一九一五年のことだった。この年、アメリカのサンフランシスコで万国博が開催され、日本からもいろいろなものが出品された。その中に森野庄吉という人がおり、彼は包装用の紙テープを大量に出品した。

しかし、彼が出品した紙テープはほとんど売れ残った。そこで森野は頭を使って、「テープで別れの握手を」というコピーを考えだし、紙テープを船出用に売り出したのだ。これが当たって、大量の在庫がはけ、おまけに船出の習慣として今もなお受け継がれることになった。

◎JRの切符の数字は、何を意味する?

JRの切符には、二つの数字が印刷されている。ひとつは発行年月日で、もう一方は目的不明の四ケタの数字である。

JRの説明によると、売上げを計算するための通し番号だという。JRの自動発券機は、「0001」から「9999」までの四ケタの数字がナンバーリングされる仕組みになっている。その数字は、乗車区間や値段に関係なく打たれ、「9999」まで一巡すると、また「0001」に戻って印刷されている。

毎日、この番号がどこではじまり、どこで終わったかを調べると、一日の切符の総発行枚数が計算できるわけだ。

◎クルマの給油口は、なぜ車種によって位置が違う?

クルマの給油口は、車種によって右にあるものと左にあるものがあるが、これはマフラーの位置と関係がある。

原則は、給油口はマフラーと反対の位置にある。

マフラーからは排気ガスの熱が放熱されるため、マフラーと同じ側に給油口を設置すると、ガソリンタンクが必要以上に温まってしまう。ガソリンは可燃性が高いから、これでは危険というわけで、ガソリンタンクおよび給油口は、マフラーと反対側につけることになった。

ちなみに、日本車の場合、給油口は左側についているクルマが多いが（ということは、マフラーは右側についているクルマが多いということでもある）、その理由は、はて、右ハンドルと関係がある?

◎ロープウェイのロープはどうやって運ぶ?

山から山にかかったロープウェイ。それを支えている長大な金属ロープは、どのようにして張られるのだろうか。

たとえば、一九六〇年に完成し、世界第二位の長さを誇る箱根ロープウェイは、次のようにロープが張られた。

まず、作業部隊は、一本の細いマニラ麻のロープをもって山へ入った。そのマニラ麻を、滑車にかけながら頂上まで登る。折り返し点の停留所でUターンして戻ってくると、頂上までの往復ルートに一本のマニラ麻が張られたことになる。

次に、このマニラ麻のロープに、少し太めのロープをつなぎ、動力で巻き上げる。さらに、その太めのロープに、本線となる金属ロープをつないで同じことを繰り返し、じっさいにゴンドラを吊るすロープが張られたのである。

◎なぜ、クルマのタイヤは黒い？

クルマのデザインや色には、いろいろなものがあるが、タイヤの色だけは黒と決まっている。

タイヤが黒と決まっているのは、デザイン上の理由ではなく、ゴムを強化するためにカーボンブラックという炭素の粉が混ぜられているためだ。

同じゴム製品でも、ゴムホースなら、それほどの強度は必要ないので、いろいろな色に着色することができる。しかし、車体を支えるタイヤの場合はそうもいかず、相当量のカーボンブラックが混ぜられている。

この黒い色を打ち消せるような強い塗料がないため、すべてのタイヤは黒いのである。

◎オートバイは車輪が二つあるのに、なぜ「単車」？

「単身」「単価」というように、「単」とは「ひとつ」という意味。すると、車輪が二つあるオートバイを「単車」と呼ぶのはおかしくはないか？

そこで、国語辞典をひくと、単車とは、

「(サイドカーに対して)、ひとり乗りのオートバイやスクーターの称」とある。サイドカーとは、モーターサイクルの隣りにつける側車のこと。オートバイが発明された当時は、このサイドカーをつけて走るもので、二つがワンセットで、一台の乗り物だったのだ。

だから、サイドカーをはずして走ることが多くなったとき、人々は、サイドカーのないことを強調するために、わざわざ「単車」と呼んだのである。

ジェット・コースターで、いちばん怖い席は?

ジェット・コースターでいちばん人気のある席は、前にさえぎるものがない最前列だろうが、もっとも「怖い」のはじつはいちばん後ろの席である。

ジェット・コースターの醍醐味は、急降下するときにあることはいうまでもない。

さて、いま、ジェット・コースターがゆっくりと上り斜面を昇っていこうとしているとする。先頭の席が頂上を越え、下りにかかったとき、最後尾の席はまだ上り斜面にいるが、この段階では、まだジェット・コースターはたいしてスピードが出ていない。

ジェット・コースターが一気に加速するのは、最後尾の席が頂上を通過して下り斜面にかかったとき。つまり、最前列が急降下するのは、すでに下り斜面を何メートルか通過したあと。頂上から一気に加速して急降下するのは、最後尾の席なのである。

なぜ、仁丹は銀色をしている?

明治二八年、新発売時の仁丹は、赤い色をしていた。今のように、銀色にコーティングされたのは昭和四年のことだが、じつは、あのコーティングには、本物の銀が使われている。銀を薄く伸ばして、生薬を包んでいるのだ。

銀が使われる理由は、まず銀は無味無臭であり、仁丹の有効成分である生薬のうまみが、そのまま味わえる。

また、銀は非常に安定した物質であり、空気にふれても酸化しにくい。そのため、中の有効成分が守られる。

さらに、銀色は見た目に美しいという理由も大きい。

昭和初期には、銀色の仁丹はずいぶんおしゃれなものだったようで、新聞広告にも「銀粒仁丹」と大きく宣伝されている。

◎クルマのドアロックはしないほうがいい?

以前のクルマには、「車速感知式ドアロック」なる装置がついているものがあった。クルマのスピードが時速二〇キロくらいになると、自動的にドアをロックしてしまうという装置である。

ドアロックをしておけば、走っている最中に、急にドアが開くということもない。安全のためには、いかにもあったほうがよさそうな装置だが、外車にはこうした装置は少ない。国産車でも、最近の新車からは姿を消しつつあるが、これはどうしてか?

結論を先にいうと、ドアはロックしないほうが、万一のときには安全だからである。大きな事故を起こすと、たいがいの場合、中にいるドライバーは意識を失っている。当然、自分ではクルマの外には出られない。こんなときに、ドアがロックしてあると、救助隊がきても、まずそのロックを解除することから始めなければならない。

結果的に、ドライバーの救助に手間取り、そのせいで助かる人も助からない、といったことがありうる。

クルマが進化したいま、走行中にドアが自然に開くということは、まずありえない。アメリカでは、ドアロックは強盗から身を守るためにするといわれているが、治安のいい日本では、そんな心配はまずないし、それは停車中に気をつければいいことで、走行中はロックは不要だ。

万が一のためにも、走行中はドアロックはしないほうがいい——これはいま、クルマの新しい常識になりつつある。

紅茶用のティーカップは、なぜ薄い？

一般に紅茶は薄いティーカップで、コーヒーは厚いマグカップで飲むことが多い。

これは、紅茶はもともと透明度の高い飲み物であるため、光を通す薄い磁器のカップに入れると、より美しく、澄んだ色に見えるからだ。

一方、コーヒーは、もともとが濃い褐色の液体なので、中途半端に薄いとかえってまずそうに見える。だからコーヒーは光を完全に遮断する厚手のカップに入れたほうがおいしく見える。

飲み物によって容器が違うのは、私たちが飲み物を舌だけでなく、目でも味わっている証拠である。

サンタクロースの服は、なぜ赤い？

白いヒゲに白い髪、赤い帽子をかぶって、ボア付きの真っ赤なコートを着たおじさんといえば、誰もがサンタクロースを思い浮かべるはず。

サンタクロースのスタイルは、世界的にもこう統一されているが、じつは一九三〇年頃までは各国でバラバラだった。青い服を着たサンタもいれば、ヒゲのないサンタもいたし、体格にしても、今のような恰幅のいいおじさんではなく、身長数十センチから三メートルまで、いろんなサンタがいた。

これが現在のようなスタイルになったのは、一九三一年。クリスマスシーズンのコカ・コーラの宣伝にサンタが登場してからである。コカ・コーラ社から依頼を受けたサンドブロムというアート・ディレクターが、コカ・コーラのイメージカラーである赤い服を着たサンタのイラストを描いたところ、大変な人気を呼んだのがきっかけといわれている。

◎なぜ、女性用のシャツは「左前」なのか?

着物のうちあわせは、男も女も「右前」。しかし、シャツのうちあわせは、男性が「右前」、女性が「左前」なのは、どうしてか?

男女を問わず、世の大半の人は右利きで、右利きの人は右前のほうがボタンを通しやすいもの。にもかかわらず、なぜ、女性のシャツは左前なのか。

その昔、ヨーロッパでは「ボタン付きシャツ」のように、洋服屋が手間ひまかけて縫う衣服を着られる女性は、上流階級のご婦人だけに限られていた。そういう女性たちは自分で衣服を着ることはせずに、召使たちに着せてもらった。そのため、女性のシャツのうちあわせは、召使がボタンをかけるのに便利なように「左前」につくられたのである。

現代では召使にシャツを着せてもらっている女性などいないはず。いまどき、女性用シャツの左前が意味を持つのは、「彼氏に脱がせてもらうとき」だけかも。

◎画家は、なぜ「ベレー帽」が好き?

「ベレー帽」とは、「つばなし帽」の意味で、そもそもはギリシア時代、宝石をちりばめてかぶる非常にオシャレで豪華な帽子として誕生した。その後、この「つばなし帽」は少しずつ形を変えながら、スペインのバスク地方の農民の帽子として定着。これが、現在のベレー帽の原型とされている。

このベレー帽を画家たちがかぶりだしたのは、一六世紀頃だが、なぜ、画家たちはベレー帽を愛用するようになったのか？

ひとつは、その利便性である。絵を描くとき、ベレー帽をかぶれば、髪を包み込んでおくことができるし、つばがないから、風景画を描くときも視界をさまたげない。

もうひとつは、そのファッション性。大きさやかぶり方で、さまざまな自己表現ができるベレー帽は、画家たちの美意識を満足させてくれる帽子だったのだ。

◎アメリカ女性は、なぜ「ネグリジェ」が好きか？

アメリカの映画やテレビドラマでは、女性がベッドに入るときはもちろんのこと、昼間もネグリジェを着て過ごすというシーンがしばしばある。

ネグリジェの上にガウンを羽織り、お茶を飲みつつテレビの昼メロに熱中したり、突然の訪問者には、ネグリジェ姿のまま応対したり……。

なぜ、アメリカ女性はネグリジェ姿が好きなのか？

それは、ネグリジェを着ていれば人にモノを頼まれないですむからなのだ。

ネグリジェの語源は、ラテン語の「ｎｅｇｌｅｇｅｒｅ」である。これは「整頓をしない」「家事をしない」という意味で、ネグリジェ姿の女性は「私は

いま、家事をしたくない」ということを相手に言外に伝えているというわけだ。

なぜ、女性の腰巻きは赤いのか?

腰巻きとは、着物姿の女性が腰の回りに巻いている布地のこと。つまり、日本特有の女性下着である。

この腰巻き、昔から赤いものが多いが、これには、二つの説がある。

ひとつは、腰巻きが常用された江戸時代は、庶民は貧しく、替えの下着もあまり持っていなかったからというもの。つまり、生理などで腰巻きが汚れても、赤い腰巻きならカムフラージュできるというわけである。

もうひとつは、赤い色でもって男の欲情を刺激しようという説。なるほど着物の裾から赤い腰巻きがチラリと見えるというのは、なんとも色っぽいもの。最初は、娼婦が赤い腰巻きを使い、それが一般の女性にも浸透していったといわれている。

女性は、なぜスカートをはくのか?

男女の洋服でもっとも違う点といえば、男はズボン、女はスカートということだろう。なぜ、女はスカートをはき、男ははかないのか?

この素朴な疑問については、次のような答えもある。

民俗学者の故金関丈夫《かなせきたけお》氏によると、女性がスカートをはくようになったのは、小さいうちに亡くなった子供の魂が、母親の胎内にいつでも帰ってこられるようにしておくためだという。

そのひとつの傍証として、大昔の竪穴式住居では、入口に幼児の死体を埋葬した跡があるという。これは、入口に幼児を埋葬すれば、幼児の魂が母親の胎内に帰ってくると考えたから。つまり、玄関に埋葬すれば母親がその上をまたぐ機会が多い、というわけである。

　これがホントなら、スカートには、なんとも深い意味がこめられていたことになるが、そのスカートもあまり丈が短くなると、子供の魂ではなく、男の視線ばかりが呼び寄せられる？

◎女性は、なぜ「ハイヒール」を履く？

　どう見ても歩きにくい。外反母趾の原因にもなる。踏まれると、ときに踏まれたほうの足の骨が折れることもある……。

　にもかかわらず、なぜ、女たちはハイヒールを履くのか？

　現在のようなハイヒールが誕生したのは、一六世紀の末だが、誕生の由来、あるいは、女たちが愛用するようになった理由については、次のような諸説がある。
　①当時、流行しはじめていた乗馬用の靴に、拍車（馬の腹を蹴るための金具）をつけやすくするようヒールの部分が高くなった。
　②靴底の革が傷まないようにするため。
　③当時の道には、汚物や水たまりが多く、それをよけるため。
　④フランス国王ルイ十六世が、女官たちの夜遊びに立腹。わざと歩きにくいハイヒールを考案して、女官に履かせた。
　⑤ハイヒールを履くと、自動的にお尻が上を向く。これが女性にとっては、男に対するセックスアピールになり、女は男を虜にしようとこの靴を履くようになった（動物学者デズモンド・モリスの説）。

◎男は、なぜネクタイをするのか？

　男は、なぜネクタイをするのか？

考えてみれば、あんな布切れを首に巻いても、暖かいわけじゃなし、誰かに引っ張られたら命だって危ない。この素朴な疑問は学者たちの興味を大いに引くらしく、これまでに次のような仮説が生まれている。

①北方学説　背広が流行したはいいが、胸元から、当時は下着の一種とされていたシャツが丸見えになる。それを隠すために生まれた。

②南洋学説　その昔、男たちはペニスを目立たせるために、首から長いヒモをかけてペニスを吊るし上げていた。そのヒモの名残りとしてネクタイが誕生した。

③西洋学説　動物はたいていメスよりオスがオシャレだが、人間の男はライオンのようなたてがみをもっていない。そこで、ネクタイをすることで精一杯オシャレしようとした。

④東洋学説　長いものは、すべて男の象徴。剣も銃もそういう男の象徴だったが、平和になってからは、剣や銃のかわりにネクタイを着用するようになった。

◎男性用シャツのボタン穴は、なぜ縦あき？

ふだん何気なく着ているワイシャツ。そのワイシャツのボタン穴は、たいてい縦にあいている。女性のブラウスのボタン穴は縦、横いろいろあるが、なぜ男物のシャツのボタン穴は、ほとんどが縦あきなのか？

全日本洋服協同組合連合会によれば、その理由は二つ考えられるという。

ひとつは、男物のシャツは生地の目が縦のため、ボタン穴も縦に切ったほうが丈夫で、きれいにカットできるということ。

もうひとつは、男物のシャツには縦縞の柄が多いため、縦にカットしたほうが目立たず、見た目もいいという理由である。

ただし、男物のシャツのボタン穴にもひと

つだけ例外があって、それはいちばん上のボタン穴。たいてい横にあいているはずだが、これは横にあいているとその分だけボタンが横にスライドする。つまり、首をきつく締めないようにできている。

長年にわたって使われてきた衣服には、かくのごとく先人たちの知恵が詰まっている。

◎なぜ「ボタンダウンシャツ」の襟にはボタンがついている?

男の「不滅のファッション」といえば、アイビー。シャツはもちろんボタンダウンだが、なぜ、ボタンダウンのシャツには襟の先にボタンがついているのか?

一九〇〇年、ニューヨークの紳士服店、ブルックス・ブラザーズ社の当主、ジョン・ブルックスが、イギリスでポロ競技を観戦していたときのことだ。ポロ競技とは、馬にまたがった選手がゲートボールの棒のようなモノでボールを打ち、得点を競うゲーム。イギリスではきわめてハイソなスポーツとされており、服装も襟のあるシャツとされていたが、そのポロ競技を見ていたジョンは、選手がボールを打つたびに、シャツの襟が頬に当たってしまうことに気がついた。

これでは、プレーにも支障をきたす、というわけでジョンが考えたのが、襟をボタンで留めるという方法。

かくして、ブルックス・ブラザーズ社は、この新しいシャツを「ポロ・カラー・シャツ」と名付け、やがて「ボタンダウン」として、新しモノ好きのニューヨーカーたちに定着したというわけである。

◎ハンカチが正方形になったのは?

昔、ハンカチはいろいろな形をしていた。それが正方形に統一されたのは、マリー・アントワネットがそう決めたからである。

ハプスブルグ家の王女として生まれ、フランス・ルイ十六世の妻となった彼女は、政治や経済にはまったく関心がなく、最大の関心事はオシャレ。

この性格がフランス革命の遠因のひとつともいわれる。

とにかくオシャレにうるさく、贅沢であり、かつ抜群の美的センスをもっていた。フランス革命前夜のフランス上流階級の流行は、すべて彼女がつくったものといえる。

当時のフランスでは、ハンカチの形は千差万別だったが、彼女は突然「ハンカチはすべて正方形にしなさい」と命じ、国王の名で法令まで布告してしまうのだ。

フランス革命によって、アントワネットはギロチンにかけられたが、彼女のオシャレ感覚はこうして今に伝わっている。

◎婦人服のサイズは、なぜ、奇数なのか？

男物の洋服のサイズは、たいていS・M・L・LLの四つに分類されるが、婦人服のサイズは、5、7、9、11、13……と、奇数で表示されることが多い。

これは、今から三〇年ほど前、洋服の小売専門店の人々がアメリカに視察旅行にいった際、当地のサイズ表示をそのまま日本に持ち帰ったのが始まりとされる。

偶数がないのは、それがアメリカ式だったからだが、じつはアメリカ式が導入されてから数年後に、偶数サイズの婦人服が開発されたことがある。理由は、奇数サイズの服だけでは、日本人の体型にあわなかったからだ。

しかし、そのときのやり方がまずかった。女性の体型をスリム型（ミス型）とふっくら型（ミセス型）に分け、ふっくら型を偶数で表示したからだ。

いったいどこの女性が、デパートやブティックの販売員の前で「自分がふっくらだ」と認めようか。かくして、偶数番号の服は淘汰され、奇数だけが生き残ったのである。

◎なぜ、桐タンスは火にも水にも強い?

桐のタンスは、ほかの素材に比べて、火にも水にも強い。火事でタンスが火の海にのみこまれても、表面は黒こげになるものの、中の着物に害はない。

これは、桐の内部には、細かい気泡状の空洞がたくさんあるためで、熱伝導が非常に悪くなり、中まで炎の熱をとおさないのだ。また、水をかぶっても、表面が水を吸い取って膨張するため、中には水がしみこまない。だから、少々、消火用の水を浴びても中身は安心だ。

そこで、火事の多かった江戸時代には、桐のタンスに着物を入れて嫁ぐのが、裕福な家庭の習わしになった。

◎「グッチ」のバッグが布製なのは?

グッチは、一九〇六年、イタリアのフィレンツェで創業された。当時は、かばんではなく、馬具のメーカーだった。

ところが、やがて自動車時代が到来して、馬は実用的な乗り物ではなくなり、馬具があまり売れなくなった。そこで、第一次世界大戦後、かばんを含め、皮革製品全般を扱う店に転身し、これが当たった。

だが、第二次世界大戦がはじまると、ハンドバッグや靴にするための皮革が手に入らなくなった。そこで、苦肉の策として、キャンバス地のバッグをつくったところ、これが大ヒット。以後、グッチのバッグのシンボル的なデザインとなった。

ちなみに、グッチのトレードマークのＧＧは、創業者グチオ・グッチの頭文字だ。

◎「アディダス」のマークは、なぜ三本線？

ドイツ生まれのスポーツ用品のブランドといえば「アディダス」。そのトレードマークは「三本線」だが、なぜ、三本線なのか？

アディダス社が設立されたのは、一九四七年のこと。創立者はアドルフ・ダスラーで、彼は家業の靴作りを継承するかたちでアディダス社を興し、この年から、スポーツシューズの開発に没頭するようになった。

少年の頃からスポーツ好きだったアドルフには、当時の皮製のスポーツシューズが、使っているうちにしだいに革が伸びてしまうのが不満だった。

そこで考えたのが、革が伸びないよう靴の側面を三本のバンドで補強するというアイデア。つまり、「勝利の三本線」は、もっぱら実用的な目的のために誕生したのである。

実用に徹したモノは、往々にしてデザイン的にも優れているといわれるが、アディダスの三本線はまさにその典型といっていい。

◎「レイバン」のサングラスは、なぜ逆三角形？

男のサングラスの定番といえば、「レイバン」。レイバンを一躍、有名にしたのは、連合軍最高司令官マッカーサーだが、あの「ティアドロップ型」と呼ばれる逆三角形型のレンズは、やはりというべきか戦争と深い関係がある。

レイバンを開発したのは、メガネや顕微鏡などの製造で知られるアメリカのボシュロム・オプティカル社。一九二三年、アメリカ航空隊のジョン・マクレディ中尉から、パイロット用のサングラスの開発を依頼されたボシュロム社は、六年の歳月を費やしてこのサングラスをつくった。

開発のポイントは、飛行中のパイロットが視野を確保できること。つまり、あのティアドロップ型のレンズは、そのために生まれたデザインだったのだ。

一九三〇年、アメリカ航空隊に正式採用されたこのサングラスは、日本を空襲したB-29のパイロットだけでなく、マッカーサーにも愛用された。

有名ブランドには、なぜ「馬蹄形のデザイン」が多い？

グッチ、エルメス、セリーヌ、アイグナーといえば、いずれもヨーロッパの一流ブランドだが、これらのブランドには共通点がある。それは「馬蹄形」を自社のシンボルマークにしたり、財布やスカーフなどのデザインに使用しているということである。

これは、ヨーロッパには古くから「馬蹄形は、悪魔を退ける」という伝説があるからだ。

ヨーロッパには、こんな伝説がある。九五九年に、元蹄鉄工のダンカンという人物が、カンタベリー大司教になった。そのダンカンの元に、あるとき、人間に化けた悪魔が訪れて「足に蹄をつけてくれ」と頼んで彼を試そうとした。ダンカンはそれが悪魔だとすぐに見破り、彼を壁に張りつけると、わざと痛いやり方で蹄を打ちつけた。そして、泣き叫ぶ悪魔に「ドアに馬蹄をつけた家には、今後いっさい近寄らない」と誓わせてから、彼を解き放してやったという。

こうしてヨーロッパでは馬蹄をドアのノッカーに使う習慣が生まれ、やがて「魔除け」としても使われるようになったというわけだ。

◎「ラコステ」のマークは、なぜ、ワニなのか？

ポロ、傘、ペンギンなど、ポロシャツの左の胸には、さまざまなブランドマークが刺繡されているが、これを世界で最初にやったのが、フランスのラコステ社。ラコステ社のそれは、もちろんワニである。

では、なぜ、ラコステ社はワニのマークを胸に刺繡するなんてことを思いついたのか？

ラコステ社を創立したのは、ルネ・ラコステ。一九二〇年代に、全仏のタイトルを三回も獲得した、フランスの名テニスプレーヤーだった彼は、引退後の一九三三年、ラコステ社を設立。テニスウェアの製造・販売に乗り出すことになった。

彼の現役時代のニックネームは、粘り強さを象徴する「クロコダイル（ワニ）」。そこで、ラコステは、胸にクロコダイルのマークをつけることを考えたのである。

こうして、世界ではじめてブランドマークのついたテニスウェアが誕生。またたくまに世界的なブランドに成長。若者だけでなく、中年オジさんのカジュアルウェアの定番としての地位も獲得していった。

＊◆習慣・しきたりのナゼだ?!◆＊

日本人がヘソの緒を大事にするのは、ナゼだ?!

常識に物申す「習慣・しきたり」をめぐる疑問の数々

◎「いってらっしゃい」と手を振るのはなぜ?

神社に参拝するとき、柏手を打ったり、鈴を鳴らすのは、空気を振動させることによって、神様の力を鼓舞しようという意味がある。これらは、いずれも古来から伝わる「魂振《たまふ》り」という儀式のバリエーションといえる。魂振りは、神の魂を奮い立たせ、神を呼び寄せるための儀式である。

やがて、この魂振りは、人に対しても行われるようになり、『万葉集』には恋人に向けて袖を振る歌が数多く残されている。恋する相手の魂を引き寄せるまじないが、袖を振ることだったのだ。

日本人が「いってらっしゃい」と手を振るのも、もともとは単なる合図ではなく、魂振りの意味合いがあった。昔の人は出かける人に対して、手や袖を振ることで神霊を招き寄せ、その神霊の加護によって安全に旅ができるようにと祈ったのだ。それが今に残っている「いってらっしゃい」のルーツだ。

◎なぜ、日本人はヘソの緒を保存する？

欧米や中近東の国に、自分のヘソの緒を保存するような風習はない。日本人以外でヘソの緒を保存するのは、東南アジアの国ぐらいで、フィリピンではアルコール漬けにしてお守りにし、ラオスやインドネシアでは土中に埋めて子供の成長を祈る。

もともと、ヘソの緒を保存するのには、母親と子供の絆を大切にするという意味がある。日本では、ヘソの緒が母親と子供の命をつないでいるところから、ヘソの緒には神秘的な特別な力があると信じられ、子供のお守りや成長を祈るため、保存されるようになった。『日本書紀』には、すでにヘソの緒が保存されていたという記述が出てくる。

◎なぜ、人の前を通るとき、手刀を切る？

日本人は、人の前を横切るとき、手刀を切るようなしぐさをする。手刀を切るのは、日本特有のしぐさで、中国や韓国にもない。

これは、相手に不安や緊張を与えないための動作といえる。手刀を切る意味は、相手に手のひらを見せることで、武器をもっていないことを示しているのだ。

また、手刀を切ることで、自分の通る道を示すという意味もある。それによって、相手の領域と自分の領域に一線を画し、そこから先の、あなたの領域には入らないことを表現することになる。

そのとき、いくぶん腰をかがめて通るのも、控えめでつつましいのが美徳とされてきた日本人独特の所作である。

◎なぜ、鳥居のマークが立ち小便お断りになる?

昔、京都の町には「大原女《おはらめ》」という行商人の女性がきていた。大原や八瀬など京都近郊に住む女性たちで、頭の上に野菜や花などをのせ、町中を売り歩いていた。

この女性たちの最大の悩みが、生理現象。在から出てくるわけで、町中には知り合いの家もない。昔のことで公衆便所もなく、大原女たちはもっぱら立ち小便で危機をしのいでいた。

彼女たちは、膝までしかない木綿がすりを着て、下着はつけていなかった。立ったまま処理するのは、そう難しいことではなかったのだ。

しかし、あちこちで立ち小便されるのは、京都の町人にとっては迷惑な話。そこで、塀のある家では「立ち小便お断り」の意味で、塀に⛩のマークを書くようになった。むろん、⛩は神社の鳥居の意味で、立ち小便を控えろというメッセージがこめられていた。

◎なぜ、女子大生は卒業式に袴をはく?

卒業式のシーズンになると、街中では卒業式に出席する袴姿の女子大生をたくさん見かける。

袴はもともと男子の服装。それを女子学生も着るようになったのは、文明開化の頃で、当時はかなりのツッパリスタイルだった。で、当時のマスコミは、女子の袴姿を「公序良俗に反する軽薄きわまりない服装」と批判したのである。

そんな女子学生の袴姿が世に正装として認

められたのは、明治三一年。この年、下田《しもだ》歌《うた》子《こ》が実践女学校（現在の実践女子大）を創立。袴姿を制服として採用したのだ。

そしてこれをきっかけに、他の女学校でも袴を制服、もしくは式服扱いするようになり、こうして、登場から三〇年近くも日陰の存在に甘んじていた袴姿は、一転、女子学生のシンボルとなった。

いまどきの女子大生はたぶんご存じないだろうが、女子学生の袴姿には、明治女の誇りが込められているのである。

なぜ、「母の日」にはカーネーションを贈る？

五月の第二日曜日の「母の日」は、アメリカからはいってきた習慣である。

アメリカの少女が、亡くなった母親の命日にパーティーを開き、母を偲《しの》んだ。そのときに、霊前に白いカーネーションの花を供えたのが、そもそもの始まりだった。

このとき、カーネーションの花が選ばれたのは、花言葉が「母の愛」だから。聖母マリアがゴルゴタの丘に向かうイエスを見て流した涙が、カーネーションの花になったという伝説がある。

日本には、大正時代、キリスト教団体によって伝えられたが、広く知られるようになったのは戦後のことだ。

ただし、アメリカではカーネーションの花を子供が胸につける。一方、日本ではお母さんにプレゼントすることになった。これは、日本の花屋さんの販売戦略で、胸につけるのでは一本しか売れないが、母親へのプレゼントなら花束として売れるからだ。

なぜ、料亭の玄関には「盛り塩」をする？

料亭などの店先には、盛り塩といって、塩

がピラミッドのように盛られていることが多い。

塩はいかにも清めのイメージ。魔除けかなにかのおまじないだと思っている人も多いはずだが、この盛り塩、じつは古代中国の女たちが、皇帝の気をひくためのちょっとした仕掛けだった。

当時の中国の皇帝は、何人もの側室をかかえ、順番に夜のお相手をさせるという優雅な日々を送っていた。しかし、それぞれの屋敷で皇帝がやって来るのを待つ側室たちにとっては、つらい日々。彼女たちは誰しも、皇帝の寵愛を独占しようとしていた。

そんな側室のひとりが、あるとき、玄関に塩を盛ることを思いついた。というのも、皇帝はいつも牛車に乗って側室の屋敷に出向く。塩は牛の大好物。皇帝の牛車の牛が、その塩につられて自分の屋敷の前で立ち止まれば、他の側室の屋敷に出かけようとした皇帝も、やむなく自分の家に来てくれると考えたのである。

この計画は、見事、成功。この故事がもとになって、盛り塩は客を呼ぶためのおまじないになった。

◎二月一四日とチョコレートの関係は?

もともと、二月一四日のバレンタイン・デーと、チョコレートには、何の関係もない。日本のチョコレート業界の宣伝で、日本だけ、女性が男性にチョコレートをプレゼントするという習慣が定着した。

「女性が男性に愛を告白してもいい日」というのも日本的な発想で、欧米では男性が女性に愛を告白してもかまわない。

バレンタイン・デーは、三世紀の古代ローマ帝国に実在した司祭の名にちなんでいる。当時のローマ帝国では、兵士の結婚が禁じられていたが、聖バレンタインはその命令にそむき、愛する女性のいる兵士をどんどん結婚させた。これが、ローマ皇帝の怒りにふれ、聖バレンタインが処刑されたのが、二七〇年（二六九年説もある）の二月一四日のこと。この殉職にちなむ祭日が、聖バレンタイン・デーなのである。

最近、アジア各国を中心に、日系デパートが、プレゼント用のチョコレートを販売。チョコレートを贈る日本の習慣が輸出されはじめている。

なぜ「お子様ランチ」には旗がついているのか？

お子様ランチといえば、ケチャップライスの上に旗が立っているのが定番。

このアイデアを最初に考えついたのは、東京日本橋は三越百貨店の食堂の主任コック、安藤太郎氏だといわれている。

当時の三越には、お子様弁当、お子様お寿司、お子様洋食などの子供用メニューがあったが、お子様洋食だけが、見た目に地味であまり人気がなかった。

そこで安藤シェフは、ご飯を山型に盛り、日の丸を立てることを思いついた。登山家が山の頂上に立ったときに、国旗をあげることをヒントにしたという。

これが子供にウケて、お子様ランチは大ヒットした。

なかには、この旗を家に持ちかえって茶碗のご飯に刺し、親から縁起が悪いと叱られた子供もいた。

お子様ランチは何歳まで注文できる？

「お子様ランチ」には、店によって年齢制限が設けられていることがある。

某ファミリーレストランでは、八歳以下の子供。お子様ランチを注文できるのは、自己申告制だから、一〇歳くらいまでなら、なんとかなるだろう。

同店で年齢制限を設けているのは、お子様ランチはあくまでサービス・メニューであり、原価率が高いからだという。子供向けのサービス品を大人に注文されると、利益がなくなるというわけだ。

また、年齢制限するのは、イメージの問題もあるという。たしかに、いい大人がお子様ランチを食べていては、子供の夢を壊すことになりかねない。また、他の客にしても、そういう客のいるレストランは、いささか不気味なことは事実である。

◎なぜ、一日の食事は三回なのか？

一日の食事は朝・昼・晩の三食と相場が決まっているが、じつはこの食習慣、日本ではわりと最近になって定着したものである。

たとえば、古事記や日本書紀が書かれた八世紀は、食事は朝と夜の二食。室町時代になると、戦場での習慣から武士が三食となり、やがて町人にも広まっていったが、定着するまでには至らず。明治になっても、一日三回きっちり食事をとっていたのは、お金持ちと工場労働者くらいのものだったという。

つまり、ほとんどの日本人が一日三食たべるようになったのは、つい一世紀ほど前というわけだが、では、どうして三食になったのか？

大阪大学の中川八郎名誉教授によると、文明が進むにつれて、頭脳労働の時間が長くなり、そのためには栄養（なかでもブドウ糖）をとらなければならなくなったからだという。

中川教授は、肉体労働という点では、昔も今もそう変化はなく、この先もっと脳を使う社会になれば、一日四食になる可能性もあるといっている。

◎「駆けつけ三杯」は、なぜ「三杯」？

宴会に遅れてくると、「駆けつけ三杯」ということになる。これは一刻も早く宴会のノリに合わせるためのお作法ということになっているが、そのルーツはかなり高尚なのである。

ひとつは、貴族の罰則説。平安時代の貴族は、酒宴では徳利で盃に酒をついでまわった。その席で、五巡してもまだ来ないのを「一遅」、七巡してもまだ来ないのを「二遅」と呼んだ。さらに、十巡してもまだ来ないのを「三遅」と呼び、このときの罰則が、たてつづけに三杯飲まされるというものだったという説である。

もうひとつは、武士の儀式説。武士の行う酒宴に、「式三献」という儀式がある。これは、酒宴をはじめるにあたり、「神に物を供え、乾杯」という行為を三度くり返す。この儀式を済ませて、ようやく酒宴の始まりになる。この儀式が時代とともに変化して、いまの駆けつけ三杯になったという説である。

◎名古屋の人は、なぜ「きしめん」が好きなのか？

名古屋人の好物といえば、海老フライと並んで、名古屋オリジナルの麺類「きしめん」がある。

繁華街はもちろん、住宅地や駅のホームにも、名古屋人の生活圏には、かならずきしめん屋がある。讃岐《さぬき》における讃岐うどんほどの地位は獲得していないまでも、きしめんが名古屋人にとって、もっともなじみ深い麺類であることは事実である。

　では、なぜ、名古屋人はきしめんのような平べったい麺類が好きなのか？

　答えは、名古屋人は特筆すべき合理主義者だからだ。

　きしめんは薄いから短時間で茹《ゆ》でられる。これは、早く食べられて便利なうえに、ガス代の倹約になる。

　さらに、薄いぶん、だし汁がよくしみ込むため、だしの味付けが薄くてよい。つまり、調味料の倹約にもなる。「早い！」「安い！」「うまい！」と三拍子揃ったきしめんは、まさに合理主義者・名古屋人のお眼鏡にかなって当然なのだ。

なぜ、日本人は箸を使うようになった？

　弥生時代、日本の箸の原型は、一本の棒だった。これを曲げ、和裁用の鋏のような形にして、食べ物を刺したり、はさんだりしていた。「はし」という名は、棒の両端を曲げるところから生まれたものだ。

　いまのような二本一組の箸が広く使われるようになったのは、八世紀、奈良時代になってからのことだという。この箸の普及に努めたのは、聖徳太子だった。

　彼は、すでに二本の箸を使っていた中国から使節団を迎えるにあたって、「箸も使えない野蛮な国」と思われたくないため、使節団の歓迎会出席者全員に箸を使う特訓をさせたと伝えられる。

　この特訓からはじまって、やがて庶民にも

二本の箸が普及した。日本人が箸を使うようになったのは、聖徳太子の見栄のためといえる。聖徳太子の業績のなかでは、後世に影響を与えたという点では、十七条憲法よりも偉大かも。

なぜ、お祝いのときに赤飯を食べる？

大昔、日本人はふだんのとき、米をお粥《かゆ》にして食べていた。そのうち、中国から蒸し器である甑《こしき》が伝わると、米をふかして食べるようになった。そして、ふかした米飯は、特別に強飯《こわめし》と呼ばれていた。

だが、強飯を食べるのは「ハレ」のときに限られて、人間が食べるまえに、まず神前に供え、儀式が終わったあと、みんなで分け合って食べるものだった。

現代でも、めでたいときなど、「ハレ」の日には赤飯を炊くが、これはかつて神前に供えるご飯が赤味がかった強飯だったことに由来している。小豆を米と一緒に炊くのは、もともとは赤い色をつけるところに意味があったのだ。

なぜ、夜爪を切ると親の死に目にあえないのか？

「夜、爪を切ると親の死に目にあえない」。科学的根拠などまるでなさそうな格言だが、あながちそうでもない。

江戸時代、夜になると照明は行灯《あんどん》くらいしかなく、家の中は非常に暗かった。そんな暗いところで爪を切ると、深爪をして指をケガしないとも限らない。また、部屋の中が暗いと、飛び散った爪がそのままにされ、知らずに爪を踏めば、痛い思いもする。

つまり、この格言、夜、爪を切るのは危険といっているのである。

もちろん、夜でも明るい現代の家でなら、

夜、爪を切ることにはなんの問題もない。

◎なぜ、めでたいときに尾頭つきを食べる?

祝いの席では、タイを食べる。タイを食べるのは、「めでたい」の「たい」に通じるからだが、祝いの席では、刺し身や切り身ではなく、もっぱら尾頭つきを食べる。なぜ、日本人は祝いの席では、尾頭つきの魚にこだわるのだろうか?

尾頭つきの魚は、形が完全にそろっている点で「完全」、すなわち人生をまっとうすることを象徴している。だから、縁起がいいわけだ。

◎なぜ、正月になるとお餅を食べるのか?

一年で、正月の間だけ、日本は国をあげて餅を食べまくるが、これは、そもそも稲作がもち米からはじまったからだとする説がある。

それによると、中国から渡来して、日本で最初に栽培された米は、稲作用のウルチ米ではなくもち米だったという。

ウルチ米は遅れて伝わったが、なぜ、後発のウルチ米が日本を席巻したのかといえば、ウルチ米が日本の気候風土に非常に合っていたから。そのため、もち米はほとんど作られなくなってしまった。

しかし、日本が洋服文化になっても着物がハレ着として残ったように、もち米もハレの日の行事食として、しぶとく残った。餅は伸びる↓寿命も伸びる↓おめでたい、といったコジツケもあって、日本人は祝い事があるたびに餅を食べるようになったというわけである。

◎四つ葉のクローバーは、なぜ幸運のシンボル？

クローバーの葉はふつうは三枚で、珍しい四つ葉のクローバーは「幸運のシンボル」とされている。

ヨーロッパでは、昔からクローバーじたいが神聖な植物とされてきた。五世紀、アイルランドで布教活動をしていた聖パトリックが、「神と子と聖霊は三にして一である」という三位一体の教えを、クローバーの三枚の葉を用いて説いていたことが、そのルーツとなっている。

そこから、クローバーの三枚の葉は「愛」「希望」「信仰」のシンボルとなり、珍しい四つ葉は十字架に似ていることから、くわえて「幸福」の象徴になった。

ちなみに、五つ葉は「経済的繁栄」、六つ葉は「地位や名声」、七つ葉は「無限」の幸福を意味するとされている。

◎おみくじの「吉」は、いつまで有効なのか？

たとえば初詣でおみくじを引いたところ「吉」が出たとする。とりあえずうれしいが、この「吉」はいつまで〝有効〟なのか？

神事の決まり事を司《つかさど》る神社本庁によれば、おみくじは正しい作法に則って引かないと、〝有効期限〟は決まらないという。この正しい作法とは、おみくじを引く前に、あらかじめ願い事をひとつだけ決めておき、「願いが叶いますように」と神に祈りながら、謙虚な気持ちでおみくじを引くというもの。

で、結果の読み方だが、吉や凶は、人間の運勢そのものの吉凶を表すのではなく、願い事が成就しやすいか、しにくいかを表すという。

つまり、吉が出れば「願い事が叶う日は近い。そのまま努力せよ」。凶は「気を緩めてはいけない。慢心を戒め、心して臨めば願い事は必ず実現する」と読めばいい。

というわけで、〝おみくじの有効期限〟といった場合は、願をかけた日から、願い事が成就するまでの期間のこと。もし凶が出たら、精進して一日も早く願い事を成就させ、自分で有効期限を短くしてしまえばよい。

◎コックの帽子は、なぜ背が高い?

ホテルの調理人も、フレンチのシェフも、中華の料理人も……厨房で働く人々は、たいてい白くて背の高いコック帽をかぶっているが、これはなぜか?

コックに白いコック帽をかぶらせたのは、一八世紀のフランスの政治家タレーランのお抱え料理長といわれている。理由は髪の毛が落ちないためなどの衛生上のもので、当時のコック帽はペチャンコの帽子だった。

しかし、厨房は非常に暑く、この帽子をかぶると頭がむれて、コックたちは、大量の汗をかくはめになった。

そこで、風通しをよくするために、帽子は少しずつ背が高くなり、結果として現在のような高さになった。

◎なぜ、黄色と黒は〝危険の印〟なのか?

道路標識で、黄色と黒が使ってあれば、誰でも「危険・注意」の類であると想像がつく。

では、なぜ、黄色と黒にはこうした意味があるのかというと、これは人間だけでなく、生物界のルールのようなものなのである。

たとえば、ハチ。ハチの胴体は、黄色と黒の縞模様だが、ハチはこの模様によって、

「私に近づくのは危険です」と外敵から身を守っているという。

　海の中でも黄色と黒は有効である。たとえば、ある水族館では、サメの水槽を掃除するとき、係員は黄色と黒の縞模様のウェット・スーツを着るというが、これは猛毒を持つウミヘビの柄に似せたものだという。つまり、サメは、黄色と黒の縞模様が危険であることを本能的に知っているらしいのだ。

　陸で、黄色と黒といえばトラ。これもライオンに勝るとも劣らない「危険な動物」なのはいうまでもない。

◎なぜ、疑わしいときは「眉にツバ」をつける？

「眉ツバ」とは、ウソかホントかわからない話のこと。こんな話を聞かされたときは、実際に眉にツバをつける仕草をする人もいるが、その理由は、かつて日本人がキツネやタヌキにだまされると信じていたことと関係がある。

　その当時、キツネやタヌキは、人間の眉毛の数をかぞえることで、その人間を値踏みしたり、心の中を見抜くと信じられていた。

　こうなっては彼らの術中にはまるというわけで、そこで、人間たちは彼らに自分のことを悟られないよう、眉毛にツバをつけてその数をごまかそうとしたのだ。

　のちに、キツネやタヌキにはそんな能力がなく、この世でいちばんズルイのは人間であることが判明したが、「眉ツバ」のおまじないが人間に効き目があるのかどうかは、定かではない。

◎除夜の鐘は、なぜ「一〇八」?

大晦日の「除夜の鐘」の数は一〇八。これは、人間の煩悩の数だといわれるが、なぜ、一〇八なのか。これには次のような根拠がある。

一〇八の内訳は、以下の通り。

①「六根《ろっこん》」＝目、耳、鼻、口、身、意の六つの感覚器官が、

②「三不同」＝好、平、悪の三つの感じ方をし、さらに、その程度は、

③「染・浄」という二つに分かれ、

④「三世」＝現在、過去、未来にわたって、人の心を煩わす。

以上を合計すると、六×三×二×三＝で一〇八というわけである。

◎未成年でも三三九度のお神酒は飲んでもいい?

大相撲で優勝した力士は、大盃で日本酒を飲むのが習慣だが、貴花田（現貴乃花）が初優勝したときは、ジュースで乾杯した。未成年だったからである。

では、結婚式の三三九度のお神酒《みき》はどうなのか？　未成年者が神前結婚式を挙げたとき、三三九度の儀式で、堂々とお酒を飲んでもいいのだろうか？

この判断は、結婚式場によって違っている。年齢にこだわらない式場もあれば、口をつける程度にしてくださいという式場もある。また、飲むふりだけで、未成年者には飲ませない式場もある。

もっとも、民法では、結婚した時点で成年と見なすと規定されている。だから、結婚式では堂々とお酒を飲んでもかまわない。

◎結婚式で、花嫁はなぜ「お色直し」をするのか？

最近の結婚式では、新婦だけでなく新郎もお色直しをすることが多いが、本来、お色直しは新婦だけがするものだった。男なんぞは、最初から最後までずっと紋付きを着ていればよかったのである。

では、なぜ、新婦だけがお色直しをしたのか。

一説には、婚礼衣装が白装束だった明治時代まで、新婦は結婚式後二日間は白い着物で過ごし、三日目から色物の着物に着替えた。その名残りという。

もうひとつは、結婚式を新郎の家であげたあと（戦前まではこういうケースが多かった）、新婦は持参した衣装を次々に着て、お披露目をした。その名残りだという説。

いずれよせよ、お色直しは、親類縁者に花嫁がきたことをお披露目するためのものだった。それを現在では、結婚式の二時間の中で、いっぺんにやってしまっているというわけだ。

◎亡くなった人を火葬するのは、なぜ葬儀のあと？

人が亡くなると、その日（翌日）の夜がお通夜、さらにその翌日が葬儀→火葬というケースが多い。

これには、亡くなった人を偲び、別れを惜しむという、宗教的な理由だけでなく、医学的な理由がある。

現在、日本では、医師がその人の呼吸および心臓の動きが停止したことを確認し、死亡診断書を書いた時点で「死」と認められる。

しかし、医学的には、呼吸や心臓がとまっても、神経や細胞がまったく機能を失い、肉体が完全に死ぬまでには二四時間かかるといわれている。

人が亡くなっても、すぐに葬儀→火葬できないのはこのため。法律でも「火葬、埋葬は、死亡後二四時間以上経過しなければできない」と決められている。

なぜ、「切る」が禁句の結婚式で、ウェディングケーキを切る?

結婚披露宴のスピーチで、「切る」「切れる」は禁句である。しかし、不思議なことにウェディングケーキは平気で切る。

ただし、結婚式場では、披露宴のケーキカットに関して、「切る」とか「切り分ける」という言葉はいっさい使わないで、「入刀」という言葉を使う。また、ケーキを切ることは、人生を「切り開く」に通ずるという解説もある。

むろん、ケーキカットのルーツは外国にある。もともとは、新郎新婦がビスケットを配ることを原型として、約百年前のアメリカではじまったもの。その習慣を見て、商売にしようと考えたのが、フランスのケーキ業界だった。ビスケットの代わりに、新郎新婦がケーキをカットし、出席者に配るというアイデアを思いついて広めた。これが、新郎新婦によるケーキカットの始まりである。

日本家屋には、なぜ床の間がある?

日本家屋に床の間がつくられるようになったのは、室町時代のこと。

それ以前、日本家屋は板張りの床で、畳は寝具として使われていた。室町時代になると、畳を家中に敷きつめるようになり、やがて畳の床よりも一段高い床をつくるようになった。それが、「床の間」である。

その一段高い場所は、当初、悟りを開くための神聖な空間と考えられていた。そのため、床の間には、神や仏を描いた絵や掛け軸を掛け、灯火をともして供物を供えるようになった。

現在でも、床の間に掛け軸や置物を飾るのは、その名残りである。

◎なぜ、門松の竹は斜めに切ってある？

門松に竹を組み合わせたのは、徳川家康だったという説がある。家康は、浜松城で正月を迎えたとき、弾丸よけの竹を使って、門松にして飾ったという。

この竹を斜めに切るようになったのは、江戸の町の医者。医者だけに「藪ではない」という証拠にそうしたといわれている。

また、別の説では、門松と竹の組み合わせについて、武田家との関連をいうものもある。

あるとき、家康に、強敵武田氏から「松枯れて、竹たくひなくあしたかな」という句が送られてきた。その句をみて、家康は、松は松平（のちの徳川氏）、竹は武田氏を指すと気を悪くした。そこで、「松枯れで、竹だくびなく（武田首なく）あしたかな」という句を送り返したという。

このエピソードを背景に、松飾りには、竹を斜めに切って添えるようになったともいわれる。

◎年賀状の由来は？

年賀状が一般に広まったのは、明治時代以降のこと。近代的な郵便制度が日本に導入された後のことである。

ただし、江戸時代にはすでに、年賀状のルーツのような風習があった。裕福な武士や商人の間で、飛脚を利用した年賀の挨拶が行われていたのだ。お年始にはいけないような遠く離れたところに住む人に、年始の挨拶を書いた書状を飛脚にたくして届けたのだ。

そして、この習慣は、一八七三（明治六）年、明治政府が郵便葉書を発売、料金の安い葉書を年賀の挨拶に使えるようになって、急速に広がっていった。

一二月中に投函された年賀葉書が、元旦に配達されるようになったのは、一九〇六（明治三九）年のことだ。

なぜ、天気予報案内は一七七番になった？

電話で天気予報が聞けるようになったのは、昭和二九年九月一日のことだった。電電公社（現NTT）では、本当に利用客がいるのか、半信半疑でスタートさせたのだが、サービス内容が浸透するに従って、利用客は着実に増えていった。

一〇年後の昭和三九年には、「一七七」を全国統一の電話番号に指定し、このとき気象庁も「いい天気になれなれ」と覚えてほしいと呼びかけた。

「一七七」に決まったのは、単に空き番号でゴロがよかったからだけの話だが、当時、売上げアップを期待していた電電公社では、「いい金になれなれ」と読んでいたとか。

「朝シャン」しはじめたのは誰？

「朝シャン」という言葉が生まれたのは、一九八六年の春のことだった。資生堂がヘアケア製品「モーニングフレッシュ」を新発売し、女性アイドルが朝シャンするCMを流しはじめると、この商品は爆

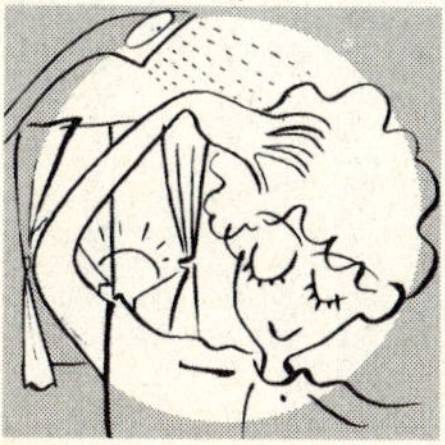

発的に売れた。マスコミはさっそく、これを「新社会現象・朝シャン」として取り上げ、朝シャンという言葉が脚光を浴びることになった。

だが、資生堂によれば、言葉こそなかったものの、朝シャンの習慣が生まれたのは、モーニングフレッシュ発売の四年前にさかのぼるという。一九八二年、同社では「ヘアコロン」というシャンプーを発売した。この商品の特徴は、シャンプーの香りが洗髪後も数時間は強く残ること。そこに目をつけた女子高生たちが、次々に夜シャンから朝シャンに切り替えたのが、朝シャンという習慣のルーツだという。

なぜ、公衆電話ボックスには鏡がある?

公衆電話ボックスの電話器の上には鏡がついているが、あの鏡は、利用者が身だしなみを整えるためではない。

正解は、後ろに並んでいる人を映すためである。

というのも、後ろにたくさん並んでいるのにもかかわらず、話に夢中になって長電話をする人たちが絶えないから。以前、長電話が原因で、殺人事件まで起きたこともある。

というわけで、鏡に並んでいる人が映れば、少しは電話を早めに切り上げるだろうというわけである。

もっとも、最近は携帯電話が普及して、公衆電話の前で行列するという光景はほとんど見なくなった。

「定年・五五歳」なんて、誰が決めた?

日本の企業では、定年が五五歳というところが多い。実際は六〇歳くらいまで延長されることが多いが、建前は五五歳である。

日本男性の平均寿命がだいたい八〇歳であることを考えると、いかにも早すぎるが、この「定年五五歳」を最初に導入したのは、日本郵船という日本一の海運会社。明治三五年のことである。

注目すべきは当時の平均寿命で、明治三五年当時は、男が四二・八歳、女が四四・三歳。定年の年齢より一〇歳も短命だったのである。日本郵船は、なんと太っ腹だったことか。

平均寿命を考えれば、当時のこの制度は今なら定年九〇歳にも匹敵する。

サラリーマンは定年を迎えたとたんに老け込む人が多いが、平均寿命に合わせて定年を延長していたら、八〇歳でもバリバリ働けた?

◎有名幼稚園の「お受験」では、なぜ紺ブレがダメなのか?

名門幼稚園や小学校の「お受験」には、さまざまなタブーが噂されている。以下は、その一部である。

タブーその1　願書は、中央郵便局に投函しないとダメ

「受験する幼稚園に集配する局に投函しないとダメ」という説もある。共通するのは、投函するのは朝一番が有利ということ。いずれにせよ、これによって、親の熱意がわかるからだそうだ。

タブーその2　面接のとき、父親は金ボタンの紺ブレを着てはイケナイ

金ボタンの紺ブレは成り金に見えるから。だから、フツーの紺のスーツが無難とか。そのほか、腕時計もロレックスは不可。高価だが上品にみえるオメガあたりがいいといわれている。

タブーその3　面接のとき、子供はおろしたての洋服を着てはイケナイ

おろしたての洋服だと、子供が緊張するか

ら。二～三回、袖を通した服を着るのがよしとされている。

タブーその4　面接会場には、母親から先に入ってはイケナイ

母親、子供、父親の順で面接会場に入ると、母親主導の家庭と思われてソンだという。

◎日本でも名前にミドルネームをつけられる?

ジョン・F（フィッツジェラルド）・ケネディ、ロナルド・W（ウィルソン）・レーガン……という具合に、外国人には、ミドルネームを持っている人がとても多い。欧米諸国では、名前はいくつつけてもよいし、また途中で変名することもかなり自由である。

では、日本でも、これから生まれてくる子供に「山本・ショーン・繁」とか、「鈴木・トミー・徹」などのミドルネームをつけることができるのか?

答えは、ノーである。法務省民事局によると、明治時代に戸籍制度がしかれたとき、日本人の名前は「氏」と「名」が各ひとつと決められたからだ。

現行制度で、どうしても子供の名前にミドルネームをつけたい場合は、出生届に「ショーン繁」や「トミー徹」とつづけて書き、ひとつの長い名として登録してしまう奇策に出るしかない。

もっとも、お役所がその出生届を受け付けるかどうかは疑問ではあるが……。

人を殺しても、たった一五年で時効になるのは、ナゼだ?!

考えてみれば面妖きわまる「きまり・法律」の謎

◎「新発売」という言葉はいつまで使える?

新しく売り出された商品を「新発売」と宣伝する期間は、商品の種類によって違う。

もっとも長く「新発売」をうたうのは、薬品。薬品は、開発スタートから厚生労働省で認可されるまでに一〇年もかかるものもある。そのため、次の新商品が出るまでに時間がかかるため、「新発売」と宣伝する期間も長くなる。

家電製品は、業界の基準で、発売後一年を超えた商品には、「新」や「ニュー」の言葉を使わないと決めている。最近は、モデルチェンジの周期が一段と短くなっているため、新製品が出た時点で「新発売」を使わなくなっている。

お菓子の場合は、暗黙のうちに一~三か月で統一。行楽シーズンである九月から一一月にかけて新製品が出ることが多いため、「新発売」とPRされるのは、基本的に年内が多くなる。クルマの場合も、最近は発売から一、二か月が常識とされている。

何歳までの男の子なら、女湯に入れる？

混浴というと温泉地の露天風呂を思い浮かべるが、じつは身近なところにも混浴可能のお風呂がある。それは、銭湯。ここなら、男性がある年齢以下なら、堂々と女湯に入ることができる。

では、何歳までなら女湯に入れるのか？

じつは、この年齢制限は条例によって決まるため、地域によって違う。

たとえば、東京都は一〇歳以下ならOKだが、兵庫県の場合は五歳以下の男の子しか女湯に入れない。と思えば、北海道や埼玉県のように一二歳以下ならOKという都道府県もある。

なぜ、都道府県によって年齢の上限が違うのか、それは条例を採択した都道府県議会の議員さんに聞いてみるしかない。

新学期はなぜ四月からはじまる？

多くの外国では、新学期は九月からスタートする。一方、日本の新学期は、明治時代から四月にはじまることになっている。

明治五年までは、小学校では就学年齢に幅があったため、新学期は特定されていなかった。翌六年、開成学校（東大の前身）では欧米に倣って、九月から翌年の七月一五日までが一学年と定められた。

四月から新学期がはじまるようになったのは、明治二〇年、高等師範学校で実施されたのが最初。理由は、四月～三月という国の予算会計年度に合わせたためだった。当時の師範学校の学資は、全額給費制だったため、会計年度と始業期を同じにしたほうが便利だったのだ。

　その五年後、小学校の始業期も四月一日になり、明治三四年には中学校、大正一〇年には大学と高等学校も歩調を合わせ、日本の学校はすべて四月スタートという制度が定着した。

◎パスポートのビザ（査証）欄がいっぱいになったら、どうなる？

　パスポートの場合、査証（ビザ）欄のページがビザや出入国の判子で埋まってしまったらどうなるのか？

　外務省の旅券課によれば、パスポートの余白がなくなったときは、査証欄の増補が受けられるという。つまり、査証欄の「余白がなくなると予測される場合」は、住民票のある都道府県の旅券事務所に申請の手続きをとれば、誰でも、即日または翌日に、査証欄だけの別冊がもらえるのである。

　ただし、この別冊がもらえるのは、パスポートの有効期間中一回だけ。この別冊の余白がなくなったときは、パスポートを再発行してもらうしかない。

　ちなみに、増補されたパスポートを持っていると、海外での入国審査のとき、よからぬ仕事をしているのでは？　と疑われることもあるらしい。

◎大学の授業は、なぜ一科目が四単位なのか？

　日本の大学制度は、戦後、アメリカの制度にならってつくられたが、それは単位についてもそうだ。

　大学の授業でもらえる単位は、ふつう一科目四単位である。

　では、なぜ、四単位なのかというと、授業で一単位、予習で二単位、復習で一単位というのがその根拠。つまり、九〇分授業を一回受けようと思えば、建前では予習に三時間、復習に一時間半は必要というわけ。

レジャーランド化されて久しい大学にあっては、にわかには信じがたい話だが、大学側が本気で単位の履修を学生に強制したら、何年たっても卒業できない学生が続出するはずである。

なぜ、四月一日生まれは、早生まれになる？

学校の新しい年度は、四月一日からスタートする。ということは、たとえば小学校に入学するのは六歳の子だから、一年生で最初に七歳の誕生日を迎えるのは、四月一日に生まれた子ではないか、と思いがちだが、そうではない。四月一日生まれの子は、一〜三月生まれの子供同様、前の年の四月二日から一二月に生まれた子と同じ学年になるのだ。

どうして、学年の境界線は、三月三一日と四月一日の間ではなく、四月一日と二日の間に引かれるのか。

これは、民法一四三条に、満年齢は「起算日に応当する日の前日」に達する、と決められているから。普通、われわれは誕生日に一つ歳をとると思っているが、法律上は前の日に歳をとっているのだ。すると、たとえば、二〇〇二年四月一日生まれの子供が、法律上満六歳になるのは二〇〇八年三月三一日。

さらに学校教育法第二二条には、「満六才に達した日の翌日以後における最初の学年の新学期をもって小学生の就学がはじまる」と定められているから、この子供は、六歳の誕生日の二〇〇八年四月一日に、もう小学校に入学できてしまうのだ。

小学校の卒業式から中学校の入学式までの間は、小学生？　中学生？

学校教育法施行規則第四四条によると、新

学年は四月一日にはじまり、三月三一日までと決められている。

ということは、小学校の卒業式を終えても、三月三一日までは小学生で、中学校への入学前でも、四月一日からは中学生として扱われることになる。

春休みの途中で、自分でも気づかないうちに、小学生は中学校へと〝進学〟しているわけである。

◎ソープランドに、なぜサウナマシンがあるのか？

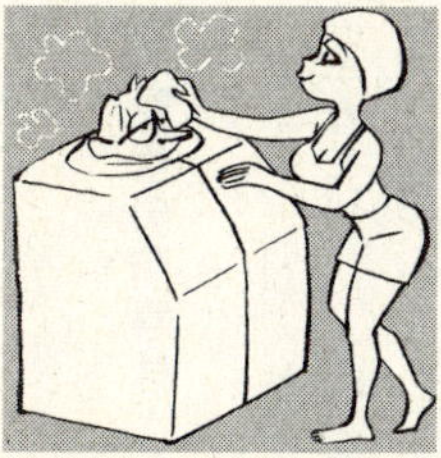

ソープランドの個室には、人ひとりがちょうど入れるくらいの大きさで、上部に直径三〇センチくらいの穴があいているボックス型のモノがある。

これは一人用のサウナ風呂。いわゆるサウナマシンと呼ばれるものだが、これに入ったという人の話はほとんど聞いたことがない。

なぜ、〝使わないサウナマシン〟が置いてあるのかといえば、ソープランド店が当局からそうするよう指導されているからである。

ソープランドとは、建前上「女性がマッサージなどのサービスを行う個室浴場」ということになっている。であれば、健康的な汗を流すためのサウナマシンは、むしろあって当然のもの。もしも、サウナマシンがないと「おたくの店は、どんなサービスをしているの？」と、当局から突っ込まれかねないのだ。

ソープランドの個室には、このほかにも一度も袖をとおした形跡のないマッサージ師用のユニホームなどがある。

いずれも建前上、必要とされているものだが、いちいち「これは何するもの？」「あれは何？」などと質問しては、ソープ嬢に嫌われます。

◎勲章の勲等はどうやって決まる？

勲章は、明治八年発布の政令に基づいて、毎年春と秋に、それぞれ五千名弱の人に授けられている。

勲章には、勲一等から勲八等まであり、さらにそれぞれに旭日章、宝冠章、瑞宝章がある。合計して二四種類である。

人選は、まず各種団体から関係省庁へ推薦され、その省庁から総理府へ推薦され、総理府が省庁と協議し、最終的に選ばれる。

どの勲等がふさわしいかは、長く続いてきた叙勲制度だけに、そこには前例の山がある。この団体の会長ならば勲二等、この役職にいたのなら勲三等という具合に、ほとんどは先例に倣うようになっている。

◎電話ボックスの位置は、どうやって決める？

電話ボックスの設置場所は、どのような基準で決められているのだろうか？

簡単にいうと、多くの人が利用でき、場所がわかりやすく、交通にも支障がないといった条件を満たしている場所ということになる。学校や公園、公共施設などは、災害時の避難場所にもなる重要な地点であるため、NTTのほうから設置を依頼している。

一方、店舗が店頭に公衆電話を置きたいというような場合は、前述の条件に加えて、NTTの担当者が「必要性」を考慮する。そのとき、近くに公衆電話がなく、多くの利用者がいると判断されればOKになるが、その店に来る人のみの利用となれば、店舗はNTTからピンク電話を購入して設置することになる。

桜の花の「開花宣言」の基準は?

毎春、気象庁から開花宣言が出されるが、一言で「都内の桜の開花宣言」といっても、東京都内はけっこう広い。どんな基準で、桜の花が「開花」したと認定されているのだろうか?

気象庁では、開花宣言の基準とする桜の木をあらかじめ決めている。これを「標本木」と呼び、東京都の「標本木」は靖国神社内にある三本のソメイヨシノである。

もともとは、気象庁構内のソメイヨシノを観測していたが、一九六六年、都市開発の影響をより受けにくいという理由で、靖国神社のソメイヨシノに変更された。

標本木は全国各地にあり、横浜では元町公園、宇都宮は気象台構内、水戸は県庁周辺となっている。

開花宣言を出すのは、三本のソメイヨシノのうち二本に、五～七輪の花が開いたとき。また「満開」は花の八〇%以上が開いたときである。

婚姻届や離婚届に、なぜ証人が必要なのか?

婚姻届や離婚届(協議離婚の場合)には、かならず二〇歳以上の証人が二名、必要になる。

これは、その結婚や離婚が、ふたりの合意であることを証明するため。証人は、家族でも友人でもかまわないが、ともかく第三者の証明がないと、その婚姻(離婚)届は受理されない。

とはいっても、証人は、書類に住所と氏名

を書き、捺印するだけ。役所の戸籍係は、証人が実在する人物なのかどうか、あるいはほんとうに証人自身が署名し捺印したのかどうかを調べることはまずなく、ともかく証人の欄が埋まっていれば、その婚姻（離婚）届は受理されてしまう。

こうなると、証人など、ほとんど建前だけの存在ということになりそうだが、もしも、その結婚や離婚が偽装で、あとあと裁判沙汰になったようなとき、場合によっては、証人は参考人として裁判所に出廷しなければならないことになる。で、もしも、なんらかの共犯関係にあると判断されたら、証人も罪に問われることになりかねない。

役所の書類に名前を書いて提出するときには、やはり心してかからねばならない？

自分の養子と結婚できる？

以前、アメリカの俳優兼映画監督のウッディ・アレンが、自分の養子と恋に落ち、それまでの妻と離婚するという事件があった。

養親と養子。たしかに法律上は立派な親子だが、血縁関係はまったくないわけだから、ふたりが恋に落ちることは十分ありうる。

しかし、日本の民法では、養親と養子の結婚は禁じられており、かりに養子縁組を解消したとしても、一生ふたりは結婚できないことになっている。

というわけで、もしもあなたが養子を選ぶさいは、将来、絶対に恋の対象にならないような子供を選んだほうがいい?!

「失業率」はどうやって計算する？

失業率が過去最悪の水準にあるが、実際のところ、どんな方法で計算しているのだろうか？

総務省が、約二千人のアルバイト調査員を雇い、彼らが全国各地を足で歩いて聞き取り調査した結果から、失業率は算出されている。

調査は、毎月末の一週間に、全国で無作為に抽出された一五歳以上約一〇万人（約四万世帯）を対象に行われている。日本では、義務教育を終えた一五歳以上の人口を労働力人口と見なしているが、一〇万人はその約一〇〇〇分の一にあたる数字だ。

調査内容は、①積極的に職探しをしたいか②月末一週間に一時間でも働いたか――の二点。

①に対する答えがイエスで、②に対する答えがノーであれば、失業者にカウントされる。

◎自分の死体を保存することは可能か？

自分の体を剝製《はくせい》にして残すのは、法的には不可能ではない。

法的に、死体を保存していいのは、大学か総合病院で、教育や研究を目的とする場合か、遺族と都道府県知事の許可がある場合。つまり、遺族と都道府県知事の許可があれば、火葬にしないで、死体を残すことは可能なのだ。

また、技術的には意外に簡単で、内臓と血液を摘出し、血管にホルマリンなどの薬品を注入すると、長期保存できる。

じつは、この方法は、日本でも、火葬までに日数がかかる場合の腐敗防止のため、日常的に利用されている。費用も二〇万〜三〇万円とそう高くはない。

◎電車の暖房の温度は、どうやって決めている？

電車の冷暖房の設定温度は、各鉄道会社ごとに一定の基準がある。

冷房の場合は、ＪＲ東日本は二六度、弱冷房車は二八度。西武鉄道で夏は二七度、春と秋が二六度、弱冷房車は夏二九度、春と秋には二八度となっている。

一方、暖房の場合は、JR東日本の新幹線や山手線が二〇度。他の路線や私鉄も、二〇度前後となっている。

じつは、「輸送整備基準温度」という業界全体の目安があり、外気温が三三度以下のときは車内温度を二六度以内、外気温が三四度以上のときは二七度以内に設定されている。各社の基準は、この基準温度の範囲内で、独自に設定されているわけだ。

しかし、基準はあくまで基準であり、現実には暑すぎたり、寒すぎたりすることがよくあるのは、ご存じのとおりである。

◎なぜ、関東と関西では、電気の周波数が違う?

送電線を伝わってくる電気には一定の周波数があるが、東と西では周波数が違う。東京電力、東北電力、北海道電力の東日本勢は五〇ヘルツ、関西電力、中部電力、北陸電力、中国電力、四国電力、九州電力の西日本勢は六〇ヘルツである。

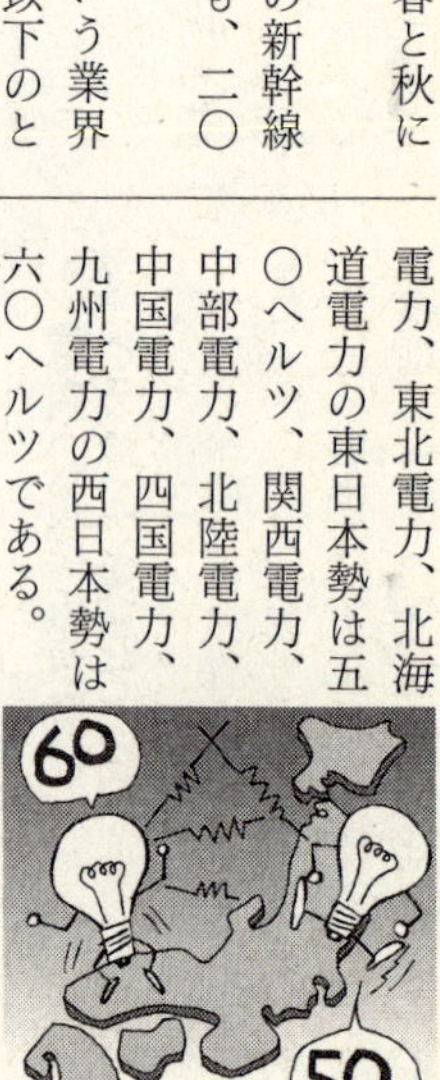

おかげで、昔は、西から東に引っ越すと、使えない電気製品があった(もちろんその逆も)。現在は、電気製品の中に周波数を切り替えるコンバーターが内蔵されていたり、切替スイッチがついているから大丈夫だが、それにしても、なぜ統一されていないのか?

明治二八年、東京に東京電燈(現東京電力)、大阪に大阪電燈(現関西電力)という二つの電力会社が誕生した。発電機は、それぞれ外国製のものを独自に輸入したのだか、東京電燈はドイツ製で五〇ヘルツ、大阪電燈はアメリカ製で六〇ヘルツだったというのがそもそものはじまり。

以来、電力会社は離合集散をくり返して現在の九社になるが、結局、周波数は西と東にきれいに色分けされたままになった。

周波数を統一するためには、発電機を入れ替えなければならないが、それにはべらぼうなコストがかかる。というわけで、関係者によれば、統一されることはまずないという。

◎なぜ、警察は「一一〇番」で「一一一番」ではないのか?

結論を先にいうと、なぜ「一一一番」ではないのか？　という疑問は、プッシュホンを前提にした発想である。

「一一〇番」が誕生したのは、まだ日本にプッシュホンなどなく、ダイヤル式電話の時代。「一一〇番」になったのは、次のような理由があった。

ダイヤル式電話では、「一」がもっともまわす距離が短い。だから、緊急の電話は「一一九」もそうであるように、「一」を最初に二回まわす番号になっている。

ならば、末尾も「一」にすればよさそうなものだか、あわてているときに同じダイヤルを三回もまわすのは、かえってかけづらかったり、間違えやすい。ひと呼吸おいて、「一」とは遠く離れた「〇」や「九」のほうが、かけやすいのである。

もちろん、プッシュホンなら「一一一番」でもかけ間違うことはないだろうが、これだけ浸透した「ひゃくとうばん」はそうは簡単に変えられないはずである。

◎外国人の取り調べは、何か国語くらい可能?

最近は、日本国内で検挙される外国人の国籍は、じつにさまざまで、取り調べや裁判のさいには、語学に通じた人材が必要になっている。

警視庁では、外国人犯罪の増加に対応し、近年、語学力のある人材を警察職員として採用し、取り調べ時の通訳を担当させている。しかし、それでも不足がちで、外部の人に通訳を頼むケースも増えている。現在、警察官と嘱託の職員を合わせて、一四か国語くらいへの対応が可能になっている。

一方、警視庁から容疑者が送検される東京地検では、三五か国語に対応できるという。国籍を問わず、犯罪者を公正に取り扱い、起訴不起訴を決め、その後の公判をすすめるには、それくらいの通訳者が必要というわけだ。

◎警察が押収した拳銃のその後は？

警察は、暴力団事務所などから押収したピストルを、その後どう処分しているのだろうか？

日本国憲法は、国民の財産権を保障しており、法的には押収物とはいっても、所有権は被疑者にある。被疑者が所有権を自発的に放棄するか、裁判所で没収するという決定が出ないかぎり、拳銃といえども、勝手に処分することはできない。

そのため、所有権が放棄されるか、裁判所の決定が出てから、警察は業者に委託して鉱炉で溶かしている。場合によっては、鉄製品へ再生されることもある。

◎なぜ、殺人は一五年で時効になる？

「時効」とは、犯行の日から一定期間を経過すると、捜査を打ち切り、公訴を断念すること。つまり、事実上、罪が消滅する。

この時効までの最高期限は、死刑に相当する罪の一五年間となっている。その根拠は、刑事訴訟法にあり、正式には「公訴の時効」

という。

しかし、最大でなぜ一五年なのかというと、根拠はまったくあいまいだ。法律学者の間でも、いろいろな説明が存在する。

もともと、時効は、長年の逃亡生活が犯人にとって刑の執行と同じぐらいの苦痛であること。時間がたつと、被害者の憎しみも薄まること。逃亡中に、犯人も改心することがあること。さらに、時間がたつと、犯罪が立証しにくくなるといった理由で、時効は存在する。

しかし、死刑に相当する罪で、なぜ一五年間かというと、誰も理論的には答えられなくなるのだ。

◎威嚇射撃で撃った弾は、落下するとき危なくないか？

刑事ドラマでは、犯人を追う刑事が「止まれ！　止まらないと撃つぞ」と叫び、空に向かって、威嚇射撃するシーンがよくある。

しかし、空に向かって撃っても、地球には引力があり、やがて弾は落ちてくる。すると、落ちてきた弾がまわりの人に命中する危険はないのだろうか？

実際、南米の繁華街で、新年を祝って、空へ向けてピストルを乱射。流れ弾に当たって死亡する人が何人も出たことがある。

そういう危険性があるため、日本では現実に、刑事が空に向かって威嚇射撃することはありえない。

近くに川があれば、その水面に向かって撃ち、水がなければ地面に向けて撃つ規則になっている。

なぜ、警察官が殉職すると二階級特進する？

日本では、警察官が殉職すると、その功績をたたえて「二階級特進」となる。たとえば、巡査部長が殉職すると、一階級上の警部補を飛び越えて、二階級上の警部になる。

これは法律で、「殉職警察官は二階級特進」と規定されているわけではなく、警察内部の殉職委員会が特進階級を決定している。二階級特進は日本の警察制度が整備された明治時代からの慣例となっている。

殉職者を二階級特進させる慣例は、かつて日本軍でも行われていた。

戦争で亡くなった兵士を二階級特進させる制度があり、それに倣って、警察官も二階級特進になったようだ。

なお、自衛官や消防官の世界でも、殉職すると、二階級特進になる。

奈良漬でも酒気帯び運転になるか？

奈良漬やブランデー入りのチョコレートを食べても、人によっては、アルコールが検出されることがある。

そして、酒気帯び運転で捕まったとき、「酒は一滴も飲んでいません。奈良漬を食べただけです」といい張っても、警察官の対応は「ダメなものはダメ」である。

酒を飲んでいなくても、奈良漬だろうが、風船をふくらませ、呼気一リットル中に〇・二五ミリグラム以上のアルコールが含まれていれば、それは酒気帯び運転なのだ。

酔っぱらっていることに変わりはないというのが、警察の見解だ。

「酒気帯び」か「酒酔い」かは、何で決まる？

飲酒運転には「酒気帯び運転」と「酒酔い運転」がある。

では、その分かれ目は何か？

一般にはアルコール検知器の測定数値で決まると思われているが、じつは警官の〝所感〟で決まることが多いのだ。

アルコール検知器でクロと出ると、その後、路上の白線の上を一〇メートルほど歩かされたり、直立不動で立たされる。しかし、測定数値が〇・八と高くても、しっかり歩けてまっすぐに立てたら、酒気帯び。反対に、〇・二五と低くても、フラついたり揺れて立ったら酒酔いと判断されかねない。

たった一杯のビールで免許が取り消されないよう、飲んだときにはバランス感覚を養うトレーニングでもしておく？

◎酔っぱらって自転車に乗っても、飲酒運転？

酒を飲んで自転車に乗ると、厳密にいえば法律違反になる。道路交通法第一一七条の二で、自転車の酔っぱらい運転は禁止されているのだ。違反すると、二年以下の懲役、または五万円以下の罰金となる。

ただし、現実には、自転車の飲酒運転で捕まる人は、ほとんどなく、警察では少々のことは大目にみている。ただし、自転車で蛇行運転をくり返したり、通行人に突っ込んだりすると、話は別。パトロール中の警官に見つかると、大変だ。

交番に連行されて大目玉を食らい、それでも態度が悪ければ、逮捕されることもありうる。

◎酒酔い運転で事故っても、保険はおりる？

酒酔い運転で事故を

起こすと、原則として任意保険は適用されない。任意保険の規定では、「酒に酔って正常な運転ができないおそれのある状態」で運転していたときには、保険は適用されないのだ。ただし、任意保険が適用されないといっても、被害者救済のため、死亡やケガをさせた相手、壊した物については保険がおりる。一方、運転者本人のケガやクルマへの補償は出ない。

また、酔っぱらい運転のときはダメでも、酒気帯び運転のときは、保険金が支払われる。酔っぱらい運転か、酒気帯び運転の判定は、血中アルコール濃度や飲酒の程度などから判断されるが、判定がむずかしい場合は、立証責任は保険会社側にある。それが立証されない限りは、保険金はおりることになる。

◎自転車の防犯登録ナンバーは、役に立っている？

自転車を買うと、防犯登録をすすめられ、「警視庁　池袋Ａ・９１８７０」というような防犯登録ナンバーのシールを自転車にペタッと貼られる。この自転車の防犯登録制度は、どのような役に立っているのだろうか？

自転車を盗まれ、警察に盗難届を出すと、警察はその自転車の防犯登録ナンバーをコンピューターに入力する。

一方、街を巡回している警官たちは、駅や路上で不審な放置自転車を見つけると、その防犯登録ナンバーを携帯の端末機にインプットする。そして、盗難届が出ている番号と一致すると、警察は本来の持ち主に連絡するわけだ。

警視庁によれば、都内では毎年約四〇万件の自転車盗難届が出されているが、防犯登録済みの自転車は、後日発見されて、持ち主の手元に戻ることが多いという。

発見率が高いのは、日本の自転車泥棒は、

「ちょっと駅まで」といった軽い出来心で盗むケースが大半だからである。

◎「交通事故の死者数」が、警察庁と厚生労働省で違うのはなぜ?

交通事故の死者数は、通常、警察庁が発表する数字が使われる。

しかし、交通事故による死者は、厚生労働省でも発表している。厚生労働省の人口動態統計がそれで、戸籍法で定められた死亡表の記載によって、交通事故による死者をカウントしている。

奇妙なのは、両者の数字が違うこと。毎年、厚生労働省が発表する数字のほうが約三〇〇〇人も多いのだが、これは、警察庁と厚生労働省では「交通事故死」の定義が違うからだ。

警察庁の定義は「事故発生から二四時間以内に死亡した人」だが、厚生労働省のそれは「事故発生時間や死亡日時にかかわらず、自動車が関与した事故でその年に死亡した人」。つまり、警察庁はほとんど即死の人だけを数えるわけで、これでは死者数が少ないのも当然である。

交通事故で亡くなった人の実数は、いうまでもなく厚生労働省の数字のほうが近いのである。

◎電車事故で「□万人の足に影響」なんて、なぜわかる?

事故や故障で電車がストップすると、たいてい「△万人の足に影響」というニュースが流れる。

これは、鉄道会社が発表する数字だが、その根拠は何か?

たとえば首都圏の私鉄各社では、だいたい二年に一度の割合で交通量調査を行っており、時間帯や駅間ごとの乗客数をはじき出している。事故がおきると、このデータをもとに、「事故何人の乗客に影響があったかがわかる。

ＪＲの場合は、駅ごとで切符の発売枚数をチェックしており、さらに電車の定員×混雑率によって各電車ごとの乗客数をはじき出す。こうして事故の場合の影響度を調べるのだが、データのもとになっている混雑率は、車掌の長年の経験による「目測」ではじき出しているという。

ＪＲは私鉄より営業距離数が長いため、カードによる調査ができないからだというが、なんとなくアバウト？

◎ 海外で交通違反すると、その後どうなる？

海外でレンタカーを借りて、交通違反の切符を切られる人が増えている。とくに多いのが、駐車違反。観光地や繁華街近くに停め、違反切符を切られることが多い。

違反切符を切られたら、その後どうすればいいか？ 手続きは、おおむね日本と同じで、警察に出向いて、罰金を支払うことになる。

このとき、黙って日本に帰ってしまえば、どうなるか。期限までに罰金を払わないと、レンタカー店に連絡がいき、そこから日本の自宅まで連絡がくる。パスポートやレンタカー会社の記録から、本人をつきとめるのは難しいことではないのだ。

ちなみに、海外の駐車違反の罰金は、日本の一〇分の一程度。きちんと払っておいたほうが無難である。

◎ 高速道路の渋滞表示「渋滞三〇キロ」なんて、どうしてわかる？

お盆や正月の帰省ラッシュともなると、高速道路では「大月まで渋滞三〇キロ」などという絶望的な数字にお目にかかるが、この渋滞キロ数は、どうやって割り出すのか？

日本道路公団によれば、高速道路の渋滞とは時速四〇キロ以下のノロノロ状態のこと。では、どうやってクルマの速度を知るのかというと、一部の高速道路の路肩には二キロおきに車両感知機があり、これで走行中のクルマの平均速度を割り出す。そして、渋滞キロ数をはじき出すのだ。

しかし、車両感知機のない区間では、交通管理隊員がパトロールカーに乗って、渋滞の先頭と尻尾を「目視」して割り出している。かなりアバウトなのだ。

その点、首都高速を管轄している首都高速公団の渋滞表示はかなり正確だ。首都高速の場合、渋滞の定義は「時速二〇キロ以下」だが、首都高速には全線にわたって三〇〇メートルおきに車両感知機があり、一分おきにクルマの速度をはじき出している。首都高速の渋滞表示は、ほぼリアルタイムで刻々と変化しているわけで、これはかなり信用できる。

ありがたいような、ありがたくないような。

◎道路標識の「横浜まで二〇キロ」とは、横浜のどこまで？

高速道路では、たとえば「御殿場ＩＣまで一五キロ」のように、明確な場所までの距離が表示される。

しかし、一般道では、「横浜　二〇キロ」のように、地名と距離だけの表示になっている。ひとくちに横浜といっても、範囲は広いもの。では、この場合の「横浜」とは、横浜のどこなのか？

答えは、横浜の市役所である。一般に道路標識の地名は、その町の町村役場など、その地の中心部までの距離が基準となっている。

となると、市役所が郊外に移転してしまった町では、やっぱりその市役所までの距離なのかという疑問が生じるが、こんな場合は、「〇〇市街・〇〇キロ」とされる。

ちなみに「東京」とある場合は、新宿の都庁ではなく、東海道の起点である「日本橋の交差点」である。

◎自動車教習所は転校できるか?

自動車教習所も、転校することができる。全国どこでもカリキュラムに大差がないため、転校制度が認められているのだ。

ただし、転校するには、ひとつ条件がある。まず、公安委員会認可の「指定自動車教習所」間の転校にかぎられること。「指定自動車教習所」とは、公安委員会からカリキュラムを規制され、仮免、実技試験までが受けられる教習所のことである。

その点をクリアすれば、手続きは簡単で、どこまで講習を消化したか、証明書を発行してもらい、転校先へ提出すればよい。

ただし、講習料に関しては、教習所によって扱いが異なる。退学する場合、学科、実技の未消化分の授業料を返してくれる教習所もあれば、返済してくれないところもある。また、転校先へは、通常の半額の入学金と、残っている学科と実技分を支払うのが一般的だが、もっと多額の教習料を支払わなければならないところもある。

◎東海道新幹線の事故が「上り」に多いのは、どうして?

東海道新幹線は、開通以来、大きな事故を起こしていない超安全な鉄道だが、故障による事故はちょくちょくある。

この故障による事故、じつは「下り」より「上り」に多いのだが、これはナゼか?

故障の原因でもっとも多いのは、雪である。雪が凍結してパンタグラフを壊したり、車両の下に凍結した雪が溶けてドサッと落ち、そのため線路の砂利が飛んで床下の機器を傷つけたり。

東海道新幹線の豪雪地帯といえば、米原〜岐阜羽島あたり。上り電車は、ここを通って浜松、静岡といった暖かい地域に向かうが、このあたりで凍結した雪が溶け出す。すると、先に述べたような事故が多発する。

一方、下り電車は、米原あたりで雪が凍結しても、次の京都は寒いし、新大阪はすぐというわけで、事故が起きないうちに終点に到着してしまう。

だから、東海道新幹線の故障事故は「下り」より「上り」に多いのである。

◎高速道路が午後三時に開通する理由は？

高速道路の開通は、午後三時から、というケースが多い。東京湾横断道路、明石大橋も、一般車両の開通は午後三時だった。なぜだろうか？

理由は、開通式などのセレモニーをこなすと、一般車両の開通は午後三時くらいになってしまうためである。

開通の日には、午前中から、地元の知事らのテープカットや挨拶などの開通式が行われ、式典に出席した関係者が新道路をパレードする。その後、横断幕やくす玉などを片付けて、安全点検すると、午後三時くらいにはなってしまうのだ。

まあ、午後三時でもいいが、高速道路だけに惨事は避けていただきたい。

◎なぜ、地下鉄は時速七五キロ以上出せない？

中央線や山手線を走る電車の速度は、時速

七五〜八〇キロ。一方、地下鉄の平均時速は四一キロにすぎない。

地下鉄がそんなに遅いのは、地下鉄が地下の中をじつにクネクネと蛇行して走っているから。左右のカーブだけでなく、上下の勾配もけっこうある。つまり、スピードを出しすぎると、脱線する可能性が高いのだ。そこで国土交通省では、専門家の意見を踏まえて時速七五キロという上限を設けている。

しかし、地下鉄側では、より安全性を確保するために、国土交通省が決めた上限数値よりさらに三〇キロ以上も遅い速度で走っているというわけなのだ。

地上のように障害物がないのに、地下鉄はなぜ蛇行して走るのか？　これは、地下鉄が公道の真下を走っているから。地上の道路が大きくカーブしているところでは、地下鉄も一緒にカーブしているのだ。

そして勾配が多いのは、電力節減のためだ。駅と駅の間にゆるい谷間をつくることで、駅を発車した電車が、坂を下る惰性でスピードを上げ、その勢いで坂を登り、次の駅に到着するように、地下鉄は設計されている。

飛行機にも「制限速度」はある？

プロペラ機の次はジェット機。そして、超音速旅客機と、飛行機の歴史は、スピードを追求する歴史と言い換えてもまちがいではないが、じつはそんな飛行機にも「制限速度」がある。

制限速度があるのは、管制圏内と各国の運輸大臣が告示して指定した指定区域。

飛行場によっても違うが、一般に管制圏内では、高度三〇〇〇フィート（約九〇〇メートル）以下では、ジェット機が二〇〇ノット（時速約三七〇キロメートル）、プロペラ機が一六〇ノット（時速約三〇〇キロメートル）

以内と定められている。

　また、指定区域では、高度一万フィート（約三〇〇〇メートル）以内の空域では、二五〇ノット（時速約四六〇キロメートル）以内となっている。

　ドイツのアウトバーンには制限速度はないが、信号や交差点のある一般道路には制限速度がある。理屈は、これと同じである。

定員五人のクルマに子供だけなら何人乗れる?

　クルマの定員は、「道路運送車両の保安基準」という規則で定められている。それによると、「乗車定員は、一二歳以上の者の数をもって表すものとする。この場合において、一二歳以上の者一人は、一二歳未満の小児または幼児一・五人に相当するものとする」とある。

　つまり、乗車定員を数えるときの単位は一二歳以上であり、一二歳未満の子供は三人で大人二人分に相当するというわけだ。

　すると、定員五人のクルマに一二歳未満の子供ばかりで乗ると、五人×一・五で七・五人……とはならない。運転者は当然大人だから、そのほかに子供六人までということになる。

なぜ、クルマの車検は新車で三年、それ以降は二年おきなのか?

　クルマの車検費用というのは、バカにならない。安全のためにはやむをえないと思っている人もいるだろうが、いまどきのクルマは、そう簡単には故障しないもの。新車で三年、それ以降は二年おきという車検は、やりすぎだと思う人も多いはずである。

　車検が義務づけられたのは、昭和二六年のことだが、このとき決まった「二年に一回（軽自動車は除く）」は、当時の技術レベルをもとにした数字だった。

その当時、日本の自動車産業の技術レベルは、欧米と比べて格段に低く、当時の自動車部品の耐用年数は二〜四年というものが多かった。だから、二年に一回はクルマの総点検を行うというのも、もっともな話だった。

しかし、それから半世紀。いまでは、日本車の〝故障しにくさ〟は世界一ともいわれる。欧米と比べても、日本ほど車検期間が短かったり、費用が高い国はまずない。

こんな古い法律がまかり通っているのは、結局は、政府が自動車整備業界を保護するためだ。この業界は四兆円の売上げのうち、半分を車検で稼いでいる。「安全のため」という大義名分は通用しないのである。

怒れ！　全国のドライバー！

自分より人のオチンチンが大きく見えるのは、ナゼだ?!

「こころ」と「からだ」の仕組みをめぐる謎の数々

◎「小児科」に行っていいのは、何歳まで?

何歳までは小児科に行くべきか——これは厳密には決まっていない。病院によって、扱いが多少違う。

一般には、中学生までを小児科の対象としている病院が多い。これは、背丈は大人並みでも、内臓や筋肉の発達が追いついていない生徒が多いためだ。そのため、病院によっては、一八歳までを小児科の対象にしているところもある。

というわけで、大きな病院で初診を受けるときは、中学生まではまず小児科を訪ねてみたほうがいい。その後は、そのまま小児科に通うこともあれば、医師の判断で内科にまわされたり、専門医のいる診療科に振り分けられていくことになる。

ただ、以上はいくつも診療科があるような大病院での話。風邪ひきで町の医院に行くときは、わざわざ小児科の看板がかかっている医者を探す必要はない。簡単な病気なら、大人子供の区別はなく、診てくれる。

◎人間の吐く息は、酸素と二酸化炭素のどっちが多い?

呼吸とは、たしかに「酸素を吸って、二酸化炭素を吐く」ことである。

しかし、だからといって、吐く息には酸素より二酸化炭素のほうが多いというわけではない。

空気中には、酸素が約二〇%、二酸化炭素が約〇・〇三%含まれている（残りのほとんどは窒素）。で、この空気が肺の中に入ると、必要な酸素は血液中のヘモグロビンに付着して体内のすみずみに回り、代わりに廃棄物としての二酸化炭素が外に出される。

このとき吐く息の成分比は、酸素約一六%、二酸化炭素約四%（残りは、やはりほとんどが窒素）。つまり、使った酸素はわずか四%に過ぎず、その分だけ二酸化炭素が増したと考えていい。

というわけで、吐く息にも、まだまだ大量の酸素が残っている。溺れた人にする人工呼吸に、マウス・トゥ・マウスといわれる方法があるが、なるほど相手の肺に自分の息を吹き入れても、相手が酸欠になる、なんて心配は無用なのだ。

◎なぜ、おたふくカゼにかかると、頬がふくらむ?

「おたふくカゼ」は、ウイルス感染で発症する病気。おたふくカゼのウイルスは、人間の体内に入ると、耳の付け根にある耳下腺に入り込み、そこに炎症を起こさせる。その結果、患者の頬は大きくふくらみはじめるのだ。そのため、おたふくカゼは、正式には「流行性耳下腺炎」と呼ばれている。

症状は、むろん頬がはれるだけでなく、頭痛、吐き気、高熱を伴う。さらにひどくなると、脳にまで影響を及ぼすこともある。名前はユーモラスだが、決してあなどれない病気だ。

おたふくカゼのウイルスは、カゼウイルスの仲間では、ひときわ感染力が強く、免疫のない人は、患者のせきやくしゃみを少し吸い込むだけでも伝染する。

◎「疲れ目」は、どこの疲れ？

長い時間、本を読んでいると、目がショボショボしてくることがある。これを「疲れ目」というが、そのとき疲れているのは、目の水晶体を調節している「毛様筋」だ。

本を読むとき、目と本の距離は、数十センチしか離れていない。それぐらいの近距離に焦点を合わせるには、毛様筋を収縮させる必要がある。毛様筋を縮め、水晶体を厚くして焦点距離を合わせるのだ。

ということは、長時間、本を読んでいると、毛様筋はずっと縮んだままになっている。目がショボショボするのは、この毛様筋が疲労し、少しでも緊張をやわらげようとするからだ。

ちなみに、疲れ目のときは、遠くの山や星を見て、毛様筋がしぜんに伸びるようにすれば効果がある。

◎爪はどこから生えてくる？

爪は、皮膚におおわれている部分にも生えている。その部分の爪を「爪根」といい、目に見える部分の爪は「爪体」と呼ばれている。両者を足したのが、爪の全体像だ。

また、皮膚に隠れている爪根を包む表皮の部分を「爪母基」といい、ここで表皮細胞が盛んにつくられている。つくられた表皮細胞は次々に爪根に取り込まれて、表面に出ている爪体の部分が伸びていく。

というわけで、爪は爪母基での細胞分裂によって生まれ、爪体となって表に現れている。その成長スピードは、一日につき〇・四〜一・六ミリ程度だ。

◎高地にすむ人は、なぜ高山病にならない？

高地に暮らす人々の体は、薄い空気に順応し、少ない酸素を効率よく運搬できる仕組みになっている。

体内で酸素を運んでいるのは、赤血球のヘモグロビン。高地に住む人は、血液中の赤血球が多いため、酸素が薄くても体のすみずみに酸素を送ることができる。

一方、平地に住む人がいきなり高地にいくと、高山病にかかるのは、赤血球の数が少ないうえ、標高が高くなると、ヘモグロビンの働きが鈍ってしまうからだ。

そのため、十分な酸素を体に送れなくなり、細胞が一種の窒息状態におちいる。これが原因で、耳鳴り、頭痛、めまい、呼吸困難、思考力の低下などの症状が表れる。

もっとも、平地に暮らす人も、じょじょに標高を高くし、時間をかけて赤血球を増やしていけば、高山病にかからずにすむ。

◎なぜ、お尻にはおデキがよくできる？

お尻にはおデキができやすい。

これは第一には、お尻には、汗腺や毛穴が多く、汗をかきやすいため。

そのうえ、お尻は下着でおおわれているので、いつも湿度が高い状態の中にある。そのため、毛穴や汗腺が開き、そこから細菌が侵入し、炎症を起こしやすくなるのだ。

さらに、椅子に座っている時間が長いと、血液の循環がしだいに悪くなる。すると、侵入した細菌への抵抗力が弱くなり、これもおデキの原因となる。

裸で抱き合えば、本当に凍死しないか？

現実の雪山は、それほど甘くはない。裸で抱き合うしか方法がなくなったときは、ほぼ絶望と思ったほうがよい。

裸で抱き合えば、少しは体温低下を防ぐことができるかもしれないが、本物の登山家でそんなことをする人は一人もいない。

現実に遭難しかかっている場合には、抱き合うより、ほかにしなければならないことが山ほどある。誰かの手足が凍傷にかかっていれば、その指をしゃぶったり、オシッコをかけたりして温めなければならない。もし、お湯をわかすことができれば、すぐにお湯をわかして温める必要がある。

とても、裸で抱き合っている余裕はないのである。

「耳にツバをつけると水が入らない」のは本当？

海やプールに入るまえ、耳の穴にツバをいれる人がいる。こうすれば、耳に水が入らないと信じているのだ。

しかし、ツバには、水をはじいたり、侵入を防ぐ効果はない。これはツバをつけた指を耳に入れる動作だけが、見よう見まねで広まったものである。

その昔、素もぐりをする漁師たちは、やわらかい草を耳に詰めていた。ツバをつけると、草は丸めやすくなる。そこで、ツバをつけた指で草を丸め、丸めた草を耳の中に詰めていたのである。

ところが、それを見た一般の人たちが、草を丸める動作を抜かし、ツバをつけた指を耳に入れる動作だけをマネた。ここから、この習慣がはやりだした。

なぜ、注射のあとは風呂に入ってはいけない?

昔は、学校で予防注射を受けた日には、「今日はお風呂に入ってはいけません」といわれたものだ。

これは、注射痕から細菌が入り、化膿する危険性がゼロではないためだ。また、予防注射は体の中にわざと細菌を入れて免疫をつくるもの。風呂で血行がよくなると、菌の活動が活発になり、熱が出たり、頭が痛くなったりする恐れもある。

ただし、これらのトラブルが起きる可能性はきわめて少ない。だが、こういう可能性が、わずかでもあるかぎり、学校としては、責任上、注意を呼びかけておく必要があったのである。

近眼の女性は、なぜ美人に見える?

少女マンガに登場する女の子は、極端に瞳が大きく描かれることが多い。

これは、瞳が大きいと、私たちはその人間をなんとなく温かく、魅力的だと思ってしまうからだ。

近眼の女性が色っぽいなどといわれるのも同じ理由である。

近眼の女性は、瞳孔がやや開きかげんになるため、瞳が大きく、うるんだように見える。以前、コンタクトレンズで有名なボシュロムが、目の美しい有名人のアンケート調査をしたところ、上位三人は、松坂慶子、大原麗子、多岐川裕美だった。この三人はいずれも近眼だが、これは偶然ではなさそうだ。

男も乳ガンになることはあるか?

男性でも乳ガンにかかることがあり、乳ガン患者の一%は男性が占めている。男性にもオッパイがある以上、乳ガンが発生することがあるのだ。

原因の多くは、乳腺の肥大によるもの。また、病気治療や女性にあこがれて、女性ホルモンを過剰投与したときにも、ガンが発生しやすい。発生しやすい年齢は、五二歳から六三歳ぐらいで、女性より少し高めになっている。

また、手術後の再発率は、女性が約三五%なのに対し、男性はかなり高い。予後が悪いので用心が必要だという。

男性も、オッパイに手をあてて、グリグリがあったら要注意だ。

なぜ、空腹をガマンすると空腹でなくなる?

仕事が忙しくて昼食を食べ損なってしまった。ところが、しばらくすると、あれほどお腹がへっていたのに、空腹感がなくなってしまうことがあるが、これはどうしてか?

結論を先にいうと、これはたんなる慣れの問題。人間は、匂いや熱さ、空腹感などに対しては、ひとつの状態がある程度続くとあまり感じなくなるのである。

ただし、断食など長期間にわたって食べ物を食べない場合は、別な理由がある。断食も、しばらく続けていると

しだいに空腹感がなくなるが、これは、胃が空になってから一日くらいたつと、体内の脂肪が分解して、ケトン体という物質が出てくるからだ。

このケトン体、食欲中枢をマイナスに刺激、つまり空腹感をなくす作用があるため、お腹がへらなくなるのである。

◎ジョギングしていると、なぜ苦痛が快楽に変わる？

「ランナーズ・ハイ」とは、ジョギングやマラソンをしていると、最初は苦しくとも走っているうちにしだいに気分がよくなる、つまり《ハイ》になる現象のこと。

苦しみが快感に変化するとは、まるでSMの世界のようだが、これにはれっきとした生理的理由がある。

人間の脳には、強い痛みやストレスを受けると、防衛機能が働いて、一種の麻薬を分泌する機能がある。エンケファリンやエンドルフィンなど、脳下垂体から出る物質がそれで、これらの物質には人間の痛みやストレスをやわらげる作用がある。

たとえば、出産のとき、女性のエンドルフィンは通常の六倍の濃度になるというが、つまりは、こうして出産の苦しみをやわらげているわけである。

もっとも、一種の麻薬だから中毒に似た症状も出る。マラソンやジョギングがなかなか止められないのは、脳が先の麻薬物質で満たされ、その快感が忘れられないからだという説もある。

◎近眼がどんどん進むと、最後はどうなる？

近眼の人の視力といえば、〇・五や〇・一ならマシなほう。〇・〇一などという小数点第二位以下の人もけっして珍しくない。

　ふつう近眼はどんどん進行するといわれるが、こうなると、近眼の人の中には、このまま視力が落ちていくと、いつかは失明してしまうのではないか、と不安に思う人がいたとしても不思議ではない。

　しかし、安心されたい。近眼は、どれだけ進んでも、けっして失明という事態にはならない。

　そもそも近眼とは、眼球（レンズ）の前後径が長くなり、ピントが合わなくなることが原因。一方、失明は、眼球を通した画像が映る眼底が損傷したり弱くなったりすることで起こる。だから、レンズの調子が悪くても眼底には異常のない近眼は、牛乳瓶の底のようなメガネをかけなければならないことはあっても、失明することはありえないのである。

◎録音した自分の声は、なぜ別人の声に聞こえる?

　はじめて自分の声をテープレコーダーに録音すると、誰しも「エッ？　これが自分の声？」と感じるもの。

　もっとも、そう感じるのは本人だけで、まわりの人はふだん聞いている声と同じにしか聞こえない。

　これは、いったいどうしてか？

　人間の声は、声帯で発し、ノドや口で共鳴することによって、大きな声になり、人の耳にとどく。ところが、声を出した当人には、その声は自分のアゴの骨や耳のそばの骨と共鳴するため、まわりの人とは違う音に聞こえるのだ。

　テープレコーダーの声は、自分が思っているより高音であることが多いが、これは、耳のそばの骨の振動によって、低音部が強調されるからだ。

なぜ、一〇〇度のサウナでヤケドしないのか？

かの石川五右衛門は、釜ゆでの刑であの世に行った。煮えたぎる熱湯の中に入れられるというムゴイ刑である。

熱湯の温度は、いうまでもなく一〇〇度。ところが同じ一〇〇度でも、あの世行きどころか気分爽快になるのが、サウナである。水だろうと空気だろうと、一〇〇度は一〇〇度。それなのに、どうしてこんなにも違うのか？

ひとつは、湿度の違いだ。仮に湿度一〇〇％のサウナだと、熱伝導率が高くなるため大ヤケドしてしまうが、実際のサウナは一〇～一五％と非常に乾燥しているため、熱伝導率が低いのである。

もうひとつは、汗である。サウナにはいると一分間に四〇 ccもの汗をかくというが、汗には気化熱で体温を調節する働きがある。だから、一〇〇度のサウナにはいってもヤケドをしないのである。

なぜ、人間の顔は左右対称ではない？

人間の顔をよく見ると、左右対称ではないことに気づくはず。それは、自分の顔の真ん中に鏡をあてて見るとよくわかる。顔の右半分だけでつくった顔、左半分だけでつくった顔は、この世のものとは思えない不気味な顔になってしまう。

では、なぜ、人間の顔は左右対称ではないのか？　これには二つの説がある。

ひとつは、「利き腕説」。たとえば、右利きの人の場合は、右手が長くなるなど、どうしても体の右半分の発達が過剰になり、顔でも右のほうが脂肪が多くなる。

もうひとつは、「左右脳説」。脳には、左脳と右脳の二つがあり、左脳は論理的思考、右脳は情緒的思考を担当していることがわかっている。

ところが、身体的にはこの逆になって表れる。つまり、人間の顔の右半分には左脳的な表情が、左半分には右脳的な表情が表れるのだ。具体的には、顔の右半分には、冷たい表情。左半分には温かい表情が表れる。だから、顔の左右で表情が違ってくるというわけだ。

◎なぜ、男にも乳首がある?

男はオッパイが出るわけでもないのに、なぜ乳首があるのか?

しかし、結論を先にいうと、人間が哺乳類である以上、オス・メスを問わず、乳首はついているのが当たり前なのである。


乳首は、そもそも乳腺が変化したもの。乳腺は、哺乳類の証として、性別にかかわりなく胎児のころに完成しているのだ。

しかし、思春期を迎えるころになると、女性は女性ホルモンが大量に分泌されて、乳腺が発達し、乳首も乳房も大きくなる。一方、男性は女性ホルモンがきわめて少量しか分泌されないから、赤ちゃんのときのまま残る。

では、男の乳首は無用の長物なのかというと、そうではない。まれに、女性ホルモンが多く分泌された男性はオッパイがふくらみ、母乳（父乳?）が出ることもある。

さらに、男の乳首は、ヘソと同じように、体の部分の位置を確認するためにも重要だという。

事実、ある医師は「心電図の検査のとき、もし、男に乳首がなかったら位置の確認がむずかしい」といっている。

◎なぜ、タバコをやめると太る？

タバコをやめると、太る人が多い。なぜだろうか？

まず、タバコには、空腹感を喪失させる作用がある。ニコチンがアドレナリンの分泌をうながし、血糖値を上げるためである。つまり、タバコを吸うと、それだけで空腹感がいやされているのである。

そのため、タバコをやめると、空腹感を強く感じることになる。しかも、舌の味蕾《みらい》のマヒが直って、食事がおいしく感じられるため、ついつい食べすぎることになってしまうのだ。

さらに、タバコをやめると、中性脂肪を燃焼する代謝スピードが落ちる。ニコチンによるアドレナリンの分泌で、スピードが高まっていたのが、正常なスピードに戻ると、脂肪の燃焼率が落ち、皮下脂肪がつきやすくなる。

つまり、タバコをやめると、食欲を感じてついつい食べすぎ、かつ皮下脂肪がつきやすくなる。とくに、やせの大食いだった人が、禁煙すると、一気に太る場合が多い。

◎なぜ、朝酒は効くのか？

同じ一杯のビールでも、夜ならどうということはなくても、朝飲むとかなり酔いがまわるのはどうしてか？

動物実験では、動物が活発に動きまわる時間帯の前半にアルコールを与えると、その毒性が高まり、反対に休息の時間帯にアルコールを与えると毒性が低くなることがわかっている。

人間でも同じ。同じお酒でも、朝酒は夜のお酒より血中アルコール濃度の上昇度が高く、濃度自体も高くなるのだ。

また、心理的にも朝酒が効く説明がつく。

朝酒は、それが習慣になっていない人にとっては、どこか罪悪感がつきまとうため、生理的には効いても、心理的にはなかなか酔えない。

そのため、朝酒は少々の酔いでもそれをかなりオーバーに自覚してしまうのである。

ビールなら平気で三リットルは飲めるのに、なぜ、水は飲めない？

ビールなら、大ジョッキで軽く三杯はいける呑んべえも、水となるとこうはいかない。これはどうしてか。その鍵は、やはりというべきかアルコールが握っている。

ビールのアルコール度は、五％前後だが、アルコールには胃で吸収される性質がある。さらに、アルコールが吸収されるときには、ついでに水の分子もいっしょに吸収されるため、ビールはいくら飲んでもお腹がいっぱいにならないのだ。

その点、タダの水は、胃では吸収されず、腸までいってはじめて吸収される。しかも、そのスピードは非常に遅いから、胃がいっぱいになった時点で、それ以上は飲めなくなる。

無理やり詰め込むと、嘔吐反射といって、いっきょに逆流することもある。

バスタオルは、なぜ嫌な臭いがする？

バスタオルは、風呂にはいり、洗ったあとの清潔な体を拭いているはず。それなのに、放っておくと、すぐに嫌な臭いがしてくるのは、どうしてか？

これは、いくら洗った後でも、すべての体の汚れが落ちているわけではないためだ。その体をバスタオルでこすると、残っていた垢が付着する。嫌な臭いは、洗い残した垢が原因だ。

しかも、垢がつき、湿ったバスタオルを、湿度の高い洗面所に置いておくと、カビの絶好の温床になる。やがて、嫌な臭いを発するようになるのである。

使ったバスタオルは、そのつど洗濯するか、太陽にあててよく乾燥させる必要がある。

徹夜は何日間、可能か？

第二次世界大戦中、アメリカの陸軍が「不眠実験」というものを行っている。

これは、数百人の兵士を集めて「どれだけ眠らずにいられるか」を試したものだが、二日目まではある程度の兵士が耐えられたものの、三日目でほとんどがダウン、四日目には全員リタイアとなり、なかには精神に異常をきたした兵士もいた。

屈強な兵士にしてからがこう。「若い頃は、三日や四日徹夜してもへっちゃらだった」などと自慢するオジさんがいるが、まずウソである。

なぜ、男はセックスの後、すぐに寝てしまう？

セックスが終わったとたんに高いびき、という男性が少なくない。「もう少し余韻に浸っていたいのに。デリカシーがないんだから！」と怒る女性もいるようだが、あれは男性である以上、やむをえない面がある。

サルの脳の内側視索前野《ないそくしさくぜんや》の活動を調べることで、セックス前とセックス後で性欲はどう変わるかを調べる実験が行われたことがある。

それによると、性行為終了後すぐ、オスザルの内側視索前野の活動はグッと落ちてほぼ静止状態になった。しかし、メスザルは、性行為終了後、いったんは内側視索前野の活動が低下したが、ほどなくムクムクと回復。「あの感動をもう一度」といわんばかりの盛り上がりを見せたのである。

男がセックス後にすぐ寝てしまうのは、デリカシーがないからではない。女ほど貪欲ではないだけの話なのである。

なぜ、「二度寝」は気持ちがイイ?

二度寝とは、朝一度目覚めて、もうひと眠りすること。これが気持ちがイイという人がけっこういる。いよいよ起きるときは、なんとなく頭がボーッとしているものだが、二度寝が気持ちがイイのには、次のような理由がある。

『睡眠と夢』の著者である富山大学の石原務教授によると、人間は、ある程度睡眠をとってしまうと、つづけて寝直しても、再び深い睡眠状態には入れない。つまり、二度寝とは「浅い睡眠」だという。

二度寝でも、視覚や聴覚などは周囲から遮断されるが、深い睡眠状態に比べると、浅い感覚遮断になる。その結果、体は、宙に浮いたような感じになり、それが快感をもたらすというのだ。

「夢うつつ」という言葉があるが、二度寝は、夢と現実を行ったり来たりするナチュラル・ハイの状態とでもいえばいいだろうか。

世の中に二度寝ファンが多いのも当然である。

熱帯夜に裸で寝ると、なぜかえって暑い?

熱帯夜は素っ裸で寝る、という人が少なくないが、じつはかえって寝苦しくなるのをご存じか。

薄い綿布団をかけるという条件で、パジャマを着た場合と、素っ裸で寝た場合では、どちらが布団の中の温度が高くなるかを実験したデータがある。

それによると、パジャマを着た場合は、何分たっても、布団の中の温度は三四度で安定していた。しかし、素っ裸の人の布団の温度は、約一五分後から上がりはじめ、一時間後には三六度まで上昇した。

これは、布団綿には「湿潤熱」といって、空中の水分を吸い取って熱を発散する性質があるから。素っ裸で寝ると、体の汗はすべて布団綿に吸収され、その分だけ大量の湿潤熱が発散される。これが布団の温度を上げてしまう。

その点、パジャマを着ていれば、汗はパジャマに吸い取られて、布団綿には吸収されない。だから、湿潤熱の発生が抑えられるというわけだ。

熱帯夜こそ、パジャマを着て眠ったほうがよさそうである。

◎いびきをかきやすいのは、どんなタイプ？

いびきカウンセラーの池松亮子さんによれば、いびきをかく人は顔を見ればわかるという。

いわく、鼻翼が厚く、シシ鼻。口のしまりが悪く、唇が厚い。さらに歯の嚙み合わせが悪く、歯並びも悪い。顎は、小さなハト顎か二重顎。首は太く、正面から見ると大黒様のように下脹れ。

なんだか悪人面の典型のようだが、なぜ、こうしたタイプはいびきをかきやすいのか？

一般に、いびきは次のようなメカニズムによって発生する。人間は眠ると、口の中の筋肉が緩んで、舌の奥がのどの奥に落ち込み、気道を狭くしてしまう。すると、呼吸するときに空気が通りにくくなり、いびきをかく。
つまり、先のような人相の人は、眠るときに気道が狭くなりやすいというわけだ。

◎なぜ、男は「疲れマラ」になる?

「疲れマラ」とは、肉体的には疲れきっているのにもかかわらず、突然、女性といたしたくなる状態のコトだが、これはいわばホルモンのいたずら。いたずらとはいえ、それなりに理にかなった生理的な反応なのだ。

人間は、肉体的に疲れていても、性的に興奮するとカテコールアミンというホルモンが分泌される。このカテコールアミンは、心臓の収縮や血圧の上昇をうながすなど、人間をさらに興奮状態にさせるため、いよいよ性欲が高まるのだ。

では、なぜ、人間の体はこんな反応をしてしまうのかといえば、精神状態をハイにすることによって、肉体的な疲労をマヒさせるため。肉体的に疲れても、精神まで疲れては、どんな事故にあうかわからない。これではいけないと、さまざまな危険をさけるために、カテコールアミンが分泌されるのである。

◎男でも子供を産める理由とは?

子供を産めるのは女性だけ——。太陽が東から昇るのと同様、言わずもがなのことだが、オーストラリアのモナシュ大学のソーバン博士らによれば、理論的には「男も子供を産める」という。

その方法は、卵子に精子を人工授精し、約二か月、研究室で胎児を育てる。その胎児を男性のお腹に移植し、帝王切開で出産するというもの。

胎児に栄養や酸素を補給する胎盤は、胎児自身が作り出しており、その胎盤を根づかせるところは、かならずしも子宮である必要はない。男性の場合なら、腹膜が子宮の代わりになるというのである。

ちなみに、もしも男が妊婦ならぬ、妊夫になると、胎児のつくる女性ホルモンによって、オッパイがふくらみ、母乳、いや父乳が出る可能性もあるという。男の乳首は、ダテについているのではなかった⁉

なぜ、離婚した男は早死にするのか？

離婚は結婚の数十倍のエネルギーを使うといわれる。離婚した夫婦は、男も女もそうとうに疲れきっているはずだが、どっちのダメージが大きいだろうか。

答えは、当然というべきか男である。厚生労働省の人口問題研究所の調査によれば、離婚した男女の肝硬変や不慮の事故による死亡率をみると、女性は離婚後もふつうの女性とほとんど変わらないのに対して、男性は一気に増加する。

よく、女は切り替えが早いというが、過去のことなどさっぱり忘れて、颯爽と第二の人生のスタートを切る。しかし、男は、心がすさみ、酒に溺れ（だから肝硬変になる）、寿命も縮んでゆく。

離婚した男性は八〇%が再婚を希望しているが、女性は二五%しか再婚を望んでいないというデータもある。さらに、夫に先立たれた妻より、妻に先立たれた夫のほうが、後を追うようにして亡くなるケースが多いともいわれる。

男の弱さと女の強さを、これほど雄弁に物語っているデータはほかにない。

なぜ、女も声変わりする?

まず、男性の声変わりのメカニズムを説明しておこう。

思春期になると、男性ホルモンの分泌が急激に増え、ヒゲが生えたり、精通がはじまったり、骨格がたくましくなるなど、男性の体にはあちこちに変化が生じる。

声変わりも、そんな変化のひとつ。男性ホルモンによって、声帯が急激に大きくなったために起きる。声帯が大きくなると、声帯をカバーするように覆っていた甲状軟骨も大きく前に押しやられる。これが、喉仏というわけだ。

では、なぜ、声変わりが女性にも起こるかというと、女性も、この時期に男性ホルモンの分泌が増えるからである。じつは女性も卵巣や副腎で男性ホルモンをつくっており、これが女性の声帯を大きくするのだ。

もっとも、女性がつくる男性ホルモンは男性の一〇分の一程度だから、ほとんどの女性は自分の声が変わったことに気づかない。しかし、声楽などをやっている女性は、声の微妙な変化に気づき、少なからずショックを受けるという。

なぜ、日本女性のオッパイは大きくなった?

ここ数年、日本女性が使用するブラジャーのサイズが、平均してワンサイズ大きくなったといわれている。

これは、日本女性のオッパイが急に大きくなったからではない。それまで、ホントはBカップがちょうどよかった女性でも、無理してAカップのブラジャーをしていた。それが、近年になって、ようやく適正な大きさのブラジャーをつけるようになったからだという。

なぜ、彼女たちが本来の大きさのブラジャーをするようになったかといえば、世の中から、大きなオッパイに対する偏見が消えたからだ。それまで、大きなオッパイ＝頭が悪いなどの偏見が一部にあり、それが女性をして、ワンサイズ下のブラジャーによって無理やりオッパイを押さえつけるという愚挙に走らせていた。

しかし、ここ数年は、巨乳はイイ女の条件に。かくして、それまで押さえつけられていたオッパイのうらみを晴らすかのように、女たちは胸を張って街を闊歩しはじめたというわけである。

◎男が一生独身を通すと、どうなる？

男余りといわれて久しい。なにしろ適齢期の未婚の男女の人口差は、三〇〇万人とも五〇〇万人ともいわれている。

人口の男女比のアンバランスに加え、女性の高学歴化や社会進出が進み、「仕事に生きる」女性が増えているのがその理由。日本では、今後、一生独身を通す男性が増えていくと予想されるが、カリフォルニア大学のM・A・デービス先生の調査によれば、「四五〜五四歳の独身男性が一〇年以内に死亡する確率は、妻帯者の二倍」だという。

日本でも、人口問題研究所の調査によれば、男性の五〇歳までの死亡率は、妻帯者三・七％、未婚者一一・一％、妻と死別一一・三％、離婚一九・一％という結果が出ている。やっぱり、妻のいない男は、早死にしてしまうのだ。

その点、女性は独身であろうとなかろうと、死亡率にはあまり変化がないというから、女はたくましい。

男と女の厄年は、なぜ違うのか?

男は二五歳、四二歳、六一歳。女は一九歳、三三歳、三七歳が「厄年」である。

厄年の前後には「前厄」と「後厄」があって、この三年間は健康に注意すべし、というのが先人の教えだが、なぜ、男と女では年齢が違うのか?

厄年という考え方が生まれたのは平安時代の初期、中国の陰陽説をもとにしているといわれるが、生理学的にみてももっともな面があるという。

まず男の厄年だが、二五歳は心身ともに大人になる年齢、四二歳はいわゆる働き盛り、六一歳は老年を迎える年齢というわけで、それぞれ体に変調をきたしやすい時期。ホルモンのバランスも崩れやすく、だから健康に留意せよということになる。

一方、女の厄年は、一九歳は昔なら結婚適齢期というより出産適齢期。当然、ホルモンのバランスが崩れるから要注意の年齢ということになる。三三歳は、子育てが終わってひと息つくころ。しかし、こんなときも体調を崩しやすい。三七歳は、昔の女性なら、そろそろ更年期にさしかかるころ。

というわけで、この厄年、男と女の「人生のバイオリズム」をそれなりに考慮して設定されているのだ。

なぜ、早生まれは女の子に多い?

男性と女性の誕生月を比べると、日本では一～四月は女性がたくさん生まれ、九～一一月は男の子が多く生まれている。

その理由は、母体が季節によって微妙に変化するからではないかといわれている。つまり、母体の変化が卵子に影響を与え、ある季節には男の子になる精子を呼び寄せたり、ある季節には女の子になる精子を呼び寄せたりするのではないかというのだ。

ということは、女の子がほしければ、逆算して春から夏にかけて励めばよく、男の子がほしければ冬に励めばよいということになる。男女の産み分けをしたい人は、参考にしていただきたい。

◎セックスの前のお酒の〝適量〟とは？

アルコールには媚薬としての効果があるのは多くの人が認めるところだが、なんであれ適量というものはある。

イヌを使った実験では、体重一キロあたり〇・五ccが適量ということがわかっている。

この程度のアルコール量だと、イヌのペニスはちゃんとエレクトして、なおかつ持続時間も長くなる。つまり、アルコールは見事、媚薬としての役目を果たしてくれる。しかし、体重一キロあたり二ccのアルコールを与えると、エレクトも射精もできなかったという。

人間に換算すると、その適量は、体重六〇キロの男性で、ビールなら大瓶一本、日本酒なら一合強、ウイスキーならシングル二杯というところ。この量、日本男性の平均的な晩酌量といってよく、なるほど日本における夫婦の平和は、こうして保たれているのかもしれない。

◎ほんとうにセックスでやせられるのか？

女性週刊誌では、ときどき「SEXでやせる！」といった特集が組まれるが、あれはホントなのか？

一回のセックスで消費されるエネルギーは、約二〇〇キロカロリーといわれている。お風呂に入って消費されるエネルギーが約一六〇キロカロリーだから、長めのお風呂といったところか。

食べ物でいえば、バタートースト一枚分である。

また、消費カロリーは、体位によっても多少違ってくる。

男性の場合、①バック、②正常位、③側臥位、④後背騎乗位、⑤騎乗位の順で消費カロリーが多く、女性は、①後背騎乗位、②騎乗位、③バック、④正常位、⑤側臥位の順で消費カロリーが多い。

旦那がヤセっぽちで、奥さんがデブという人は、奥さんが上になる騎乗位がいいということになる。ただし、下の旦那さんが圧死しないように。

◎イライラすると、なぜ女は「ヤケ食い」、男は「ヤケ酒」をするのか?

ヤケになったとき、人間が口にするものといえば、女は甘いもの、男はお酒と相場が決まっている。いわゆる「ヤケ食い」「ヤケ酒」である。

甘いものとお酒には、じつは共通点がある。それは、ともに糖分が多いということで、じつは、この糖分が、人間を「ヤケ〇〇」に走らせる原因なのである。

糖分は、体内で吸収されると、血液中の血糖値を上昇させる。すると、大脳は、この糖分による血糖値の上昇を、ストレスによる肝臓からのグリコーゲンの放出の結果だと錯覚してしまう。

つまり、ストレスがたまった状態で糖分を摂取すると、人間のストレスはいよいよ高まってしまう。イライラして甘いものを食べたり、酒を飲むと、いよいよイライラする。ならばと、さらに甘いものを食べたり、酒を飲んだりすれば、さらにイライラは高まるというわけで、「ヤケ○○」は、ストレス解消になるどころか、心身ともに悪影響を及ぼすのである。

なぜ、男は一度きりなのに、女は何度もイケるのか？

セックスで男は一度発射したら、それなりの時間をおかないともう一度イケない。しかし、女性が何度もイケるのはなぜか？

太古、男は毎日、狩りに出かけた。女たちは子供といっしょに留守を預かったが、当時の地球は、猛獣はいたるところにいるし、いつ他の部族が襲ってくるかもわからない。

当然、女たちは不安になる。早く男たちに家に帰ってきてほしい。そのためには、男たちをセックスの虜《とりこ》にしてしまえばいい……。

というわけで、女たちは何度もオーガズムに達することになったという説がある。女たちが何度もイケば、それだけセックスに広がりと深みが生まれ、男たちが喜ぶからだ。

この説を唱えたのは、動物学者のデズモンド・モリス。

オスとメスがいっしょに行動するほかの動物の場合、メスは一度しかイカないのがふつうというから、説得力がある。

童貞と処女では、どちらが価値がある？

童貞は気味悪がられるが、処女はありがたがられる。

問題の答えは、世間ではとっくに結論が出ているが、裁判所の判断はどうなのか？

じつは、こんな判例が実際にある。

童貞の男と処女の女が結婚した。しかし、妻がある時期から夫とのセックスを拒むようになり、ふたりは離婚の協議にはいった。妻は慰謝料を請求。夫も負けじと「童貞喪失」の慰謝料を請求した。では、裁判所はどういう判決を下したかというと……。

「純潔の喪失に対する社会的評価は、男子の童貞喪失と女性の処女喪失では相違があって、同一に評価することはできない。この喪失に対しての慰謝料の請求は、女性だけに認められる」

裁判所も、童貞には一文の価値も認めないようだ。

◎なぜ、女より男の出生数が多いのか?

厚生省（当時）が明治時代までさかのぼって統計をとったところ、この九〇年間、ほぼ女一〇〇対男一〇六の割合で、つねに男が女より多く生まれていることがわかった。さらに、ある学者が、流産した赤ちゃんの性別を調べたところ、受精の段階では、女一〇〇対男一四六と、圧倒的に男が多いこともわかっている。

なぜ、男のほうが多く生まれるのか?

現在、もっとも有力な学説によると、男女の性別を決定する染色体の重さの違いが原因という。

卵子と合体する精子がX染色体を持つ精子だと女、Y染色体を持つ精子だと男が生まれるが、じつはこの染色体、XとYでは重さがかなり違い、Y染色体（男）のほうがX染色体（女）より軽いのである。

つまり、軽いY染色体を持つ「男の精子」のほうが、重いX染色体を持つ「女の精子」よりずっと身軽なので、膣の中に射精されたとき、子宮の奥で待っている卵子に早く到達でき、サッサと中に入り込む＝受精する確率が高いというわけだ。

◎なぜ、女は便秘になりやすいのか？

女性の二人に一人は、便秘に悩んでいるという。

その理由は、女性独特の〝見栄〟にあるという説がある。

女性の便秘症には医学用語で「習慣的弛緩性便秘症」と呼ばれるものが多い。これは病的な便秘ではなく、要するに排便努力が足らないための便秘のこと。

朝、胃袋がカラッポの状態で食事をとると、胃に入った食べ物が直腸を刺激して直腸が蠕《ぜん》動《どう》運動を開始する。それが排便につながるのだが、いまどきの多くの女性はスタイルを気にして朝食を抜く人が多い。

さらに、男は便意をもよおしたらさっさとトイレにいくが、女性はそこで見栄を張る。たとえば外出中にしたくなっても、駅や職場のトイレは人目があるから、絶対イヤだし、ましてやそれがデートの途中なら、必死でガマンする人が多い。

つまり、女性は見栄っぱりなばかりに、そのつもりじゃなくても排便努力を怠り、結果として習慣的弛緩性便秘症になってしまうというわけである。

◎なぜ、女は失禁しやすいのか？

その昔「失神」を売り物にしていたバンドがあったが、実際、女性は興奮のあまり失神したり、おもらししてしまう人がいる。これにはもっともな理由がある。

ひとつは、男性の尿道が一六センチから二〇センチなのに対して、女性の尿道は四～五センチほどしかないから。つまり、あっと思ったとき、男は二〇センチ分我慢できるが、女は五センチ分しか我慢できないのだ。

また、男性の尿道には、おしっこを止めておくための外尿道括約筋という筋肉があるが、女性にはそれがないことも、失禁の理由。

さらに尿意を感じるのは、抑制中枢という脳の一部だが、ここは、感情が高ぶるとマヒしやすい。女性は、男より喜怒哀楽の感情が激しいから、いよいよ失禁しやすいのである。

◎なぜ、腹上死するのは男ばかりなのか?

腹上死。実際には「腹上」だけでなく「腹下」もあるが、要はセックスの最中にポックリいってしまえば、こう呼ばれる。

この腹上死、もっぱら男性特有の死に方のようにいわれるが、これはどうしてか?

そのひとつの理由に、男と女では、セックスによる血圧の上昇度が違うということがある。

性についてのマスターズ報告によると、セックスの最中、呼吸や心拍数の増加は、男女ともあまり差がなかった。しかし、オーガズムを感じた瞬間の血圧だけは、男性の上昇率が女性よりもはるかに激しいことがわかっている。

たとえば平常時の最高血圧が一二〇の人の場合、女性は平均一五〇～一七〇に上昇したが、男性は、平均二〇〇に上昇。中には二五〇を記録した男性もいた。

一挙に一五〇近くも血圧が上がったら、脳や心臓がプッツンいっても不思議はない。

日頃から高血圧気味の男性諸氏はご自愛されたし。

ホントに〝潮吹き女〟はいるのか？

ひと昔前、ひなびた温泉街のストリップ劇場では「潮吹きショー」なんていうのがあった。もっとも、こうした場合の潮吹きは、事前にあそこに水を入れておき、それを腹筋を使って噴水のように発射させる芸がほとんどだったが、セックスの最中、ほんとうに潮を吹く女性もいる。

女性には、男性の前立腺にあたる「スケーン腺」という分泌腺がある。この器官、ほとんどの女性は退化しているのだが、なかには残っている人もいて、性的に興奮すると、突如として「潮吹き」状態になるのだ。

ちなみに、この女性の潮吹き、英語では「ｅｊａｃｕｌａｔｉｏｎ」、つまり「射精」と呼ばれている。

なぜ、男と女のヘアは「生え方」が違うのか？

男と女では、ヘアスタイルが違うものだが、下のヘアもスタイルが違う。

いや、下のヘアの場合、男と女では基本的な生え方が違うのである。

その生え方とは、男は逆三角形、女は三角形というのが基本形。

理由は、ヘアには性器を守る役目があるからである。男の場合は、ペニスを守るために上部が広がった逆三角形になるが、女の場合は、大事なところが下にあるため下部が広がった三角形になっている。

こうしてみると、下のヘアスタイルは、男と女の体型の違いをそのまま表しているようにも見える。

なぜ、妊娠すると乳首が黒くなる?

女性は、妊娠すると乳首が黒くなる。

これは、妊娠すると、脳下垂体から分泌されるメラニン細胞刺激ホルモンの量が多くなるため、色素沈着が起きて、乳首の色が濃くなるのだ。

このホルモンの影響は、外陰部にも及び、妊娠すると、女性器も黒ずんでくる。

そして、出産後、ある程度はもとの色にもどるが、全面的には回復しない。

精液はなぜ白い?

年齢や射精する頻度によって個人差があるが、一回に出る精液の量は、おおむね二～五cc程度。

その成分は、前立腺から分泌される前立腺液が一三～三三%、膀胱の後下部にある精嚢でつくられる精嚢液が四六～八〇%、睾丸でつくられる精子が一〇%の割合で含まれている。

前立腺液と精子はほとんど透明なので、精液の色には影響を与えていない。精液が白いのは、もっぱら精嚢液の色である。精嚢液はタンパク質を多く含むゲル状の液で、タンパク質が集合しているために白くみえる。

射精された精液が、時間が経つと、じょじょに透明になってくるのは、前立腺液にタンパク質の分解酵素が含まれているためだ。

妊婦は、なぜ「酸っぱいもの」が好き?

ドラマで、女性が急に酸っぱいものを食べ出したら、その女性は妊娠した、というのがお約束である。

ドラマのお約束になるぐらいだから、妊娠した女性が、急に酸っぱいものを好きになるのは事実だが、これはどうしてか？

答えは、自分とお腹の中にいる赤ちゃんにエネルギーを補給するため。酸っぱいものには、二人分のエネルギーになるようなカロリーはないのだが、その代わりに食べ物を分解してエネルギーに転換する「有機酸」という物質がたっぷり含まれている。

だから、妊娠した女性は、お腹の赤ちゃんのために食べ物を人一倍食べ、その食べ物を分解するために酸っぱいものを食べたがるようになるというわけである。

◎「ペニスが子宮に当たる」なんて、本当？

ポルノ小説では、「ペニスが子宮に当たる快感に、われを忘れて」というような表現が出てくる。

現実に、男女とも、ペニスが子宮に当たると、快感がより大きくなると信じている人がいる。

しかし、女性の体は、ペニスが膣の最奥部まで入っても、子宮に当たるような構造にはなっていない。普通のペニスの長さで、距離的には十分だが、たとえ奥まで入れても、膣の奥壁に行き着くだけで、子宮に当たることはないのだ。

「子宮に当たる」という表現は、巨根自慢の男性が、「オレのモノが立派なので、子宮に達して女がよろこんだ」と妄想し、生まれたものだろう。

◎なぜ、他人のオチンチンは自分のモノより大きく見えるのか？

男子たるもの、一度は「自分のは他人のソレより小さいのではないか……」という不安にさいなまれるはずである。修学旅行先の旅館やゴルフ場の風呂場で見る他人のソレは、非常に立派に見えるからだ。

しかし、全国の悩める男たちよ、安心されたい。

あなたのは決して小さくない。小さいと思ってしまったのは、じつはちょっとした錯覚なのだ。

隣人のソレは正面から見た正規の長さであるのに対し、自分のそれは真上から見下ろした仮の長さ。

下に向かって垂れた自分のソレは、短く見えて当然なのだ。

ちなみに、日本人の平均「チン長」は、平常時で長さ七・四センチ、非常時で一二・七センチ。

仮にそれ以下でも、女性のナニの深さは七・九センチというから、ほとんどの男性は立派に用を足せるはずである。

◎処女膜は、なんのためにある?

角膜、横隔膜、鼓膜、腹膜……人間の体にはさまざまな「膜」があるが、女性にしかない膜といえば「処女膜」である。

解剖学的には「膣と外陰部の境目の膜」としかいいようのない処女膜だが、その存在理由については、次の三つの説がある。

・膣内を清潔に保つ

子供の性器には、大人のような自浄作用がない。そのため、膣内にバイ菌がはいると炎症を起こしかねず、その防御壁として処女膜がある。

・精子の逆流を防止する

膣内に発射された精子が、逆流せずちゃんと子宮にとどくための防御壁として。

・軟弱なペニスの進入を阻止する

女性は本能的に強い男性を選ぶ。つまり、

処女膜も破れないような弱い男は、どうせロクな精子しかもっていないはず。

そんな男の子供を産んでもロクな子供に育たないという、種族保存の本能が処女膜をつくった。

なぜ、女性は膣と尿道が別なのか?

男は射精も放尿も、ペニスにあいた同じひとつの穴で済ませている。対して女は、セックス(出産)用に膣、放尿用に尿道口と、別々の穴を持っている。

では、なぜ、こんな違いが生まれたのか。

セックスで男性が精液を放出する先は、女性の膣の中だ。このとき、もし、女性の尿道と膣が同じ穴だと、精子が膀胱に迷い込んでしまう可能性が出てくる。さらに、セックスした後に女性が尿意をもよおしたら、せっかく膣に入った精子が、子宮に到達する前に、オシッコとともに流し出されることもありうる。

これではうまく妊娠できないというわけで、女性は、生殖器と尿道口が別になっているのである。

なぜ、主婦は井戸端会議が好きなのか?

主婦が井戸端会議が好きなのは、夫の浮気を防止するための知恵だという説がある。

動物学者の竹内久美子氏によれば、最初に言葉を獲得して発達させたのは男だという。理由は、男は女を口説かなければならないから。

さらに、浮気をすることで不特定多数の女性を口説くうちに、男の言語能力は飛躍的に向上したという。

しかし、女房としては夫の好き勝手な浮気を黙って見過ごすわけにはいかない。そこで夫の浮気に悩む女房族が集まって浮気対策のアイデアを講じるようになった。これが井戸端会議のルーツだというのだ。

こうして女たちもその言語能力を向上させていったというわけだが、最近では、言語能力が向上しすぎて、夫が口ゲンカでは勝てなくなってしまったのはご存じのとおりである。

◎恋する女性は、なぜきれいになる?

恋をしている女はすぐわかる。目がなんとなく色っぽくなり、肌もきれいになる。全体的にフワッとした女性らしさが溢れてくる。

では、どうして恋をしている女はきれいになるのか。これにはれっきとした生理学的理由がある。

女は恋をすると、自律神経系が活性化して、女性ホルモンの分泌がひじょうによくなる。その結果、目の潤いが増し、肌もしっとりとしてくる。

心身ともに、女性はより女っぽくなるのである。

ただし、例外はある。「恋やつれ」といわれるもので、片思いだったり、不倫の恋だったり、要するに心が満たされない恋だと、女性ホルモンが悪いほうに影響する。その結果、肌が荒れたり、やせたり、逆にヤケ食いに走ったり……。

美容のためには、清く正しい恋をしたほうがよさそうである。

◎なぜ、男の睾丸は外にぶらさがっているのか?

オチンチンが突起しているのは、女性が凹である以上、男性は凸でないと具合が悪いからだろう。

では、その下の睾丸は、なぜ外にぶらさがっているのか?　睾丸には精子をつくるという重要な役割がある。そんな大切な器官が身体の外にぶらさがっているというのは、あまりにも危険ではないか?

しかし、睾丸が外にあるのは、じつは精子を作るからこそ、である。

精子の製造には適温があり、それは三五度。もしも睾丸が体内にあると、体内の温度は三五度以上あるから、精子が作れなくなってしまう。だから、睾丸は外にぶらさがっているのである。

睾丸の〝いれもの〟がシワだらけなのも、袋がラジエーターの役目を果たしているからだ。夏の暑い日は袋がたるんで(表面積が広がって)熱を逃がし、冬の寒い日は硬く小さくなって(表面積が小さくなって)熱が奪われるのを防いでいる。

◎食前に飲む薬を食後に飲むとどうなる?

薬を飲む時間には、食前・食間・食後の三つがある。食前、食後は食事前後の三〇分、食間は食事と食事の間、つまり、食事後二時間ぐらいをいう。では、食前に飲む薬を食後に飲むと、どうなるのだろうか。
薬によっては、効き方に違いが出るものもある。たとえば、胃酸に弱いペニシリン類やエリスロマイシンなどの抗生物質は、食後に飲むと、効き目が悪くなる。
また、食事内容で効果が変わる薬もある。たとえば、抗生物質のテトラサイクリンは、乳製品中のカルシウムと結合すると吸収されにくくなり、メチルドパ(血圧降下剤)はタンパク質と一緒になると、やはり吸収が悪くなる。

だが、大多数の薬の効果は、食事とはあまり関係ない。食前に飲む薬を食後に飲んでも、効き目が遅くなるぐらいで、薬効にそれほどの影響はない。食事を基準にするのは、一日三回の食事に合わせて飲めば、薬を飲み忘れないという理由が大きい。

同じ薬を飲みつづけていると、なぜ効かなくなる?

同じ薬を飲みつづけていると、しだいに効き目がなくなってくるが、これには理由が二つある。

ひとつは「薬剤耐性」といって、体が薬に慣れてしまい、その効果が弱くなる場合。たとえば、睡眠薬は、大脳皮質に作用して眠気をもよおさせるが、常用するうちに、睡眠薬を飲んでいる状態がふつうの状態になってしまう。つまり、また眠れなくなる。鎮痛剤の場合も、痛みをやわらげる効果に体が慣れてしまうと、もう効かない。結局、もっと強い薬を使うしかなくなってくるわけだ。

もうひとつの理由は、病気の原因である細菌が、薬を常用することによってしだいに強くなってしまう場合。たとえば、細菌を殺したり、増えるのを防ぐ抗生物質の場合、抗生物質に叩かれているうちに、細菌のほうが強くて丈夫になってしまうことがある。

とはいえ、効かなくなったからといって、素人判断で強い薬に替えるのは禁物。医師や薬剤師にちゃんと相談していただきたい。

なぜ、イライラすると「貧乏ゆすり」をするのか?

イライラしたり、あせっていたりするとき、人は無意識のうちに足を小刻みにゆする。

いわゆる「貧乏ゆすり」は、人が不安や焦燥感をいだいているときの動作として知られるが、なぜ、足をゆするのか?

体の一部を小刻みにゆすると、それが小さな刺激となって中枢神経を通り、脳神経に達する。一定のリズムを伴ったこうした刺激は、脳神経に働きかけて、精神的な緊張をやわらげる効果がある。これが、体をゆする理由である。

では、なぜ、ゆするところが足なのかといえば、理由は簡単。足がもっとも目立たない場所だからだ。

なかには露骨に唇を嚙みしめたり、眉を寄せることによって、不安や焦燥感を表に出す人もいるが、他人の目を気にする職種の人や、必要以上に他人の目が気になる性格の人は、なるべく目立たないように緊張をほぐしたい。そこで、体をゆするための箇所として選ばれたのが足、というわけである。

◎お酒を飲むと、なぜ、あっという間に時間がたつのか？

「あと一軒だけ」が二軒、三軒になり、「あと一時間だけ」が二時間にも三時間にもなるのが、酒飲み。なぜ、お酒を飲むと時間がたつのが早くなるのか？

これについては、次のような実験がある。たとえば、一〇秒という時間をどれほど正確に判断できるかという実験で、シラフのときはほぼ正確に一〇秒という時間を判断できる人も、アルコールを飲むと、実際の一〇秒が五秒程度にしか感じられなくなる。つまり、実際の一時間は三〇分にしか感じられないというわけで、これでは、時間がたつのが早く感じるのも無理からぬ話なのだ。

アルコールには人間の体内時計を遅らせる働きがあるのだろうが、当人は一時間だけ飲んだつもりでも、実際は二時間飲んでいるとすれば、当人の目論見以上に酔っぱらうのも当然。酔っぱらえば、体内時計の針はいよいよゆっくり進むから、かくして気がついたときには、朝帰りということになるのだった。

なぜ、クルマに乗ったとたん、人格が変わる人がいるのか?

世の中には、クルマに乗ったとたん、人格が豹変する人がいる。イギリスでは「ロード・レイジ」といわれ、その意味は「クルマを運転することによるストレス、フラストレーションからくる暴力的怒り。とくに他のドライバーに対する報復的行動」（オックスフォード英語辞典より）である。

イギリスのC・キング博士という心理学者によると、ロード・レイジにかかるドライバーには二通りのタイプがあり、ひとつはふだんから反社会的な行動をとっている暴力的グループ、もうひとつは、ふだんは理知的で冷静だが、クルマに乗ると人格が豹変するグループだという。

前者の場合は、たいていひと目でそれとわかるから、君子危うきに近寄らず、ですむが、後者の場合はどうすればよいか？

イギリスでは、高級車に乗って、後部座席にハンガーでスーツを吊るしているようなビジネスマンが要注意とされている。なぜなら、彼らは、高級車を保持するために猛烈に働かなければならず、日頃のストレスが誰よりも鬱積《うっせき》しているから、である。

居酒屋では、なぜ「とりあえずビール」なのか?

会社が終わって同僚と飲みにいった人は、たぶん九割以上が、「とりあえずビール」というはずである。

ビール好きの人にとっては、まして暑い季

節なら「まずはビールで喉をうるおしたい」と思うのも自然だが、「とりあえずビール」という言葉には、次のような深層心理が隠されているという。

アメリカのソシアル・リサーチ研究所の調査によれば、「ビールを飲むこと」は、潜在的に「くつろぎ」を表しているという。つまり、気楽になりたい、開放的な気分になりたいとき、人は無意識のうちにビールを注文するというのである。

なるほど、いわれてみれば、やっと会社が終わったというとき、いきなりウイスキーの水割りではじめては話が深刻になりそうだし、といって、日本酒でも、気楽を通りこしてシミジミとした気分になってしまう。やっぱり、ここはビール。まずはビールをプワ〜ッと飲み干し、フーと息を吐き出さないことには、会社が終わったような気分にならないのである。

◎スーパーでは、なぜ、売れ残りの商品でも客は喜んで買うのか？

スーパーの特徴は、デパートやふつうの商店とちがって、お客が自分で商品を手にとり、誰の干渉も受けずに、あくまで自分の好みで商品が選べることにある。

たとえば、いま、あなたは「半分にカットされたキャベツ」を買おうとしているとする。キャベツが陳列されているコーナーの前で、あなたはもっとも大きく、鮮度のよさそうなものを選んで買い物カゴに入れる。このとき、あなたは、非常に賢い買い物をしたことに大いに満足しているはずである。

しかし、賢い買い物に満足するのは、あなただけではない。次にキャベツを買いにきたお客は、残っているキャベツの中からベストなものを選ぶことによって、やはり賢い買い物をしたと満足する。そして、その次にきたお客も……というわけで、こうしたお客の満足は、自分の手でキャベツが選べる限り続くのである。

では、最後にひとつだけ売れ残ったキャベツを買う客は不満なのか。

答えはノーである。その客は、「まだキャベツが残っていたこと」に満足して、喜んで、その小振りで鮮度の悪そうなキャベツを買って帰るのである。

子供は、なぜ「ハデな色」が好きなのか？

子供服といえば、女の子は赤かピンク、男の子は、青や緑などの原色のものが圧倒的に多い。オモチャにしてもしかりだが、これは、どうしてか？

まずは、子供自身がハデな色が好きという説。

最近の研究では、人間は生まれた直後でも目が見えることがわかっている。たとえば、生まれたばかりの赤ちゃんは、目覚めると、窓や照明など明るい方向に目を向けることがわかっているが、これはどうやら赤ちゃんが「明るさ」を心地よいと感じているかららしい。つまり、明るいところが好き・明るい色が好き・ハデな色が好き、というわけで、赤ちゃん自身がこうしたハデな色を好んでいる。

もうひとつは、親の影響説。赤ちゃんのころから、ある特定の色の服やオモチャを与えていると、三～四歳のころには、自然にその色に親しみを覚えるようになる。だから、赤ちゃんのころからハデな色の服やオモチャを与えていれば、当然、こうした色が好きになるという説である。

英雄は、なぜ「色」を好むのか？

昔から「英雄、色を好む」といわれるが、

これには生理学的な理由がある。

英雄になるようなタイプは、たいてい攻撃的な性格の持ち主だが、これはテストステロンという男性ホルモンの分泌が多いからである。このテストステロンは、攻撃性を高めるだけでなく、性欲を高める働きもあり、だから「英雄、色を好む」ということになる。

動物界でも、一般に生殖能力の高いオスがボスとして君臨するという。性欲の旺盛さは、オスらしさの象徴であり、ボス（＝英雄）たるもの、メス好きじゃないことにはお話にならない。

人間の世界では、そうコトは単純ではないが、まだ英雄になれない色を好む男としては、せめて「自分は英雄になれる資格はある」と思えばいい？

◎なぜ、エレベーターの中で、人は表示ランプをみるのか？

デパートのエレベーターに乗ると、たいていの人が階を表示するランプをじっと見ている。

べつにランプを見ていなくても、エレベーターガールが教えてくれるからよさそうなものだが、それでもじっと見ているのは、エレベーターという狭い空間の中では、他の乗客と目を合わせたくないから。つまり、他に見るところがないから、ついついランプを見てしまうのである。

電車の中吊り広告も同じ理屈だ。もし、満員電車で、となりの女性の顔をジロジロ見たりすれば、痴漢と間違えられかねない。そのスジの男性と目があえば、「ガンをつけた」と因縁をつけられることもありうる。

かくして、電車の中吊り広告は、やり場のない視線をもっていくのに、恰好のターゲットになっている。

なぜ、「ブスは三日で慣れる」のか?

「美人は三日見ると飽きるが、ブスは三日見ると慣れる」といわれるが、これには心理学的に見て、もっともな理由がある。

初対面のときは、たしかにブスはブスでしかないかもしれない。しかし、二度目に会ったときは、相手の性格が少しわかってくる。三度目には、自分と気のあうところも発見できたりする。

こうなると、ブスであることがあまり気にならなくなる。それどころか、ひょっとすると恋愛の対象になることだってありうる。

このことは心理学でも証明されており、専門的にいうと「熟知性の法則」と呼ばれる。つまり、人間は相手のことを熟知するようになると、自然に親しみがわくようにできているのである。

べつに心理学など持ち出さずとも、世の中のカップルを思い浮かべれば、素直にうなずけるはず?

なぜ、恋人たちはジェット・コースターが好きなのか?

ローマの格言に「美女に惚れさせるなら、拳闘を見せよ」というのがある。ボクシングを見た女性は、非常に惚れっぽくなるというわけだが、この格言、心理学の実験によってちゃんと証明されている。

ダットンとアロンという心理学者が行った有名な「吊り橋の実験」といわれるものがそれで、彼らは、吊り橋のような高いところでは、人間は惚れっぽくなることを証明した。

理由は、吊り橋のような高いところでは恐怖感が高まり胸が高鳴る。ところが、そんな場所で異性に出会うと、人間は、その胸の高鳴りを異性のせいだと勘違いしやすいからだ。

敷がカップルに人気なのも当然か。

なぜ、黒板をひっかく音は、あんなに気持ちが悪い？

黒板をひっかく音には、九〇％の人が不快感を示す。あの音がそれほど嫌がられるのは、人間の脳が潜在的に記憶している「危険信号」と同種の音だからという説がある。

黒板のひっかき音を分析すると、猿の一種のマカクザルが、仲間に危険を知らせるときの叫び声の声紋と一致する。つまり、黒板をひっかく音は、人間が猿だった頃の遠い記憶をよみがえらせているのではないかというわけである。

まだ、仮説の段階だが、人間が緑色を見ると、安心するのも、猿の時代に森で生活していたときの記憶がよみがえるからという説もある。

なぜ、同じ道なのに行きより帰りのほうが短く感じるのか？

初めての道は、行きよりも帰りのほうがずっと近く感じるもの。同じ距離なのに、そう感じるのはどうしてか？

フランスのポール・フレスという心理学者が、こんな実験を行っている。被験者にパリの街並みを写した写真を何枚も見せる。このとき、同じ時間内で見せる写真の枚数を変えたところ、枚数が多いときのほうが、被験者は時間を長く感じることがわかった。

これをはじめて歩く道にあてはめて考えてみると、はじめての道は、あっちを見たりこっちを見たり、先の実験でいえば、たくさんの風景写真を見せられたのと同じような状態になる。だから、時間が長く感じる。

一方、帰り道は、すでに見て知っている風景だから、行きよりも少ない風景写真を見ていることになり、だから時間が短く感じるというわけだ。

◎なぜ、みんなで決めると危険なのか?

A社は、超ワンマン型の社長がひとりで経営方針を決定する独裁型。B社は、重役会議で慎重に議論して経営方針を決定する民主型である。

では、どちらの会社のほうが、海外進出など、より積極的な事業展開を進めるか?

ちょっと考えると、いかにも独裁型の会社という気がするが、アメリカの心理学者ストーナーらが実験によって明らかにしたところによると、正解は民主型の会社である。

理由は三つある。ひとつは、集団で討議すると、議論が単純化され、一見して威勢のいい意見、過激な意見が通ってしまうこと。二番目は、集団の中でリーダーシップのある人は、往々にしてリスキーな意見の持ち主に多く、参加者がその意見に引きずられるということ。そして、最後は、集団で議論すると「責任の拡散」が起こるということである。

こうした現象は「リスキーシフト」と呼ばれているが、戦前の日本も、軍部や内閣がこうした討議をするうちに戦争のドロ沼にはまっていった。「みんなで話し合う」ことには、つねにこうした危険が潜んでいる。

◆ 科学のナゼだ?! ◆

赤い星と青い星があるのは、ナゼだ?!

解けてみれば、案外カンタンな「科学」の不思議

「混ぜるな危険！」のトイレ洗浄剤を、混ぜるとどうなる？

トイレの洗浄剤の中には、商品名と同じくらいの大きさの文字で、「混ぜるな危険！」と大書されているものがある。

注意書きを詳しく読んでみると、この手の洗浄剤は、塩素系の強力タイプに多いが、うっかり酸性タイプのものと混ぜるとかなり危険である。

では、どの程度危険なのか？

塩素系洗浄剤に酸性タイプの洗浄剤を混ぜてみると、たちまち、鼻にツンとくる異臭が漂ってくるはず。次に、目がチカチカしてきて、咳が出る。さらに、めまい、吐き気……。

このガスの正体は、塩素ガスである。微量の塩素ガスでも、軽い症状は出る。異常を感じたら、すぐにその場を離れて、十分に換気すること。

というより、塩素系洗浄剤と酸性タイプの洗浄剤を混ぜるなんてことは、たとえウッカリでも、絶対にやってはいけないのだ。

◎カセットテープに磁石を近づけるのはなぜ、イケナイのか?

カセットテープやビデオテープには、磁気テープが使われている。だから、磁石を近づけてはイケナイといわれているが、その理由をもう少し科学的に説明してみよう。

磁気テープの表面には、酸化鉄の細かい粉が一面に塗ってある。この磁気テープに、電気信号に変えられた音声が録音ヘッドを通して伝わると、どうなるか?

録音ヘッドに電気信号が伝わると、そこに磁界が発生する。すると、テープの表面が磁化する。つまり、酸化鉄の細かい粉が磁石と化し、一定の模様をつくる。その模様が、つまりは録音された音の模様になる。

だから、録音済みのテープに磁石を近づけると、せっかくできている模様が崩れてしまう。これでは、再生したときに音や画像が乱れたり、最悪の場合は、音や画像が消えてしまうということになる。

同じように磁気を利用したフロッピーディスクも、磁石を近づけるのはタブーである。

◎なぜ、雲より高い富士山に雪が降る?

童謡にもうたわれているように、富士山は頭を雲の上に出している。では、雲より高いところにある富士山の頂上に、なぜ雪が降るのだろうか? 雪は、雲中の水蒸気が冷やされ、氷結したもののはずだが。

この答えは簡単で、雪は富士山頂上よりもはるかに高いところにある高度一万メートルほどの雲から降ってきているのだ。

標高八八四八メートルのエベレストにも、雪は降るのだから、富士山の頂上に雪が積もるのは、当然のことだ。

地球外生命がいるなんて、なぜわかる？

アメリカ・カリフォルニア州のＳＥＴＩ（地球外文明探査）研究所の所長でカリフォルニア大学教授のランク・ドレーク博士は、ハーバードの大学院時代、電波望遠鏡でプレアデス星団を観測中に、これまでにない強烈な電波をキャッチし、これは異星人からのメッセージに違いないと確信するようになる。

この体験をもとに、「ドレーク方程式」という理論を発表。その方程式によれば、地球外生命が存在する可能性のある星は、宇宙全体で一万個にのぼるというのだ。

「ドレーク方程式」とは、宇宙から地球に届いた電波が「地球外生命」が発信したものかどうかを分析するための方程式。

宇宙から発信される電波は、ほとんどが自然発生的なものだが、ごく稀に人工的な電波があるという。アメリカの研究家たちは、こうした電波を「ＷＡＯ（ワオ）シグナル」と呼んでいる。「ワオ」とは、アメリカ人の驚きの声だが、この「ＷＡＯシグナル」こそ、地球外生命が人類にあてたメッセージにほかならないというわけである。

ヒトがさらに進化すると、どうなる？

ヒトは、サル→類人猿をへて、ヒトになったといわれる。

では、さらにヒトが進化するとどうなるか？

一説によると、「体の中で使用頻度が高い部位が発達し、それ以外は退化する」という。

予想される「使用頻度が高い部位」は「脳」「消化器官」「性器」。いずれも、人間の本能と直結した部位で、これらは現在以上に発達するという。

反対に、退化するのは「手」と「足」。作業や移動は、ロボットやクルマにまかせておけばいいからである。

というわけで、ヒトの「進化形」は、手足がなく、頭と胃袋と性器が異常に肥大した姿ということになるのだが……。

◎なぜ、太陽が「四角」に見えるのか？

太陽の形といえば、いうまでもなく丸。ところが、その太陽が四角に見える場所が日本にある。

北海道は根室から、さらに北へクルマで約一時間ばかりいった別海町《べつかいちょう》の尾岱沼《おだいとう》。ここでは、一月中旬から三月中旬にかけての厳冬期に、四角い太陽が昇る日がある。

ただし、四角い太陽の日の出が見られるのは、①気温が氷点下二〇度以下、②晴天、③水平線上に雲がひとつもない、の三条件が必要で、この三つがそろうのは、年に数日もないという。

運を天にまかせて、四角い太陽の神秘を体験したい方は、別海町に問い合わせるとよい。四角い太陽が観測できる正確な場所を教えてくれるはずである。

◎白骨死体の性別は、どうやって見分ける？

富士山の麓にある樹海では、自殺者の白骨死体がしばしば発見されるが、性別はどうやって判断するのか？

素人には、骨格の大きさや骨の太さで、男女の判別などすぐつくような気がするが、監察医によると、骨格や骨の太さは目安にはなっても、決め手にはならないという。ポイントは、骨盤の形である。

骨盤が上から下に狭くなり、ちょうどハート型をしていたら男性。逆に、下が広がり気味で、横にした楕円形をしていたら女性というのが鑑定の基準。つまり、女性の骨盤は、赤ん坊を産むために横に発達しているというわけだ。

もうひとつ、性別鑑定の決め手となるのが頭蓋骨の前頭骨、つまり額の部分だ。

男性の前頭骨は後方に傾いているが、女性は切り立った崖のように、眉間の上から頭頂に向かって額の骨が立っていることが多い。たとえば、骸骨が「富士額」だったら、女性の可能性大というわけだ。

◎頂上に万年雪のある山の高さはどうやって測る?

ヒマラヤやアルプスの頂上は、万年雪におおわれている。すると、その山の高さをどうやって測るのだろうか？　万年雪の厚さがわからなければ、正確な高さは測れないはずである。

ふつう、山の高さは、頂上を確認してから測られる。測定方法はいくつかあって、たとえば、二つの地点の間の高度差を測って積み重ねていく「三角水準測量」や、航空写真から高さを割り出す「写真測量」で測られる。そのとき、頂上に万年雪をいただいていれば、人間はその上を歩くという理由で、人間が立ち、足のもぐった位置で山の高さを決めている。

◎「速読」は、どこまで可能か?

一般的な読書のスピードは、一分間に五〇〇字〜七〇〇字といわれる。文庫本の一ページは約七〇〇字だから、一分一ページというのが普通の読書スピードになるが、訓練するとどこまでスピードが上がるのか？　これについては、アメリカでの次のような研究がある。

文章を読むためには、一定時間、眼球が活字の上に止まっていなければならないが、その最小停留時間は一〇〇〇分の一六六秒で、この時間内に人間は三～四語把握できる。こうして三～四語を把握した後、眼球は次の語句へと移動するわけだが、この移動のための最小運動時間が一〇〇〇分の三三秒。つまり、三～四語を把握するためには、実際には一〇〇〇分の二〇〇秒かかる。ということは、一秒間で一五～二〇語、一分間では九〇〇～一二〇〇語が限界というのだ。

英語と日本語を同列に並べるわけにはいかないが、眼球の運動能力という点からすれば、一分間で文庫本を二ページ以上読むことは不可能ということになる。世の中には、これ以上のスピードで小説を読破している人もいるが、それはたぶん飛ばし読みをしているせい？

◎息子は母親に、娘は父親に似るって、ホント？

「あら、お父さんソックリね」

二歳の女の子にそういった人物は、じつはその女の子の父親の顔を知らなかったという話がある。まあ、母親に似ていないから、父親似に違いないと思っただけのハナシなのだろうが、世間では「娘は父親に似て、息子は母親に似る」という説が、かなり頑固に信じられているようだ。

遺伝学では、こんな説はまるで根拠がないとされているが、なぜ、こうした説が信じられているのか？

これは、たとえば息子の場合、父親とは同

性であるため、似ているのが当たり前という前提があり、少しでも似ていない部分があると、それが即、母親から授かったものだと思われてしまうからだという。そして、それが拡大解釈されて、「息子は母親に似る」となってしまった。

　ま、自分に似ているといわれてニヤけていた親も、子供が大きくなると、「勉強できないのはオマエに似たからだ」「女の子にモテないのはあなたそっくり」などと、子供の欠点を互いに配偶者のせいにしたりするわけですが。

◎ダイヤモンドを金槌で叩くとどうなる？

地球で産出する鉱物の中で、もっとも硬いものといえば、ダイヤモンドである。

では、そのダイヤモンドを金槌で叩くとどうなるか？


割れるはずがないと思いきや、これが粉々になってしまうのである。

　その理由は、ダイヤモンドの結晶構造にある。ダイヤは、地下二〇〇キロという地底で、炭素が高温・高圧状態に長時間さらされているうちに結晶化したものだが、この炭素の結晶、特定の方向に対して力が加わると、あっさり割れてしまうことがあるのだ。

　ダイヤのこうした性質は、専門的にいうと「劈開《へきかい》」と呼ばれている。雲母《うんも》が、薄くはがれるのも同じ理由。じつは、ダイヤモンドの原石を削ったり、カットしたりできるのも、この「劈開」という性質のおかげなのである。

　たしかに、どんなに力を加えてもダイヤモンドがびくともしなければ、ダイヤの指輪などできるわけがない……。

◎秋分の日の昼と夜の長さはホントに同じ?

昼と夜の長さは、毎日、変化している。これは、地球の自転軸が太陽の方向に対して、斜めになっているからだが、年に二回だけ、この自転軸が太陽に対して直角になる日がある。春分の日と秋分の日がそれで、この日は、昼の長さと夜の長さが同じになる……。

理科のテストなら、こう答えればたぶん満点をもらえるはずだが、実際は、秋分（春分）の日ではあっても、夜より昼のほうが長いのだ。

これは、太陽の光が、大気のせいで屈折するため、実際の日の出は、理論上の日の出より早くなり、日没も、理論より実際のほうが遅くなるから。

日の出、日の入りの時刻は、あくまで見かけの太陽が地平線から出たときと、すべて沈んだときとされているため、結局、秋分（春分）の日ではあっても、昼のほうが数分だけ長くなってしまうのだ。

◎イチゴの種は、どこにある?

イチゴの種といえば、たいていの人が、表面にあるツブツブのことだと思っているが、これは間違い。あのツブツブは、じつはイチゴの果実である。

では、われわれはいったいイチゴの何を食べているのかいえば、花托《かたく》である。われわれは、イチゴの異常に肥大した花托を果実だと思って食べているのである。

では、イチゴの本当の種はどこにあるかというと、スイカやリン

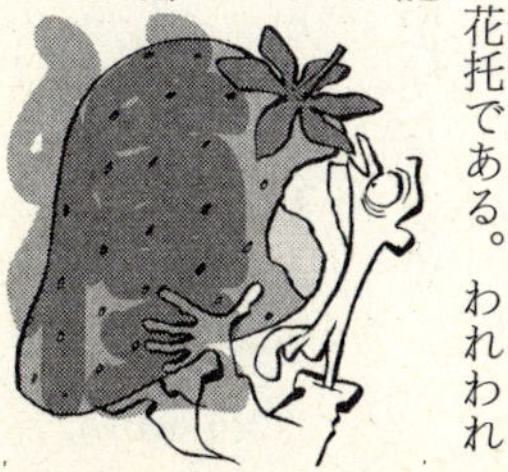

ゴと同じように、果実の中心にある。つまり、あの固くて小さいツブツブの固い果皮をはぐと、その中には、ちゃんと種がある。

◎水の沸点は、ホントに一〇〇度?

氷が溶けて水になるのは〇度。その水を熱して、沸騰状態になるのは一〇〇度——と思っている人が多いが、これは間違い。

水が凍る温度(凝固点)が〇度というのは確かだが、水が沸騰する温度(沸点)は、正確にいうと「約九九・九七四度」である。

「正確にいうと」といったわりには「約九九・九七四度」なんて「約」がついているのもヘンな話だが、これは水の沸点が実験のたびに微妙に変わるから。水の沸点は、気圧などの影響を受けるため、なかなか一定しないのである。

というわけで、こうした科学的な数値を決める国際度量衡委員会では、一九八九年になって「水の沸点は約九九・九七四度」という定義を下した。そのため、一九九〇年以降の理科の教科書では、水の沸点は「一〇〇度付近」などとぼかした表現がとられている。

◎なぜ、赤いバラには刺がある?

赤いバラには刺《とげ》がある、とよくいわれる。うっかり美人に近づくと痛い目にあうという戒めだが、美人はさておき、なぜ、バラには刺があるのか?

ひとつは、刺がないと、ヤギや馬などの草食動物に食べられてしまうからである。刺は、バラがこうした動物から身を守るための自衛手段なのだ。

もうひとつは、ノイバラなど三〜四メートルの高さに伸びる野生のバラの場合、刺がないと、上に伸びていけないということがある。

こうしたバラは、樹木などにからみつくようにして上に伸びていくが、刺はその際の「ひっかかり」になっているというわけだ。

コックリさんは、なぜ、勝手に十円玉が動く?

何年かに一度の周期で流行する占いに「コックリ（狐狗狸）さん」がある。方法は流行した時代や地域によって違うが、もっとも簡単なのは、十円玉に二〜三人が指を軽くのせ、一人が質問してその十円玉の動きで回答を得るというもの。

十円玉が勝手に動くのはなんとも不思議な気がするが、じつはこれにはタネがある。

コックリさんをするときには、テーブルなどに肘《ひじ》をつかないのがルール。つまり、盆や十円玉に触っている人の手は長時間、何も支えられないで空中に停止していることになるが、こうした状態が続くと人間の筋肉は自然に動揺しはじめ、さらに疲れてくればワナワナと震え出す。

これは「不覚筋動」というもので、この力にさらに慣性の法則が加わると、いよいよ十円玉は勝手に動いているように見えるというわけだ。

なぜ、マイナス二七三度以下はないのか?

科学の世界には「絶対零度」というものがある。これは、考えうる最低の温度のことで、摂氏に直すとマイナス二七三度（正確には二七三・一五度）である。

なぜマイナス二七三度なのか?

この絶対零度の存在を推論したのは、イギリスの科学者ケルビンだが、彼はシャルルの法則から、次のような仮説をたてた。

シャルルの法則とは、「温度が一度上下するごとに、気体の体積は〇度のときよりも二七三分の一ずつ増減する」というもの。ということは、一度低くなるごとに二七三分の一ずつ体積が減っていくのなら、マイナス二七三度のときは体積がゼロになってしまう。つまり、これ以上体積が減ることはありえないと考えた彼は、「マイナス二七三度より低い温度はありえない」と推論したのである。

彼のこの仮説は、その後めでたく証明され、以来、絶対零度は、ケルビンの頭文字であるKで表されるようになった。

◎なぜ、白骨死体から「死亡推定年齢」がわかるのか？

推理小説のみならず、新聞の社会面にもしばしば登場する身元不明の白骨死体。こんな場合、警察は「死亡推定年齢」を発表するが、白骨死体からどうやって年齢を推定するのか？

第一のポイントは、骨がまだ成長段階にあるかどうかである。人間の骨は乳幼児のころは軟骨にすぎず、年齢を重ねるにしたがって骨化していく。そして、二〇歳前後で成長がとまり、それ以上は大きくならない。そこで、白骨がまだ成長段階にあれば、死亡推定年齢は二〇歳以下とわかる。あとは、白骨の大きさからおおよその年齢を推定する。

むずかしいのは、完全に骨化してしまっている白骨死体である。老人の骨は緻密度が薄くなり、もろくなっているから、ある程度まては推定できるのだが、三〇代、四〇代の場合は、前後一〇歳くらいの幅でしか年齢が絞れないという。

年齢を推定する決め手になるのは、むしろ歯であることのほうが多い。歯医者のカルテに本人と同じ歯型が残っていれば、一発で身元が判明するし、歯のすり減り具合から、年齢の絞り込みができる場合もある。

◎クルマを撮影すると、なぜタイヤが逆回転しているように見えるのか？

映画やテレビに登場するクルマ。高速で走っているその姿をよく見ると、タイヤが逆回転しているように見えるが、これはどうしてか？

このタネ明かしは、タイヤを時計の針におきかえるとわかりやすい。

映画は一分間に二四コマの絵を撮影し、それを連続して映し出すことで、対象が自然に動いているように見せている。

いま、時計の針を撮影しているとする。一コマ目には時計の針が〇時を指しているところが映っている。二コマ目には三〇度進んで一時、以下三コマ目には二時……という具合に映っていれば、連続して映写したときにはふつうに針が前に進んでいるように見える。

しかし、時計の針の回転が早く、一コマ目には〇時、二コマ目にはいっきょに三三〇度進んで一一時、三コマ目には一〇時……となるとどうなるか。連続して映すと、時計の針が逆に動いているように見える。

これが、クルマのタイヤが逆回転して見える理由。映画のコマ割りと、タイヤの回転がズレると、まるでバックしているように見えるのである。

◎水平線は、海岸から何キロ先にある？

水平線は「はるか彼方」にあるということになっているが、実際のところ、岸からどれくらい彼方にあるのか？

おそらく、一〇キロ、三〇キロといった答えが多いはずだが、あなたの身長を一七〇センチとすると、東京周辺の海の場合、じつは四キロちょっとしかないのである。

これは、地球が丸いため。人間の目の高さと地球の丸みを計算すると、四キロ先は球形の向こう側になり、見えなくなる。すなわち、その四キロ先の境界線が水平線というわけである。

ちなみに、海岸に高さ一〇〇メートルの展望台をつくると、水平線は一気に三六キロも先の彼方になる。そういえば、アメリカ大陸を最初に発見したのは、コロンブスではなく、マストの見張り人だった？

なぜ、ヨットは風速より速く走れる？

風の力を利用して進むヨットは、ちょっと考えると風速以上のスピードでは進めないような気がするが、じつはほとんど無風状態でも前に進むことができる。

ヨットでは、風が弱いときには、風に対して帆をほぼ平行に近い斜めの角度にする。

こうすると、帆の前方では、風が早く流れるため気圧が下がり、帆の後方では風がゆっくり流れるため前方より気圧が高くなる。

空気は、気圧が高いほうから低いほうに流れるから、これがヨットを前進させる力になり、結果的に風速より速いスピードになる。

ヨットは風に流されているのではなく、風を何倍にも利用しているのである。

北極星は、なぜいつも同じ位置にある？

その昔、地図も磁石もないころ、旅人たちは北極星を見て方角を知った。北極星の位置はいつも同じで、つねに北にあるからである。

地球は自転しているから、ふつうの星は、刻々と位置が変わって見える。では、なぜ、北極星だけは、いつも北になるのか？

これは、北極星が地球の地軸のちょうど真上にあるからだ。地軸とは北極と南極をつらぬく軸のことで、地球はこの地軸を中心に自転している。その地軸の真上というか、はるか延長線上にある北極星が動かないように見えるのは、当然なのだ。

◎透明人間は女湯がのぞけない?

もし、透明人間になれたら……。世の中には、女湯をのぞく（というより、透明だから堂々と女湯に入っていけばいい?）なんて、セコいことを考える人もいそうだが、かりに透明人間になれたとしても、女湯はのぞけそうもない。

「ものが見える」ということは、目のレンズを通過してきた光が網膜でひとつの像を結ぶということである。

しかし、透明人間というのは、頭や手足、胴体はもちろん、目や網膜も透明でなくてはならない。ということは、光は素通りして像を結ばない。つまり、透明人間にはなにも見えない。いや、光すら感じることができないはずなのだ。

◎なぜ、砂漠に生えているサボテンの中に水がある?

サボテンは、他の植物と比べて、大量の水を茎の中に蓄えていて、葉や茎に傷をつけると、水分がしみだしてくる。

サボテンも、植物である以上、水分がなければ生きてはいけない。砂漠のような乾燥地帯では、根から吸い取れる水分が少ないため、茎の中に水を蓄えておく必要がある。

そのうえで、サボテンは水分が蒸発していく量をできるだけ抑えるような仕組みになっている。そのために、葉の表面積が小さくなるよう、葉が小さなトゲになっているのだ。

サボテンがとげとげなのは、水分の蒸発を最小限に抑えるための、砂漠で生きていくための進化なのだ。

果樹園のリンゴの木は、なぜ背が低い?

リンゴの木の原種は、もともと背が高くなるほうで、リンゴの野生樹には幹回りが三メートル、高さ数十メートルにも及ぶものがある。

しかし、こんな木に育ててしまうと、とてもリンゴの栽培はビジネスとして成立しない。収穫するにも、やぐらを組むかクレーン車でも用意しないと、リンゴの実に手が届かなくなってしまう。

そこで、収穫しやすいように、リンゴの木は、どんどん背が低くなる方向に品種改良されてきた。

また、背が低いほうが、剪定《せんてい》しやすいし、農薬を散布するにも便利。日本では、台風に見舞われたさい、背の低いほうが倒れにくいという理由も大きい。

なぜ、冬の松の木にワラを巻く?

冬になると、松の木の幹にはワラが巻かれる。その様子は、人間の腹巻きのようで、防寒対策と思う人もいるだろうが、本当のところは害虫対策だ。

松の木の大敵は、マツカレハという虫の幼虫。マツカレハのメスは、夏の間に松の葉に数百個も産卵する。その後、幼虫になったマツケムシは群れになって松の葉を食い荒らしはじめる。この虫にやられると、緑の大木もたちまち黄色くなるほどで、一気に枯れてしまうこともある。そこで、マツケムシ退治に利用されているのが、あの幹に巻かれたワラなのだ。

マツケムシは冬の間、幹の皮や落葉の下に隠れて年を越し、春が近づくと活動を開始し、葉を食べ、サナギとなってマツカレハに成長していく。その過程で、松の木にワラが巻いてあると、冬越しのため枝から幹へと下りてきたマツケムシは、温かいワラの中で寒い冬を過ごす。このワラを春がくる前にとりはずし、マツケムシもろともワラを焼くというわけだ。

植物の葉っぱは、なぜ緑色をしている?

色とは、物理学的には、物質が太陽の光を反射して、人間の目に入ってくる光の色のこと。そして、反射されない光の色は、その物質に吸収されている。

葉っぱが緑色をしているのは、太陽の光のうち、おもに緑色の光だけを反射しているということになる。

反射するということは、植物の葉にとって緑色が必要ないということだ。植物が行う光合成では、紫外線に近い紫色の光と赤外線に近い赤色の光だけが使われ、緑色の光は必要がないのだ。

なぜ、街路樹にはポプラの樹が多い?

街路樹にポプラの木が採用されることが多いのは、ポプラには大気を浄化する能力があるためだ。

国立公害研究所の調査によると、大気汚染物質の吸収力は、常緑広葉樹よりも落葉広葉樹のほうが、平均して七倍以上も優れている。なかでも、落葉広葉樹の仲間であるポプラの吸収力は抜群で、しかも汚染濃度に比例して吸収能力が高まるという性質をもっている。

このほか、ポプラほどではないが、ケヤキやムクゲ、プラタナス、サクラ、イチョウなどにも高い浄化能力がある。なるほど、これらの木が街路樹に多いはずだ。

◎川岸によく柳が植えられているのは？

昔は、川べりや池のまわりには、かならず柳の木が植えられていたものだった。歌にだけ残る「銀座の柳」も、銀座に川が流れていたころ、その川べりに植えられていたものだ。

これは、昔の人が、柳を水害防止対策に利用していたためだ。柳は湿気のあるところを好むうえ、根が丈夫で深くまで根づくため、川の水が増水しても、柳の根が堤防をしっかり固めて、岸がくずれるのを防ぎ、川の氾濫を防いでくれたのだ。

最近、川べりで柳を見かけなくなったのは、川の堤防が、コンクリートにとってかわられたためである。

◎ラジオは、宇宙でも聞くことができるか？

ラジオのAM放送や短波放送は、遠くからでも聞けるが、FM放送は放送局の近くでしか聞こえない……と思われている。

事実、AM放送や短波放送だと、中国、ロシアからの放送も聞こえるが、FM放送では東京発の放送が千葉県では聞こえなかったりする。

ところが、そのFM放送を宇宙空間で聞くことができるのだ。これは、AMや短波と、FMでは、電波の伝わり方がまったく違うためである。

AM（中波）や短波は、地球のまわりにある「電離層」で反射し、電離層と地表との間で反射を繰り返しながら、遠くまで届いていく。これに対して、FM放送の超短波は、電離層で反射せずに、宇宙空間へ出ていく。そのため、地上では近い範囲でしか聞こえないのに、一方で宇宙で聞こえるという現象が起きるのだ。

◎ドライフラワーの寿命は、どれくらい?

ドライフラワーとは、要するに「枯れた」花。だから何年でももつ、と思っている人もいそうだが、ドライフラワーは枯れた花ではない。

たしかに、かなり乾燥してはいるが、まだまだ「生花」だ。花びらに色が残っているのは、花びらがちゃんと呼吸している証拠なのである。

したがって、ドライフラワーにも当然、寿命がある。それはたったの約二か月。これ以上たつと、花びらは完全に乾燥して、今度こそ呼吸を止める。花びらは色あせ、いよいよ「枯れた」花として、その命を終えるのである。

そんなはかない命のドライフラワーだが、それなりに長生きさせるコツがある。ポイントは、できるだけ長く花びらを呼吸させることで、それには、

①直射日光に当てない。
②湿気の多い場所には置かない。
③風通しのよい場所に置く。
④まめに羽ばたきでほこりを払う。

の四つ。これを守れば、ドライフラワーは三か月ぐらいもつはずだ。

◎四〇人学級に誕生日が同じ生徒がいても不思議ではない理由とは?

誕生日が同じ人は三六五人に一人しかいな

い。となると、四〇人のクラスで同じ誕生日の生徒がいるというケースはめったになさそうだが、じつはそうではない。

クラス全員の誕生日が違う確率は、以下のように求められる。

まず、A君とB君の誕生日が違う確率は、三六五分の三六五×三六五分の三六四、以下同じように四〇人まで計算すると、クラス全員の誕生日が違う確率は、

三六五分の三六五×三六五分の三六四×三六五分の三六三×……×三六五分の三二五＝〇・一〇九。

となり、約一〇%。つまり、逆にいえば、約九〇%の確率で、同じ誕生日の生徒がいるというわけだ。

クラスに同じ誕生日の生徒がいるのは、けっして偶然ではなく、むしろ当然なのである。

◎新幹線の顔がどんどん尖ってきた理由は?

新幹線ひかり号の元祖である〇系の先頭車両は、かなりの丸顔である。だが、一〇〇系、三〇〇系、五〇〇系、七〇〇系と、新鋭車両が開発されるにつれて、新幹線の顔はより尖った形に変化してきている。

その変化は、最高速度を上げるための設計変更だったと思う人が多いだろう。むろん、それも理由のひとつではあるが、もっと重要な理由がある。騒音対策である。

新幹線は開通以来、沿線での騒音が問題になってきた。新幹線の場合、モーター音よりも、風切り音のほうが大きな問題で、技術的には以前からスピードアップは可能だったのだが、消音対策が十分でなかったため、新幹線は速度を上げられないでいた。

それを解決したのが、あの顔の形の変化。

風切り音を少なくするため、新幹線先頭車両の顔はどんどん偏平になり、くちばしのような形に変化してきたのだ。

ただし、それもほぼ限界に達し、現在のカーブの多い路線を走るかぎり、三〇〇キロ以上は無理だと考えられている。

◎飛行船はどうやって着陸する?

飛行船の船底には、二本のロープが垂れ下がっている。飛行船が基地に戻ってくると、スタッフはそのロープをつかんでストップさせる。そして、基地内の柱にロープを結びつけ、係留するのである。そのため、飛行船の基地は、広いグラウンド内に、太い柱が何本か立てられている。

飛行船の浮揚源は水素・ヘリウムなどだが、着陸するたび、そのガスをいちいち抜いて、小さくたたむというような面倒なことはしないのだ。

ちなみに、飛行船には、有人機と無人機がある。宣伝のため、都会の上空を飛んでいる飛行船は無人機で、地上を走るクルマの中から電波を飛ばして操縦している。ときどき、飛行船が空中で止まるのは、地上のクルマが信号待ちをしているためだ。

◎給油ランプがついてから、クルマは何キロ走れる?

JAFの出動回数で、ガス欠はかならず上位にランクされる。ガソリンが少なくなると警告灯がつくわけだが、世の中には「まだ走れる」と思う人がそれだけ多いということらしい。

では、現実に、警告ランプがついてから、あと何キロくらい走れるものだろうか?

JAFのテストによると、警告灯がついた時点で、おおむね八〜一一リットルのガソリンが残っているという。

このガソリンで走れる距離は、五〇キロ強とみたほうがいい。むろん、もっと走れる場合もあるが、悪路だったり、渋滞を考えて、五〇キロとみておけばガス欠になることはない。

高速道路のサービスエリアは、それを計算して、だいたい五〇キロ間隔で設けられている。

スケートリンクの氷は、どうやって張る?

スケートリンクの氷は、普通の水道水ではなく、もっと純度の高い水からつくられている。不純物が多く含まれていると、氷の結晶の隙間に不純物が入り込むため、氷がもろくなって選手の滑走に耐えられなくなってしまうのだ。

たとえば、長野五輪のスケートリンクでは、イオン交換樹脂を使い、不純物濃度が水道水の二〇分の一の水で氷がつくられた。

つくり方は、純度の高い水をいったん五〇度前後のお湯にしてから、霧状にしてリンクにまき、冷却剤で一気に凍らせる。これで〇・六ミリ程度の氷をつくり、再びお湯を霧状にまいてまた〇・六ミリ。この作業を五、六度繰り返して、厚さ三～四センチの氷のリンクがつくられていく。

水ではなくお湯にしてからかけるのは、その前の氷の表面を少し溶かして、新しい氷としっかり接着させるためだ。

色つき石けんでも、泡が白いわけは?

石けんには、いろいろな色のものがあるが、泡立てると、泡はすべて白になる。なぜ、泡になると白いのだろうか。

その理由は二つある。まず、石けん溶液の

膜でできた球面は、光線の屈折率が非常に高い。そのため、反射された光線が分散することから、人の目には白く見えるのだ。

もうひとつの理由は、石けんの染色には、顔料が使われていることにある。顔料の分子は、水の分子に溶け込まないで、水の中に均等に分散する。泡になると、もともと淡い顔料の色素が水によってさらに薄められ、色がなくなったように見えるのだ。

◎富士山の「五合目」は、なぜ、標高の半分ではない?

富士山の登山道には、「〇合目」という表示がある。たとえば「五合目」というとき、富士山の標高の半分の高さ（標高一八八八メートルになるが）だと思っている人がいるが、これは間違い。現に、富士山の登山道の入り口のひとつ吉田口は、「一合目」だが標高は一五二五メートルもある。


「〇合目」は、標高や距離とはまったく関係がない。たしかに頂上に近づくにつれて数は増えていくが、これは登山の難易度を示している。

ほとんどの山は、頂上が近づくにつれて、傾斜が急になったり、道が悪くなる。つまり、「〇合目」の数が増えると、頂上は近いが、これからの道のりはきついぞ、ということを示しているのである。

◎山の高さはどこから測るか?

山の標高は「海抜」ともいう。海面からの高さを測るからそう呼ぶわけだが、日本の場合は、東京湾の平均海面の高さを〇メートルとし、それを基準にして、全国の標高を測定している。

といっても、海面には満ち引きがあり、波が立ち、いつも一定ではない。そのため、国会議事堂横の公園に「水準原点」を定め、その地点の標高を二四・四一四〇メートルと定めている。

この高さを基準にして、山の高さを含めて、ほかの地点の標高を求めているのだ。

◎なぜ、海には突然、水温の冷たい場所がある？

海で泳いでいると、突然海水が冷たくなることがある。同じ海なのに、急に温度が変わるのは不思議な話だが、これは海水の性質が変化するために起きる現象だ。

岸に近いところは、潮の流れがゆるやかなため、太陽に暖められて、水温が上がっている。しかも、川の水が流れ込んでいるため、塩分が少なくなっている。

ところが、沖の水は冷たいうえに、塩分が多い。つまり、密度が違うために、なかなか混ざろうとはせず、境目ができることになる。

そのため、水温も違って、たまたま境目にさしかかると、冷たいと感じることになるのだ。

ちなみに、こんな水温の境目では、筋肉が収縮して足がつりやすくなるから、ご用心。

◎雨が降って「地固まる」なんてことがありうる？

争った者どうしが仲直りし、前より仲がよくなることを、「雨降って地固まる」という。

しかし、雨が降れば、地面はドロドロになり、ぬかるむのが普通だ。雨が降って本当に「地固まる」なんてことがありうるのだろうか？

じつは、現実に、雨が降ったとき、地面は固くなっている。地面は、砂や粘土を中心にした微粒子の集まりであり、それぞれの粒子と粒子の間には、ミクロの世界ではあるが、隙間があいている。

しかし、そこに雨が降ると、微粒子どうしが密着し、隙間が詰まった状態になるのだ。昔の人が、このことに気づいていたかどうかは定かではないが……。

ときどき月が赤く見える理由は?

月の光は、太陽の光を反射したもの。その光は、一般的に七色に分解される可視光線と、目に見えない紫外線、赤外線で構成されている。

空気中では、これらの光線のうち、赤い光線よりも、青い光線のほうが散乱しやすい。赤いほど光の波長は長く、青に近づくほど短いため、青い光は空気中の水蒸気やほこりにぶつかると、進行方向が変わってしまう。これが、青い光が散乱しやすい原因である。

月がときどき赤く見えるのは、この光線の性格に原因がある。月が赤く見えるのは、地平線近くにある場合で、地平線上の月の光は、人間の目に届くまで、密度の濃い空気の中を通ってくる。水蒸気やほこりにぶつかることも多く、青い光はほとんど散乱してしまい、残った赤い光だけが地上に届く。

そのため、私たちの目には、赤く見えるのだ。

なぜ、車窓から見る月は後ろから追っかけてくる?

車窓から月を眺めていると、月が後ろから追っかけてくるように見える。そう見えるのは、月が地球から三八万キロも離れているからである。

クルマで走ると、家や山など、比較的近い風景は、どんどん後ろに流れて見えなくなっていく。しかし、地球から三八万キロも離れている月は、クルマや電車でどんなに移動しても、見えている角度はまったく変わらない。だから、窓から見える風景の同じ位置にずっと存在し、追いかけてくるように見えるのだ。

◎「湯垢」の成分は何?

浴槽にたまる「湯垢」を、人間の体から出た垢だと思っている人が多いだろう。しかし、湯垢には、体の垢や汚れは、ほとんど含まれていない。

花王研究所の分析によると、湯垢の成分のうち、もっとも多く、全体の七一%を占めていたのは、脂肪酸カルシウム。これは、水分中のカルシウムと石けんカスの化合物だ。つまり、湯垢のほとんどは、石けんカスなのである。

二番目に多かったのが、一〇・八%のタンパク質。三番目が六・二%の遊離脂肪酸。体の汚れである脂肪分は、わずか五・九%しかなかった。

残り六・一%は不明だったが、尿素と塩分ではないかと推定されている。

◎なぜ、赤い星と青い星がある?

星空を見上げると、星には、青白い星と赤い星がある。なぜだろうか。

火星や金星など、地球にごく近い星をのぞくと、星の色はその星の温度によって決まる。

普通の物体でも、一般的に高温で燃えているものは青白く、温度が比較的低いものは赤く見える。たとえば、ロウソクの火は温度が低いので赤みを帯び、温度の高い溶接用の酸素焔は青白い。

星の場合は、スピカのように青白い星は表

面温度は二万度に近く、シリウスやアルタイル、ベガのように白い星は一万度、アークツルスや太陽のように黄色い星は六〇〇〇度あまり、アンターレスやペテルギウスのような赤い星は三〇〇〇度といわれている。

◎雨粒はどんな形をしている?

マンガやイラストでは、雨粒は涙形に描かれる。ところが、本当の雨粒は、そのような形をしていない。

直径二ミリ以下の小さな雨粒は、表面張力のためほぼ球形で、それ以上大きい雨粒は、空気抵抗が加わるため、球形の底が押しつぶされ、まんじゅうのような形をしている。

もっとも、そんな雨粒の形は肉眼ではとらえられない。窓をつたう雨や木の葉の先などから落ちる雨のしずくは、涙形に見えないこともない。

イヌがやたらと酔っ払いに吠えかかるのは、ナゼだ?!

「動物」の生態に対する素朴な疑問の数々

◎動物園のクマは冬眠するのか?

野生のクマは冬眠するが、動物園のクマは冬眠しない。

そもそも、クマが冬眠するのは、冬にはエサが手にはいりにくいためだ。そこで、じっと眠って、エネルギーを使わないようにして、冬を越すわけだ。

そのため、クマは秋に食べまくる。普通以上に食べることで、皮下脂肪を十分に厚くすることが、冬眠を可能にする条件なのだ。そして、眠っている間は、自分の皮下脂肪をエネルギー源としている。

一方、動物園のクマは、冬もエサにありつけるので、秋にガツガツと食いだめする必要がない。したがって、皮下脂肪の厚さもふだんとかわらず、冬眠するための体の機能が切り替わらないのだ。

◎なぜ、北極グマは氷の上で滑らない?

北極グマは、ツルツル滑る氷の上でも、平気で歩いていく。

北極グマが滑らないのは、彼らの足の裏には毛がはえていて、ストッパーの役割をしているためだ。

北極グマの足の裏には、真っ白い毛がびっしりはえている。北極圏に住む人たちは、毛皮のブーツをはくが、このフサフサの毛がスベリ止めになる。北極グマが氷の上を走りまわっても大丈夫なのも、同じ理屈である。

ただし、フサフサの毛でおおわれていても、歩くには若干のコツがいる。子供グマの頃は、けっこう氷の上で滑っているが、成長するにつれ、歩き方がうまくなっていく。

◎ゴリラの身長はどうやって測る?

人間の身長は直立して測る。では、ふだん前屈み姿勢のゴリラの身長は、どうやって測るのだろうか?

これは、他の哺乳類と同じ測り方をする。つまり、ウシやウマと同じように四本脚の動物として測るのである。

四本脚の動物の自然なポーズは、四本の脚で立った姿勢。ゴリラの場合も、手足を地面についたカッコウで、口の先から肛門までの長さを測り、これを「体長」としている。

ウシやウマをはじめ、一般的な哺乳類はすべてこの方法で測られている。

◎ヤマアラシは本当に山を荒らす?

ヤマアラシは、小さな体に似合わず、本当に山を荒らす暴れん坊である。その食欲は桁はずれで、体重一〇キロ前後と小柄だが、休みなくバリバリ木をかじり、大きな森林被害をもたらす。

ヤマアラシは夜行性で、日が沈むと、穴ぐらから出てきて、周囲の木の皮や小枝を食べまくる。葉や根まで食い尽くし、たった一匹で、半年間に一〇〇本の木を枯らしたという報告もある。

要するに、山の木を枯らしてしまうから、ヤマアラシという名前がついたのだ。

◎チーターはなぜ速く走れるか？

動物の中で、ナンバーワンのスプリンターは、一〇〇メートルを三秒で走るチーター。人間の三倍以上のスピードだ。なぜ、チーターはそんなに速く走れるのか？

俊足の秘密は、まずその体型にある。小さな頭、長い脚、よく発達した両肩の筋肉。人間でも、この条件を備えた人は、かなり足が速い。チーターは、これらの条件に加えて、スパイクのようなツメを持っている。これで地面を蹴り上げるため、猛烈なダッシュ、加速が可能になるのだ。

しかし、俊足のチーターにも弱点がある。人間でも、短距離走者が同時に長距離走者にはなれないのと同様、瞬発力抜群のチーターには持続力がない。スピードが維持できるのは、せいぜい五〇〇メートルがいいところで、つまり全力疾走で一五秒も走れば、スタミナ切れでダウンしてしまう。

◎ハリネズミの母親は出産するとき、ケガをしないか？

ハリネズミは、赤ん坊にも立派なハリがある。体は小さくても、いざとなればハリを立てて自分を守ろうとする。

だが、さすがに出産のときは、ハリは肌の下に隠れるようになっている。生まれるときにハリを立てていれば、母親の子宮や産道が、ズタズタになってしまう。

そもそも、ハリネズミは常時ハリを立てているわけではない。ふだんは、ハリは寝かせていて、危険を感じたときだけ、体表面の筋肉を縮めて、ハリを一斉に立たせるのだ。

シマウマを乗りこなすことはできるか?

結論からいうと、シマウマを乗りこなすことは、非常に難しい。シマウマは、人間と一緒にいるだけで神経過敏になり、興奮し、手に負えなくなってしまうのである。

人間は、多くの種類のウマを飼いならしてきたが、それは四〇〇〇年以上もかけて、おとなしい馬を交配させて、家畜化してきたからこそ。その間、シマウマは一度も家畜化されることがなかったのである。シマウマは、野生馬の気質を残している最後の馬といってもいい。

もっとも、サーカスには人間になれたシマウマもいる。しかし、そんなシマウマはきわめて稀だ。

サルスベリの木に、サルは登れるのか?

サルスベリの木の表面は、他の木と違ってツルツルとしている。

一般に、樹皮は、内側からつくられ、表面の古い樹皮からはがれ落ちる仕組みになっている。たとえば、松の樹皮はウロコ状になっていて、古くなった樹皮からポロポロとはがれ落ちる。新しい樹皮は、はがれたところにしか出てこられないので、自然と表面はデコボコになる。

ところが、サルスベリの樹皮は、ヒビ割れることがなく、古い樹皮が広い範囲で一度にはがれ落ちるため、木の肌がなめらかになっているのである。こういう木は、ヒメシャラ、ナツツバキ、リョウブなどと何種類もあって、山で暮らすサルにとっては、いわば慣れたものので、サルは何の問題もなく登ってしまう。サルスベリという名前は、サルにはいささか失礼なネーミングというわけだ。

◎パンダの肌も、白と黒のブチか？

白と黒のブチでおなじみのパンダ。そのパンダの毛を全部剃ると、どんな肌があらわれるのか？

上野動物園のパンダの飼育係によれば、「たぶんすべて肌色だろう」という。その理由は、生まれたばかりのパンダは、限りなくピンクに近い肌色をしているからだ。

しかし、ウシの場合はそうでもないらしい。ある畜産試験場で試しに白黒模様のウシの毛を剃ってみたところ、黒い毛が生えているところはうっすらと黒っぽく、白い毛が生えていたところは真っ白だったという。

理由については、黒い毛が生えているところは、皮膚にメラニン色素が沈着したためで、遺伝によるという説もあるが、詳しいことはわかっていない。

◎ナマケモノは、なぜ怠惰なのか？

動物のナマケモノは、ほんとうに怠惰である。日がな一日、木の枝にぶらさがっているだけで、動いたとしてもその時間はわずか一〇〜三〇分。すぐに動くのをやめてしまい、お気に入りの場所でジ〜ッとしている。

あんなに怠けていて退屈しないのだろうかと、他人事ながら心配になるほどだが、ナマケモノが怠惰なのにはワケがある。要するに、身体器官の動きがトロいのである。

ナマケモノの胃は、大きいだけでなくいくつにもくびれている。しかも、脳に刺激が伝わるのが遅いため、胃の中の食べ物が全部消化されて腸に送り込まれるためには、一か月以上もかかるのだ。

というわけで、ナマケモノが長時間じっとしているのは、食べたものを消化しなければならないから。食べたあとすぐに動きまわっては、お腹が痛くなる？

コアラは、なぜ「ユーカリの葉」が好きなのか？

コアラはユーカリの葉が好きだ。いや、それどころか、じつはコアラはユーカリの葉しか食べられない。

コアラの盲腸は、堅くて繊維質の多いユーカリの葉を消化するために、長さが二メートルもある。コアラの消化器官は、ほとんどユーカリの葉専用といってもいいほどなのだ。

では、なぜ、コアラの消化器官は、ユーカリの葉専門になったのかというと、夜行性でおとなしいコアラにとって、ユーカリは誰にも邪魔されずに食べられるほとんど唯一の食べ物だったからだ。

オーストラリアに生息する動物でユーカリの葉を食べるのは、コアラのほかにはフクロウムササビくらいしかいない。もし、もっと獰猛な動物がユーカリの葉が好物だったとすれば、か弱いコアラはとっくに死滅しているか、別の植物をエサにするしかなかった。

誰も見向きもしないユーカリの葉をほとんど独占的に食用にすることで、コアラは日がな一日、木の上で昼寝をしていられるのである。

キツネは、なぜ油揚げが好きなのか？

お稲荷さんのお供え物といえば、油揚げである。昔から、油揚げはキツネの大好物とさ

れているからだが、実際にキツネは油揚げが好きである。

金沢大学でキツネの生態を研究している竹内正彦氏によると、キツネが油揚げを好きなのは、次のような理由による。

日本のキツネは、古来から里にすむ動物で、基本的に人間から食べ物をくすねて生活してきた。

キツネは、匂いで食べ物を嗅ぎつけ、くすねてきたが、このときキツネの嗅覚をもっとも刺激したのが油の匂い。油で揚げた食物は、粒子が油の皮膜につつまれているため、匂いが揮発せずに遠くまで飛ぶからである。

日本に昔からある、油で揚げた食物といえば油揚げ。というわけで、キツネは、油揚げが大好きになった。

◎タヌキは本当にタヌキ寝入りをするか？

眠っているふりをすることを「タヌキ寝入り」という。

この言葉は、タヌキは、猟師が鉄砲を打つと、ひっくり返るが、弾が当たったと思って近づくと、パッと起きて逃げてしまうことから、そういわれるようになった。

このタヌキの行動は、一種の防御本能だとも、単純に音にびっくりして倒れるのだ、ともいわれている。

また、タヌキにかぎらず、動物はだいたい眠りが浅い。本当に寝ていても、ちょっとした物音で、まるでタヌキ寝入りしていたようにすぐに起きてしまう。

◎なぜ、カウボーイが手綱を巻きつけるだけで、馬は逃げられなくなる？

西部劇では、馬から下りたカウボーイは、手綱を丸木にかるく巻きつける。手綱の先を結んだり、木に結びつけたりはしない。しかし、それだけで、馬は逃げないで、じっと主人の帰りを待っている。

これは、馬のしつけの問題ではなく、手綱をかるく巻くだけで、馬は逃げられなくなっているのだ。そこに「オイラーのベルト理論」という物理法則が働いているからである。

これは、丸いものに巻きつけられたロープの一端を軽い力で引っ張っているとき、もう一方の端を引っ張ってロープをはずそうとすると、非常に大きな力を必要とするというもの。

たとえば、カウボーイが丸木に手綱を三回巻きつけ、五〇〇グラムで引っ張っておくと、もう一方の端には約一〇トンの力を加えないと、手綱ははずれない。

これでは、どんな力のある馬でも逃げだすことができない。

この原理は、船の繋留にも応用され、もやい綱を岸の杭に二、三回巻きつけるだけで、船は流れていかない。

◎シマウマには、なぜシマがある？

動物学者のデズモンド・モリスによれば、シマウマのシマには次のような役割があるという。
①シマがあるために、体を大きく見せることができ、敵を威嚇することができる。②シマがあることによって、敵の目を眩惑させることができる。③シマの模様がシマウマ同士の仲間意識を高める。
デズモンド・モリスがシマウマを観察した結果から推測したものだから、本当のところはシマウマにきいてみなければわからないが、ともかくシマウマにシマがないと、シマらないのは確かである。

ゾウの細胞の大きさは、アリの何倍くらい？

動物の体の大きさと、細胞の大きさには何の関係もない。ゾウの細胞もアリの細胞もヒトの細胞も、大きさは同じで、直径は約一〇ミクロン（〇・〇一ミリ）である。

要するに、ゾウとアリの大きさの違いは、細胞の大きさではなく、細胞の数がケタ違いに違うわけだ。だいたいヒトは一〇〇兆個の細胞でできている。ゾウはもっと多いし、アリははるかに少ない。

例外的に大きな細胞をもつのは、単細胞のプランクトン。ひとつの細胞の中に、いろいろな情報を詰め込まなければならないためだ。

ゾウの鼻は、どれくらい小さなものまでつかめる？

ゾウの鼻は、鼻と上唇が伸びたもので、手、腕、鼻、唇の役割を果たしている。あの鼻には約四万もの筋肉があって、自在に動かすことができる。

力も強く、ジャングルの木々を倒したり、他の動物を一撃でやっつけるほど。ふだんはおとなしいゾウでも、空腹時にちょっかいを出すと、鼻で軽く吹っ飛ばされる。

木の葉をちぎって口に運ぶのも、この鼻だし、水浴びをするときにホース代わりにするのも、鼻だが、こういう大きな動作はもちろん、小さな針でも、あの鼻でつかむことができるのだ。ゾウはあの長い鼻をじつに器用に使っているわけだ。

なぜ、夜行性動物は日光不足で背骨が曲がらない？

人間は太陽にあたらないでいると、体内でビタミンDが作れなくなり、骨に障害が出てくる。では、夜行性動物はどうなのだろうか。日光不足で、骨が弱くなりはしないのだろうか。

コウモリやフクロウが、夜に行動しても元気でいられるのは、三つの理由がある。

ひとつは、夜行性といっても、昼間まったく行動しないわけではないこと。昼間も、少ないながらも日光を浴びているのだ。

二つ目の理由は、暗闇や夜間でも、紫外線はゼロではないこと。

闇夜でも大気中には紫外線が含まれているし、月も紫外線を出す。夜行性の動物は、それを取り入れている。

三つ目の理由は、もともと夜行性動物は、微量のビタミンDで体を維持できること。

そのため、コウモリやフクロウは、夜間の紫外線で、十分に健康を維持できるのだ。

◎海中にいるクジラは、どうやって水分をとる?

魚とクジラの違いといえば、ひとつは呼吸法。

魚はエラ呼吸によって海水に含まれた酸素を体内にとりいれているが、哺乳類であるクジラは、海面に顔をだし、肺呼吸をして空中の酸素をとりいれている。

もうひとつの違いは、水分を摂取する方法。魚は、特殊な腎臓をもっており、そこで海水をうすめてから体内にとりいれるが、クジラは、どうやって水分をとりいれるのか?

答えは、魚を食料にすることで、魚の体内にある水分を吸収しているのである。

もっとも、いつも海の中にいるクジラは、人間のように暑くてダラダラと汗をかき、ノドがひりひりに渇くということもなさそうだが……。

◎ペットの「輸血」は、どうやる？

人間が大ケガをして出血がひどければ、輸血が必要になる。では、ペットの場合はどうなのか？

じつは、たいていの動物病院では、こうした場合にそなえて、輸血専用の献血犬と献血ネコを飼っている。

事故にあったペットが担ぎ込まれると、獣医は、まずケガをしたペットの血液と、輸血用血液を一緒にして遠心分離器にかける。その結果、双方の血液がドロドロに固まったら輸血は断念。固まらなければ、適合と見なして、輸血する。

いうまでもなくイヌやネコにも血液型の違いがあるが、ペットの血液型をちゃんと調べるためには、大学病院並みの大がかりな実験設備が必要。そんな設備がない一般の動物病院では、血液型が違う可能性には目をつむって、とりあえず先の方法で輸血してしまうのである。

◎なぜ、イヌは酔っぱらいに向かって吠えかける？

酒を飲まない人は、たいていアルコールの臭いが嫌いだが、ましてイヌの嗅覚は人間の比ではない。

イヌにとって、アルコールの臭いは耐えられないものなのだ。

イヌが酔っぱらいに吠えかけるのは、アルコールの臭いをプンプンさせているからである。

そんなとき、酔った勢いでイヌにちょっかいを出すと、イヌは興奮しているわけで、思わぬケガにつながることもある。イヌが吠えかけてきたときは、息を止めて足早に立ち去ることである。

イヌはなぜ汗をかかない?

人間は汗をかくことで、体温を調節する。しかし、イヌは全速力で走った後でも、ほとんど汗をかかない。

もともと、イヌの体には、足の裏をのぞいて汗腺がほとんどない。だから、イヌは汗をかこうにもかけないわけだ。

その代わり、イヌは唾液から水分を蒸発させて、体内の熱を外へ逃がしている。イヌは走った後、舌を出してゼイゼイと荒い息をしているが、あれは呼吸が苦しいためではなく、唾液をだして、体温を調節しているのだ。

なぜ、イヌは股間の臭いを嗅ぎあうか?

イヌどうしが出会ったとき、まず鼻をくっつけるようにして、お互いの臭いを嗅ぎあう。それがすむと、股間の臭いを嗅ぎあう。

これは、相手の性別や氏素性を臭いによって確認しているのである。イヌは、視覚より、嗅覚の発達した動物であり、股間の臭いで、相手の性別、地位や状態まで識別する。

そのあと、相手の股間をなめるなど、相手をリードしようとするのは、自分のほうが格上だと確認したほうのイヌである。

一方、格下のイヌは、相手の態度や行為を受け入れたり、腹部など自分の弱い部分を相手に見せる。これは、相手に服従し、敬意を払う意味の動作だ。

なぜ、イヌは草を食べる?

イヌが散歩の途中などで、草を食べはじめるのは、お腹の具合が悪いとき。

飼いイヌは、運動不足なうえ、ふだん塩分の多いエサを与えられている。そのため、胃酸過多になりがちで、便秘をしやすい。そんなとき、イヌは草を食べ、胃や食道を刺激し、吐き気や便通を起こそうとするのである。

またイヌは、何か悪いものを食べて、中毒症状を起こしたときにも、草を食べて一緒に吐きだそうとする。

イヌは草を薬として食べているわけで、けっしてお腹が減っているわけではないから、エサをよけいに与えたりしないように……。

イヌは、なぜ「雪」が好きなのか?

童謡の「雪」では、雪が降ると「犬は喜び庭かけまわり、猫はこたつで丸くなる」。

実際、イヌを飼っている人に聞くと、イヌは雪が降ると尻尾を振って喜ぶという。とくに、東京などあまり雪の降らない地域で飼われているイヌの場合、そのはしゃぎぶりは尋常ではないという。

その理由はいたって単純。イヌは、雪そのものが好きなのではなく、ふだんあまりお目にかからない雪を見て、単純に興奮しているだけなのである。

もともと、イヌははしゃぐことが大好きな動物で、環境が変わったり、ハプニングが起きたりすると、この「はしゃぎ好き」な性格が前面に出てくる。

東京で飼われているイヌが雪を見てはしゃぐのも同じ理由。それが証拠に、雪国で飼われているイヌは、雪が降ったくらいではしゃがない。だからどうした……といった顔をして外を見ているだけだという。

もっとも人によく噛みつく犬種は?

イヌに噛まれるという事件が増えるのは、

北半球の場合、六月中旬である。雨の日が多いため、臭いが遮断され、視界が悪くなって、イヌはイライラしている。そのため、ちょっとしたことで嚙みつくことが増える。

イヌは、種類によって、よく嚙むイヌと、まったく嚙まないイヌがいる。

もっとも、人に嚙みつきやすいのは、ジャーマン・シェパード。つづいて、チャウチャウ、プードル、イタリアン・ブルドッグ、フォックステリア、エアデール・テリア、ペキニーズなどの犬となっている。

なぜ、ダックスフントのような形のイヌをつくった?

イヌの種類が多いのは、原種を人為的に交配し、その種類を増やしてきたため。イヌの遺伝子は突然変異を起こしやすく、交配させるだけで、いろいろな大きさ、形のイヌが生まれてきたのだ。なかでも、もっともユニークな形をしたイヌは、ダックスフントだろう。

あの胴長短足のユーモラスな格好は、猟犬として品種改良されたためのものだ。アナグマやウサギを穴から追い出すために、あんな格好になった。

ダックスフントの原種は、ウサギ狩り用のビーグル犬と、中型の鳥猟犬のオールド・イングリッシュ・セッター。この二種を交配して、ダックスフントが生まれた。

ネコはなぜ猫背か?

ネコが猫背であるのには、次の三つの理由がある。

第一の理由は、瞬発力を増すため。ネコは獲物にこっそり忍び寄り、近くに来てから襲

いかかる。そのとき、ネコはあの背中をますます丸め、それをピンと伸ばしてバネをきかし、獲物に跳びかかるのだ。

第二は、衝撃を吸収する目的。ネコは高いところから落ちても、宙返りをしながら軟着陸し、ケガをしない。これは、背中が丸まっていて、衝撃を吸収できるからだ。

第三は、ボディランゲージ説で、ネコは背中で会話するという。喜んでいるネコは背中を伸ばし、怒っているときは丸める。ネコどうしは正面から向かいあうことはなく、横向きに、お互いを見ている。その背中が丸くなっているかどうかで、相手の機嫌をうかがうというわけだ。

◎なぜ、ネコは糞に砂をかける？

ノラネコは糞をすると、自分の出したものに砂をかけ、隠してしまう。ネコの糞はかなり臭いが強いため、臭いを封じようと、砂をかぶせているのだ。

これは、自分の居場所を、ほかの動物に知らせないようにする、防衛本能によるもの。イヌは、オシッコをかけて自分のテリトリーを誇示するが、ネコはあくまで身をひそめるのだ。

とくに、自分よりも強いものが近くにいるところでは、ネコは念入りに糞を隠す。もし、あなたの家のネコが、糞に砂をかけなければ、飼い主をなめきっている証拠だ。

◎ネコは、なぜ寒がりなのか？

「ネコはこたつで丸くなる」という童謡のイメージもあって、ネコは「寒がり」と思われている。しかし本当は、イヌと比べても、けっして寒さに弱くはない。

ネコは、体からほとんど発汗しないから、

体内の熱をあまり放出しない。その分、寒さには強いのである。さらに、寒い時期には、ふだんより高カロリーのエサを食べ、寒さをしのぐという知恵もある。

雪の日にネコがこたつで丸くなるのは、イヌと違って、雪の日にわざわざ庭をかけまわるようなムダな体力の浪費をネコはしないだけの話である。

なぜ、ネコは尻っぽをふくらませる?

ライオンのオスは、危険に直面したとき、タテガミを大きくふくらませる。ネコが尻っぽをふくらませるのもこれと同じ、危険に対して身を守るためだ。

ネコは、敵を前にしたとき、脚を踏んばり、背中を丸めて、尻っぽを立てる。このとき、背中から尻っぽの先まで、毛を逆立てる。こうして、ネコは少しでも体を大きく見せようとしているのだ。

つまり、ネコが尻っぽをふくらませるのは、敵を威嚇し、自分の身を守ろうとしているわけ。

そういうときのネコには慎重に対応しないと、ひっかかれることになる。

なぜ、ネコは色とりどりの子供を産む?

春先など、発情期を迎えると、メスネコは何匹ものオスと交尾する。オスネコのペニスには、トゲ状の突起があって、これがメスの性器を刺激し、排卵をうながす。つまり、メスネコは交尾するたびに排卵しているのである。

そのため、ネコは一時に出産する三〜五匹の子ネコの父親が、すべて違うこともある。同じ母親から生まれた子ネコなのに、色とりどりなのは、それぞれ父親が違うためだ。

なぜ、ネコは男性より女性になつきやすい？

ネコは、一般に男性より女性のほうになつきやすい。

これはひとつには、音質の高い女性の声が、ネコの声質に近いためだ。ネコには、男性の低い声が不快に聞こえるのである。

しかも、活動的な男性に比べ、女性はもの静か。一日一四時間以上も寝ている飼いネコにとっては、女性と一緒にいるほうが、より落ちつくのである。

なかでも、ネコともっとも相性のいいのが、高齢の女性。大きな声をださないうえ、行動がゆっくりしていて、ネコと生活のテンポがいちばんあう。

ネコは、なぜ魚が好きなのか？

「ネコにカツオ節」という言葉があるように、昔からネコは魚好きとされている。

ネコはライオンやトラと同じ肉食動物である。ネコの生活圏は、本来は森の中で、太古からもっぱら小動物を主食にしてきた。つまり、ネコの好物は本来、動物の肉なのだが、なぜ、肉から魚へと、まるで健康を気にする人間のように好みが変わったのか？

これは、ネコが人間社会で生活するようになったからである。

人間社会では、好物の動物の肉は、肉屋のショーケースの中にきっちり収められているため、さすがのネコも盗めない。

その点、魚屋に並んでいる魚なら、簡単に失敬できる——というわけで、ネコはやむなく魚を食べるようになった。

また、本来、なまけもののネコは、人間から与えられるエサで満足した、ということも大きな理由。つまり、その昔、肉をあまり食べなかった日本人は、肉のかわりに魚をネコに与えた。そんなことから、ネコは、すっかり魚好きになったというわけである。

◎ネコにドッグフードをやるとどうなる?

昨今のペットのエサは、日増しに高級化、細分化しているのはご存じのとおり。スーパーでは、ベビーフードより大きなペットフードのコーナーを設置し、イヌ用、ネコ用のペットフードを多数陳列しているが、ドッグフードとキャットフードは、どこがどう違うのか?

イヌとネコでは、生きていく上での必須の栄養素のひとつアミノ酸の代謝系が違っており、ネコのほうがイヌよりもたくさんのタンパク質やアミノ酸が必要になる。

たとえば、そのひとつがタウリンというアミノ酸。タウリンが欠乏したネコは、しだいに網膜の中心部が変形し、最終的には失明してしまうため、キャットフードにはタウリンがたっぷり含まれている。しかし、ドッグフードはというと、これがほとんど含まれていない。

というわけで、ネコにドッグフードを与えてはいけない。ペットのエサなどどれも同じなどと考えていると、かわいい愛猫が失明してしまいかねないのである。

◎ネコは、なぜ「猫舌」なのか?

熱い食べ物が苦手な人を「猫舌」というけれど、本当にネコは熱いものが苦手である。動物学者たちによれば、これはネコがたいへんな美食家だからだという。

動物には、視覚、聴覚、味覚、嗅覚、触覚の五感があるが、ネコは五感の中でもとくに味覚が発達しており、舌に伸びている神経の三分の二が、味を感じる舌先に集中しているという。

で、このネコの舌先の表面には、味蕾と呼ばれる味を感じる細胞が密集している。この味蕾は、非常に鋭敏なため、食べ物が熱すぎると、細胞が傷んでしまう。つまり、ネコが猫舌なのは、この味蕾細胞を傷めないための、いわば自衛の措置というわけだ。

人間でも猫舌の人は、ネコ並みに味覚が発達しているのかも？

◎ネコとイヌの交配は可能か？

昭和三三年、ネコとイヌの交配が生まれたという記事が、静岡新聞に掲載されたことがある。三毛ネコが産んだ三匹のうち、オスの一匹の顔はネコだが、胴や脚の毛なみがイヌのスピッツにそっくりというものだった。

しかし、このときも、交配という説がある一方、突然変異説や、スピッツの子供がネコの子にまぎれこんだという説もあった。

科学的には、いまのところネコとイヌの交配という例は確認されていない。両方とも、人間に身近なところで生活しているが、ネコがもっとも恐れている存在がイヌ。小さいころから一緒に育てても、お互いに親近感を抱くこともなく、交尾させることも難しいのである。

◎ネコ科のライオンやトラも、のどをゴロゴロ鳴らすか？

ネコがのどをゴロゴロと鳴らす音は、呼吸するときに、空気が声帯に作用して、声帯が振動するためだ。

生まれたてのまだ目が見えない子ネコは、この母親のゴロゴロ音で、母乳の位置を探しあてる。大人になってから、よくのどを鳴らすネコは、母ネコと長く暮らしたネコで、あまり鳴らさないのは母離れの早かったネコである。

なお、同じネコ科の動物では、チーター、マウンテン・ライオン、オセロットなどは、ネコのようにのどを鳴らす。一方、ライオン、トラ、ヒョウ、ジャガー、ピューマは鳴らさない。

◎ハブに噛まれたマムシは死ぬか？

強力な毒をもつマムシも、ハブに噛まれると死んでしまう。マムシは、ハブ毒に対する免疫をもっていないため、毒がまわってしまうのだ。コブラに噛まれても、同じように死んでしまう。

だが、マムシはマムシに噛まれても、死ぬことはない。マムシはマムシ毒に対する免疫をもっているため、致命的なダメージは受けないのである。毒で一時的に弱っても、やがて元気を取り戻す。

一般に、マムシとマムシのように、同じ種類のヘビどうしが噛み合っても、免疫をもつため、死ぬことはない。ただ、興味深いのは、コブラがコブラを噛んだ場合だけは、噛まれたコブラが死んでしまうこと。コブラの毒が強すぎて、同種のコブラでも耐えきれないのである。

◎ヘビはどれくらいの長さのものまで呑み込める？

ヘビは、自分の体より長いものでも、呑み込むことができる。自分より長いヘビでも、器用に折り畳んで、ゆっくり呑み込んでいくのだ。

ヘビが、自分より大きな動物でも呑み込めるのは、まず口が上下一八〇度近くまで広がるからである。しかも、口は左右にも広がるため、口を目一杯開ければ、大きな獲物でもかぶりつくことができるのである。

また、ヘビの体は、肋骨が自由に広がるようにできている。かぶりついた獲物をゆっくり体内へ送り込んでいけば、肋骨が広がり、じょじょに呑み込めるのだ。

◎「スズメの涙」は何グラムくらいか?

ほんのわずかなもののことを「スズメの涙」という。だが、そもそも、鳥は涙を流すのだろうか。

鳥には、人間のように悲しかったり、うれしいときに出る涙はない。だいたい、そういう複雑な感情があるかどうかも、よくわかっていない。ただし、角膜の乾燥を防ぐための涙は出るし、病気になると、目がうるんだりはする。しかし、せいぜい目をしめらせる程度のものだ。

スズメの場合も、そういう涙は出るが、人間のようにポロポロと涙がこぼれたりはしない。乾燥を防ぐためだけの涙なので、少量すぎて何グラムかは量りようもない。

◎スズメは、なぜ電線に止まるのか?

少々の風が吹いても、スズメは平気で細い電線に止まっている。屋根など平らなところのほうが安心して止まれそうな気もするが、これは、一見不安定な細い電線の上こそ、スズメにとってはもっとも安定のよい場所だからだ。

スズメの脚には、脛骨（むこうずねにある

長い骨）の表側と、くるぶし関節の裏側に、足指の動きをコントロールする特別な腱がついている。

スズメの脚に体重がかかり、腱が伸びると、足指はぐっと内側に曲がり、自然に電線をしっかりつかむ。

また、足指の裏側には、小さい爪形の突起が何百個も出ていて、その突起が、さらにしっかり電線をつかまえる。

一方、屋根のような平らな場所だと、足指が面から浮き、非常に不安定になる。また、その場合は足の裏の突起もまったく利用できない。

というわけで、スズメは電線の上が大好きなのだ。

◎ヘビの胴体と尻尾の境界線はどこ?

ヘビは、いったいどこまでが胴体で、どこからが尻尾なのか？

ふつうの動物は、一見して「肛門から前が胴体、肛門から後ろが尻尾」といえるが、ヘビの場合は、そもそも肛門がどこにあるのかわかりにくい。

しかし、ヘビを裏返してみると、胴体と尻尾の境界線は一目瞭然である。

ヘビを裏返したら腹側のウロコの形に注目しよう。頭に近い部分は、横幅の広い一枚ウロコが、縦にずっと連なっている。しかし、後方に視線を移すと、ある一点から先は、ウロコが左右二列に並んでいる。この二列に分かれはじめる最初のウロコの下に、じつはヘビの肛門が隠されている。

すなわち、ヘビは一枚ウロコの部分が胴体、二枚ウロコの部分が尻

尾なのだ。

◎なぜ、水鳥は水の中で体が冷えない？

考えてみると、水鳥はずっと水につかっていて、よく寒くないものである。冬など、凍傷にならないのだろうか。

鳥は、冷たさに対して、鈍感という以上に、もともと冷たさをほとんど感じないような体の構造をもっている。

そもそも、鳥類には体温が二種類ある。鳥の体では、動脈と静脈が細かく網状にからみあい、それによって熱交換をして、高い体温と低い体温をつくりだしているのだ。

まず、体全体の体温は四〇度前後で、人間よりも温かい。もうひとつの体温は、脚などでかなり低い体温になっている。

つまり、外部に露出し、水に直接接触するこういう場所は、水温同様の低い体温なので、冷たさをほとんど感じないのだ。

◎ニワトリの産卵期はいつ？

今のニワトリは、一日一個に近いペースで、卵を産みつづける。むろん、昔の改良されるまえのニワトリには産卵期があった。

もともと、ニワトリはキジ科の鳥で、ほかの鳥と同様、春に卵を産んでいた。それを、人間が品種改良を重ね、卵の生産性をあげるため、いつでも卵を産むようにしたのである。

また、養鶏場では、電灯の光でニワトリの脳下垂体を刺激し、性腺刺激ホルモンを分泌させて産卵を促進させている。とにかく、さまざまな方法で、ニワトリの産卵をうながしてきたため、ニワトリは本来の繁殖期を忘れ、毎日のように卵を産むようになったのである。

そして、卵を産むペースが少しでも落ちたニワトリは、すぐにケージから出され、バラされた食肉となる。合掌。

◎鳩レースでは優勝タイムはどうやって計る？

鳩レースは、鳩の帰巣本能を利用し、同じ地点から一斉に放し、それぞれの家に帰りつくまでのタイムを競う。となると、鳩はそれぞれの巣に帰ってしまうのに、どうやって優勝タイムを計るのか？

これは、鳩が脚につけているタイムカードに刻印された時間から飛行時間を計算して、タイムを計る。

たとえば、福島県で一斉に放たれて関東地方までの距離を競う場合、鳩は脚にタイムカードをつけている。ゴールとなる各競技者の家庭には、それぞれタイムレコーダーがあり、鳩が帰ってくると、飼い主は急いでタイムカードをはずし、到着時刻を刻印する。その時点で、はじめてゴールと見なされる。

こうして記録された時間が大会本部に集められ、分速が計算された後、順位が発表される。それぞれのゴールが違うため、順位は到着時間ではなく、分速で決まる。

◎鳥のオスはなぜカラフル？

野生の動物は、おおむねオスのほうがオシャレである。ライオンのたてがみはオスしかなく、鳥で派手な色をしているのは、たいていオスである。たとえば、クジャクもきれいな羽を持つのはオスのほうだ。

なぜ、オスのほうがきれいなのか——その理由は、メスがオスを選ぶ基準は、基本的にオスの美しさにあるというダーウィンの仮説にはじまり、数々の説がある。

なかには、寄生虫がいると、栄養分をその寄生虫にとられるので、不健康になって羽毛に艶がなくなる。そこで、自分には寄生虫がいないことをアピールするために、カラフルな色をしているという説もある。

◎渡り鳥は、なぜ長距離を飛べる?

渡り鳥は、小さな体からは想像できないような長距離を渡ってくる。シベリアから日本へ来る鳥は二〇〇〇～三〇〇〇キロ、日本から南にいく鳥は四五〇〇～六〇〇〇キロも移動する。北極圏で繁殖するキョクアジサシという渡り鳥にいたっては、南極大陸で冬を過ごすため、一万六〇〇〇キロを飛んで移動する。

渡り鳥の飛行ルートは、海ルート、陸ルート、海陸併用ルートなど、鳥によってさまざま。また、ノンストップで目的地へ飛ぶ鳥もあれば、中継地点で体力をたくわえ、目的地を目指す鳥もいる。たとえば、ムナグロというチドリは、アラスカ～ハワイ間三〇〇〇キロを、三五時間無着陸で飛行する。一方、一列に編隊を組んで飛行するサシバは、伊良湖岬から紀伊半島、四国、宮崎、宮古島、台湾などを経由しながら、フィリピンまで渡る。

渡り鳥は、渡りの季節が近づくと、大量のエサを食べ、体内に脂肪分を貯蔵。これが長い距離を飛ぶためのエネルギー源になる。ふだんの二倍にも増えた体重も、目的地に着くころには痛々しいほどにやせ細る。

◎チドリの歩き方は、なぜ千鳥足?

酔っぱらいなどのヨロヨロとした歩き方を「千鳥足」というが、これは鳥のチドリの歩き方に似ているからだ。では、なぜチドリはヨロヨロと歩くのか？

チドリの脚には、指が三本しかない。ほかの鳥と比べると、体重を支える後ろ指にあたるものがないため、どうしてもヨロヨロしているように見えてしまうのだ。

さらに、チドリはヨロヨロ歩いては、エサを見つけてついばみ、また歩きだす。そのとき、前に出した脚を小刻みに揺らして、虫などのエサをさがす。

その動きが、なんともユーモラスなため、酔っぱらいの歩き方を千鳥足と呼ぶようになったのである。

なぜ、カラスは案山子にだまされない？

案山子《かかし》とカラス――この戦いは、あっさりカラスに軍配が上がってしまうが、これはどうしてか？

なるほど、最初はカラスも案山子を見て退散する。しかし、しばらくすると、案山子はカラスのかっこうの止まり木になってしまう。人間サマの知恵もバカにされたものだが、これにはもっともなワケがある。

これは、カラスが案山子の正体を見破ったからというより、案山子から人間の臭いが消えたせいだといわれる。

案山子は、たいてい人間の古着を着せられる。古着には、着ていた人間の体臭がしみついているから、カラスは近づかない。ところが、雨や風にさらされているうちに、人間の体臭が消えてしまう。こうなると、カラスにとって、案山子はたんなる止まり木に化してしまうというわけだ。

ウグイスにも「方言」がある？

日本なら、大阪弁、名古屋弁……。アメリカにもテキサス訛《なまり》があるなど、人間は同じ言語を使っていても、住んでいる場所が違えば、微妙にイントネーションなどが違ってくる。これが方言である。

では、方言は、人間だけにあるものなのかというと、そうではない。

たとえば、ウグイス。われわれの耳には、どんなウグイスも「ホーホケキョ」と鳴いているように聞こえるが、同じウグイスでも、地域によって鳴き声が違うという。

それが証拠に、地域ごとのウグイスの鳴き声を声紋にとると、明らかに違う模様ができる。その違いは注意して聞くと人間にも聞き分けられるというが、とにかくウグイスも訛るのである。

ただ、たとえば北海道のウグイスと九州のウグイスが〝会話〟ができないのかというと、そんなことはないらしい。専門家によれば、訛はあっても同じ種としての声には大きな違いがないため、ちゃんとコミュニケーションがとれるはずという。

◎七面鳥の顔の色は、なぜ変化する?

七面鳥の顔色は、カメレオンのようにころころと変わるわけではない。七面鳥のオスは頭が禿《は》げているが、色が変わるのはこのハゲの部分だけ。興奮すると、頭に血が昇って赤くなり、気が静まると血液も下がって、薄い赤から青白い色に変わる。

野生の七面鳥の頭が、興奮して赤くなるのは年に一回程度のこと。交尾期になると、メスの気をひこうとするオスは翼を広げて、鳴き声をあげながら、頭のてっぺんを真っ赤にしてメスの回りを歩き回るのだ。

七面鳥は、人間に飼いならされてからは、メスは年に何回も卵を産むようになり、オスのほうも頻繁に興奮し、頭を赤くするようになった。

鳥にも、右利き左利きはあるか？

人間同様、鳥にも右利きと左利きがある。それは、食べ物を脚でつかんで食べるタイプの鳥を観察すると、よくわかる。

たとえば、ヤマガラは、とらえた昆虫を一方の脚で押さえつけて食べるが、それぞれの鳥は自分の利き脚を使っている。伊豆七島の三宅島にすむオーストンヤマガラを調査したところ、右利きと左利きの比率は六対四だった。

人間の世界では、圧倒的に右利きが多いが、これは右利き用の道具を使う関係で、幼少期に左利きを右利きに矯正されるため。人間が、もし鳥やそのほかの動物たちのように道具を使わなかったら、右利きと左利きの比率は、ほとんど半分ずつになると推定する研究者もいる。

なぜ、卵は孵化すると軽くなる？

人間の場合、一か月の胎児と臨月の胎児の体重を比べれば、いうまでもなく臨月の胎児のほうが重い。

ところが、たとえばニワトリの卵はそうではない。受精したばかりの卵といままさに殻を破ってヒヨコが出てくるというときの卵では、後者のほうが軽いのである。

これは、雛がかえるまで、卵の内と外でどんな出入りがあるかを考えればすぐわかる。

まず出ていくほうだが、卵の成分の卵白、卵黄の水分が親のニワトリに温められることで蒸発することが考えられる。

さらに、呼吸にともなう二酸化炭素が出て

いく。かわりに、卵の殻を通して酸素が入ってくるが、比重は二酸化炭素のほうが重く、しかし、必要な酸素のほうが量が多いため、これはチャラになると考えていい。

というわけで、出入りを総合すると、水蒸気が蒸発する分だけ、卵は軽くなるのである。

ただし、カメの場合は、甲羅ができるせいか、孵化する直前の卵のほうが重いとする報告もある。

◎なぜ、土の中にすむミミズが魚のエサになる?

魚は水の中にすんでいる。一方、ミミズはふだんは土の中にいる。それなのに、なぜ魚はミミズを食べられると知っているのだろうか?

ミミズは土中にすむとはいっても、雨が降って地上に出てきたミミズが、川に流されることはよくある。また、増水で土砂がくずれるということもある。事実、川魚は、流されてくる陸生の生物をよく食べているのだ。だから、ミミズはなじみのエサのひとつなのである。

しかも、海より狭い場所にすむ川魚の場合、生存競争が激しく、エサらしいものを見つけたら、いち早く食べないと生き残れない。落ち葉にだって飛びつくものがいるくらいで見慣れていようといなくとも、食べられるものは食べてしまうのである。

◎なぜ、コバンザメはサメに食べられない?

サメの腹に吸盤で吸いついて、いつも一緒に生活しているコバンザメ。このコバンザメは、ただ腹にくっついているわけではない。くっつきながら、サメのために働いているのである。

コバンザメの口をよくみると、下顎が上顎

よりも前方に突き出て、いわゆる受け口の形になっている。さらに、上顎の先端には、出っ歯のような歯がきれいに並んでいる。コバンザメは、腹にくっつきながら、この口で、サメの腹に寄生する甲殻類などを取り除いているのだ。少しずつ前方に進みながら、出っ歯でかきおとし、下顎でうけとめる。

サメにすると、コバンザメは腹の掃除をしてくれるありがたい存在。一方、コバンザメは、サメに他の天敵から守ってもらいながら生きていけるという共存共栄の関係なのである。

タンチョウヅルの頭はなぜ赤い?

北海道の釧路原野に生息するタンチョウヅル。昔は、日本各地にいたが、開発と乱獲で数が激減、今では釧路原野にしか残っていない。

タンチョウヅルの頭部が赤い色をしているのは、赤い羽が生えているからではなく、羽が生えていないからだ。

そのハゲた部分には、肉瘤という赤い小さなブツブツ状のものがたくさん集まっている。それが赤くみえるのは、血液の色がすけてみえているためだ。

生まれたばかりのタンチョウは、肉瘤が未発達なため、頭部が赤くならない。生後三年ほどすると、ホルモンの分泌が活発になり、肉瘤ができ、赤くなってくる。

なぜ、深海魚はビタミンD不足にならない?

日光浴が大切なのは、紫外線によってビタミンDが生成されるから。ビタミンDが不足すると、疲れやすくなり、

無気力になる。

しかし、生き物には、日光浴をしたくても、できないものがいる。たとえば、海の底で暮らす深海魚である。

太陽光線が届く限界は、水深八〇〇メートルくらいまで。それより深くに棲む魚は、日光をまったく浴びていない。すると、深海魚はビタミンD不足にならないのだろうか？

専門家の見解では、深海魚はカルシウムの代謝率がごく低いため、たとえ紫外線を必要としても、ごくわずかだという。

また、深海魚には、紫外線以外のものによって、ビタミンDを生成する能力をもつものもいるし、さらに海面で死んで、沈んできたプランクトンを食べることによって、ビタミンDを摂取している可能性もあるという。

なぜ、マグロは長距離を泳げる？

マグロは、夏の終わりに黒潮に乗って日本近辺に姿を現すが、その後、太平洋を横切ってアメリカの西海岸まで渡っていく。その間、ずっと泳ぎっぱなしなのだ。

そのマグロの泳力の秘密は、まずあの紡錘形の姿にある。船の形もそうであるように、紡錘形は水の抵抗が小さくなるのだ。

さらに、マグロは、胸びれや背びれが小さく、尻びれも後方についている。ウロコも小さい。すべて、水の抵抗が小さくなる条件だ。

そして、マグロは最高時速一六〇キロで水中をぐんぐん飛ばしていく。実際、マグロの群れに出会っても、あっという間にいなくなってしまう。

「マナ板の上の鯉」は、なぜ往生際がいい？

煮るなり焼くなり、好きなようにしてくれ――という半ば開き直った心境を、よく「マナ板の上の鯉」という。

実際、マナ板にのせられ、いよいよ調理されるというときの鯉は、ほとんどジタバタしない。潔いというか、たとえば、頭にキリを打たれるまで暴れまわるウナギなどと比べると大変な違い。鯉が、品格があり、また縁起のいい魚ともいわれる所以だが、じつはこうした鯉の往生際のよさには、ワケがある。

板前は、鯉をマナ板にのせると、包丁の背中で側線をなでる。側線とは、魚の体の脇にある特殊な感覚器のことで、ここをなでられると、鯉はいとも簡単に失神してしまうのだ。

かくして「マナ板の上の鯉」はもがき苦しむことなく往生でき、板前も調理がしやすいというわけだ。

◎カツオやマグロは、なぜ熱帯魚のようにハデではない?

水族館などで、色鮮やかな熱帯魚は見ていて楽しい。赤や黄色のハデな姿は子供たちにも大人気だ。

ところが魚屋さんで見かけるカツオやマグロ、そしてサンマなど、日本人の食卓ではおなじみの魚といえば、背中は青黒く、腹は銀色というパトカーもどきのツートンカラー。

しかし、彼らが地味なのには、それなりの理由がある。

カツオにしても、マグロ、サンマにしてもみな回遊魚である。彼らは群れをなし、季節によってあちこちの海を移動する。そんな彼らが熱帯魚のようなハデな色合いだったら、空からは鳥たちに狙われ、海中からは別の魚に狙われてしまう。つまり、あの色合いは保護色になっているのである。

◎魚は色が区別できるか?

魚の視力は、陸上の動物に比べると、非常

に弱い。

海や川の水は、いつも透明に澄んでいるわけではないし、潮流があるため、遠くまで見渡すことは難しい。そのため、魚の視力は発達しなかったのだ。

とくに、光が届く深さには限界があるため、深いところに住む魚ほど、視力は弱くなる。深海魚になると、視力はほとんどない。あっても意味がないわけだ。

さて、視力の弱い魚たちがどれくらい色を識別できるかだが、実験によると、シマダイは赤、黄、紫が区別できることがわかっている。

シマダイにかぎらず、太陽光線がよくさしこむ浅瀬や磯に住んでいる魚は、赤や黄色など、太陽光線と関係した色は、ある程度識別可能とみられている。

しかし、夜行性や深海性の魚には、それも難しい。

◎タコは、なぜスミを吐く?

タコはなぜ、スミを吐くのか?

いうまでもなく、外敵から身を守るためだが、煙幕、つまり相手の目をくらませるためではない。なぜなら、海に生息するタコの外敵はほとんど視力が発達していないから。視力が発達していない相手に煙幕をはっても、これは無意味である。

では、タコのスミにはどういう効果があるのかというと、じつは外敵の嗅覚をマヒさせるのである。魚は、視力が弱いかわりに、嗅覚や聴覚が発達している。その嗅覚をマヒさせて、自分の身を守ろうというのがタコの作戦なのである。

タコは図形認識もでき、触手でエサを狙う

ときの距離のとり方もきわめて正確だという。「このタコ!」といえば、人間の世界では悪口になるが、ホントのタコはかなり優秀な生き物なのだ。

◎なぜ、クモは自分の巣にひっかからない?

クモは、ネバネバする糸でクモの巣を張って、獲物をつかまえる。しかし、自分はクモの巣に脚をとられない。

これは、クモの巣の糸には、粘着力のある部分とない部分があり、当然クモはそのことを熟知しているためだ。

まず、クモは巣の中心部にいるが、その部分の糸には粘着力がない。さらに、中心から放射状に伸びている糸にも、粘着力はない。粘着力があるのは、円を描いている横糸だけで、クモは移動するとき、粘らない糸だけを選んで動くのだ。

しかも、クモの脚には脂肪質の物質が分泌されていて、その脂肪質が脚を保護し、粘る糸にふれてもくっつかないようになっている。巣の上で、ひっかかった獲物と格闘することになっても、粘る糸に脚をとられることはないわけだ。

◎海を渡るチョウは、どこかで休憩する?

チョウの中には、渡り鳥のように海を渡る種類がいる。たとえばアメリカ大陸に生息するオオカバマダラは、冬の寒さを避けるために、北米大陸から南米大陸まで海を渡って移動する。

よくぞあの体で大海を渡り切れるものだ……と思わず感心してしまうが、じつはチョウはしっかり休んでいる。いくら体に似あわぬパワーを持っていても、何百キロという旅をするためには、やっぱり休憩は必要なのだ。

ではチョウはどこで休憩しているのか？

たまたま船が通りかかれば、その船に止まって休むし、そうでないときは、海上に浮かんで休む。

チョウの羽は鱗粉でおおわれているから、水をはじく。海に浮かぶことなど、朝飯前なのだ。

◎実験室で飼っている蚊のエサは？

蚊のエサは人間の血であり、実験用に使われる蚊にも、エサとして人間の血が与えられている。

その与え方はごく単純で、蚊の食事時間になると、飼育係が巣箱の中にグイと腕を突っ込む。そして、自由に血を吸わせる。

というと、大変な仕事のようだが、経験者によると、想像するほどかゆくならないという。その理由は、蚊にはたっぷり血を吸わせたほうが、かえってかゆくならないからである。

蚊が人間の血を吸うときは、まずくちばしで皮膚にキズをつけ、血液の凝固をふせぐ唾液を送り込む。かゆさの原因はこの唾液にあり、蚊が血を吸っている最中に殺したり、逃げられたりすると、この唾液が人間の体内に残るからかゆくなる。

だが、蚊にたっぷりと血を吸わせると、蚊がこの唾液も吸い戻すため、それほどかゆくならないのだ。

◎蚊は、なぜ人間の血を吸う？

この疑問の答えは、人間の血を吸うのは、じつはメスだけだという事実の中にある。

蚊は、オスもメスも、ふだんは花の蜜や樹液などをなめて暮らす、本来はじつに温厚な昆虫である。

ところが、ある時期、メスだけが吸血鬼に変身する。その時期とは出産前。メスは、卵を産む数日前になると、まさしく血に飢えた状態となり、人間をチクリとやりはじめるのだ。

その理由は、人間の血に含まれているタンパク質が、卵巣の中にある卵の発育にはなくてはならないから。つまり、子育てのために、メスは吸血鬼に変身するのである。

子供のためなら、母親は鬼にもなれば蛇にもなる――これは、人間も蚊も同じである。

◎なぜ「酔っぱらい」と子供」は蚊に狙われる?

夏、もっとも蚊の被害にあうのは、たいてい晩酌をかかさないお父さんと子供である。

蚊は、人間の吐く二酸化炭素の臭いと皮膚の温かみをたよりに、人間の皮膚をさがしあてる。

たとえば、ビールを飲むと、アルコールは肝臓で水と二酸化炭素に分解され、二酸化炭素は呼気とともに体外に排出される。また、アルコールの作用で、体温が皮膚の表面近くに移動して、皮膚がほてる。だから、お酒を飲むと蚊にさされやすくなる。

また、小さい子供は大人より体温が高いから、これも蚊に狙われやすいのだ。

◎玉虫の本当の色は何色?

甲虫目タマムシ科の玉虫の仲間は、日本だけで約二〇〇種、世界では六〇〇〇種も生息している。

国宝「玉虫厨子」に使われているのは、ヤマトタマムシという種類で、金属的な光沢のある緑色に赤い縦縞が二本入っている。この玉虫の色は、もともとは緑に赤なのだ。

そもそも、昆虫の背や腹部は、キチン質というタンパク質でできているが、このキチン質が特殊な構造になっているため、玉虫の羽は光の反射が変化して、角度によってはいろいろな色に見える。

ヤマトタマムシも、見る角度で青にも紫にも、きらめくように色が変化してみえる。それが、いわゆる「玉虫色」だ。

なぜ、ミツバチの巣穴は六角形をしている?

ハチの中で、巣に六角形の穴をつくるのは、スズメバチ、アシナガバチ、ミツバチといったところ。なかでも、ミツバチの巣は見事な正六角形の集合体である。大きな巣になると、万の単位の六角形が並ぶ。

それが正六角形になったのは、もっともムダのない形だからと考えるしかない。たとえば、丸い穴だと、穴と穴との間に隙間ができる。三角や四角だと、隙間はできないが、肝心の出入りがしにくくなる。それが、六角形だと隙間なく並べられるうえ、また出入りもしやすい。

あの穴の作り方は、まず最初に丸い穴をつくり、ハチはその中に体を入れて、壁に体をぶつけながら、じょじょに六角形に近づけていく。

カタツムリは殻ごと成長しているのか?

カタツムリは、赤ちゃんも殻を持っている。カタツムリの殻は、貝殻を住み替えていくヤドカリとちがって、借りものではなく、卵の中で細胞分裂するときから、ちゃんと自前の殻を背負っている。

やがて成長するにつれ、殻は強度を増していき、内臓を守り、体の成長に合わせて殻も大きくなっていく。カタツムリの殻は、カルシウムを主成分とした体の一部といえるのだ。
そして成長すると、殻の口がラッパ状に反り返ってくる。その反り返りが、カタツムリが大人になった印だ。

◎ハエは、なぜ「ウンコ」に群がるのか?

都会ではめったに見かけなくなったが、牧歌的な地方にいくと、家畜のウンコにはかならずハエが群がっている。

ハエがウンコに群がるのは、ウンコから栄養分と水分を補給するためである。人間や動物のウンコには、タンパク質や糖分などの栄養分がたくさん残っており、これが、ハエにとっては貴重なエネルギー源になる。

また、ウンコにハエが必要な水分がどれだけあるのかということに関しては、出たばかりのウンコほどハエが群がっているという事実が雄弁に物語っている。出てから何日かたち、干からびたウンコにハエが群がらないのは、栄養分はともかく、水分が蒸発してしまっているからである。

もうひとつ、ハエがウンコに群がる理由は、ウンコはハエの産卵場所として最適の環境を備えているということもある。

ハエの卵は、孵化・幼虫（ウジ）・サナギ・成虫になるまで、ほとんど移動しない。つまり、成虫になるまでは、産卵した場所で成長のための栄養分を摂取しなければならないのだが、そのための環境としてウンコは最適なのである。

◎アリは甘いもの好きだが、人工甘味料はどうか?

アリは、人工甘味料には見向きもしないという実験結果がある。

その実験は、アリの巣から一〇センチほど離れたところに、砂糖とサッカリンを置いて行われた。すると、二、三分のうちに、砂糖はアリだらけになったが、サッカリンには一匹のアリも寄りつかなかった。

詳しく観察すると、アリは最初から無視するわけではなく、一度はサッカリンの山に近づくのだが、そのまま乗り越えてしまった。つまり、アリは、甘さではなく、カロリーを求めているというわけだ。

アリは、働き者であり、小さな体のわりには消費カロリーが多い。だから、甘いだけの人工甘味料には関心を示さないのだ。

◎アリの貯めこんだ食物は腐らないのか?

アリは、夏から秋にかけて巣に食物をたくわえて、冬に備える。すると、巣に運び込んだ食物が、冬が来るまでに腐ってしまうことはないのだろうか?

アリは、巣の中に食物を持ち帰ると、まず小さく砕いて、自分の腹部にあるそ嚢《のう》に貯える。そして、そ嚢と胃の間の弁を開き、胃に送り込んで食べる。つまり、そ嚢が貯蔵庫の役割を果たしているのだ。

また、アリは、冬にほとんどからだを動かすことがない。そのため、そ嚢に貯えた分だけで十分で、新たに食物を必要としない。

アリが食物をたくわえるというのは、こういうことなのだ。

◎アリは木から落ちたら死ぬか?

アリが木から落ちると、どうなるのだろうかと、アリをマンションの二階から落として実験した人がいる。すると、アリは見事に着地。三回試して三回とも、腹側を下に、六本の脚でしっかりと踏ん張ったという。

つまり、アリは、木から落ちても、死なないどころかかすり傷ひとつ負わないのだ。

これは、アリの体重が非常に軽いため。体重が軽く、落下スピードがつかないため、地面に着地するときの衝撃が緩和されるのだ。また、アリの体は堅い外殻で覆われているため、少々の衝撃ではつぶれないのだ。

◎アリは、ホントに〝働き者〟なのか?

アリといえば、イソップ童話の「アリとキリギリス」でもおなじみのように〝働き者〟として知られる。

しかし、最近の研究によれば、一生懸命、働いているのは、じつはアリの中の約二〇%。残りの八〇%は、働いているように見えても、同じところをぐるぐる回っていたり、じっとたたずんでいるなど、サボタージュを決め込んでいることがわかってきた。

では、働き者のアリは全体の二〇%しかいないかというと、そうではない。二〇%の働き者のアリだけを集めると、いつのまにか、その中の八〇%が怠けはじめる。かつては働き者だったアリも、周りがみんな働き者だと、八〇%は怠け者になってしまうのだ。

会社でも、ホントに働いているのは全体の二割くらいしかいないといわれるが、たしかに、組織というものは、全員が全員、優秀だったり、働き者だったりすると、かえってうまく機能しない?

（二〇〇〇年九月　アルファベータ刊『ナゼだ?!』を改題）

知恵の森文庫

今《いま》さら他人《ひと》には聞《き》けない疑問《ぎもん》650

エンサイクロネット／編

2002年 5月15日 初版1刷発行
2002年11月30日 11刷発行

発行者——松下 厚
印刷所——慶昌堂印刷
製本所——関川製本
発行所——株式会社光文社
〒112-8011 東京都文京区音羽1-16-6
電話 編集部(03)5395-8282
販売部(03)5395-8113
業務部(03)5395-8125
振替 00160-3-115347

落丁本・乱丁本は業務部でお取替えいたします。
ISBN4-334-78156-X Printed in Japan

お願い

この本をお読みになって、どんな感想をもたれましたか。「読後の感想」を編集部あてに、お送りください。また最近では、どんな本をお読みになりましたか。これから、どういう本をご希望ですか。どの本にも誤植がないようにつとめておりますが、もしお気づきの点がございましたら、お教えください。ご職業、ご年齢などもお書きそえいただければ幸いです。

東京都文京区音羽一・一六・六
（〒112-8011）
光文社〈知恵の森文庫〉編集部
e-mail:chie@kobunsha.com